▲ 1953 年与母亲王永桃在颐和园

父亲刘天演在颐和园

▲ 2010 年在上海书展

▲ 在上海城隍庙（2010 年）

刘心武文存33

[1958—2010]

散文随笔 第十一卷

命中相遇

刘心武◎著

江苏人民出版社

图书在版编目(CIP)数据

命中相遇 / 刘心武著. — 南京：江苏人民出版社，
2012.11

(刘心武文存；33. 散文随笔；11)

ISBN 978-7-214-08515-3

Ⅰ.①命 … Ⅱ.①刘… Ⅲ.①散文集-中国-当代

Ⅳ.①I267

中国版本图书馆CIP数据核字(2012)第152340号

书　　　　名	命中相遇
著　　　者	刘心武
责 任 编 辑	刘　焱
统 筹 编 辑	李　丹
特 约 编 辑	朱　鸿
文 字 校 对	陈晓丹　郭慧红
装 帧 设 计	门乃婷工作室
出 版 发 行	凤凰出版传媒股份有限公司
	江苏人民出版社
出版社地址	南京湖南路1号A楼　邮编：210009
出版社网址	http://www.book-wind.com
经　　销	凤凰出版传媒股份有限公司
印　　刷	三河市金元印装有限公司
开　　本	700毫米×1000毫米　1/16
印　　张	18
字　　数	384千字
彩　　插	4
版　　次	2012年11月第1版　2012年11月第1次印刷
标 准 书 号	ISBN 978-7-214-08515-3
定　　价	42.00元

(江苏人民出版社图书凡印装错误可向本社调换)

《刘心武文存》出版说明

　　《刘心武文存》收录刘心武自 1958 年 16 岁至 2010 年 68 岁公开发表的文字约 900 万字。《文存》共 40 卷，按文章门类收录，计有长篇小说 5 卷、中篇小说 4 卷、短篇小说 5 卷、小小说 1 卷、儿童文学 1 卷、建筑评论 2 卷、《红楼梦》研究 4 卷、散文随笔 11 卷、杂文 1 卷、海外游记 1 卷、多品种（图文交融文本、报告文学、诗歌、剧本、足球评论、译述）1 卷、创作谈 1 卷、理论批评 1 卷、早期（1958 年至 1976 年）作品 1 卷、自述 1 卷。因跨越时间达半个世纪以上，收录定有遗漏，但其此期间的主要作品，相信均已收入。

　　《刘心武文存》各卷均附有《刘心武文学活动大事记》及《刘心武著作书目》，可备检索。

　　编辑出版《刘心武文存》的目的，意在供各方面人士阅读欣赏、分析研究、批评批判、收藏保存。

刘心武文存

33

——

目录

刘心武文存

33

目录

兰畦之路

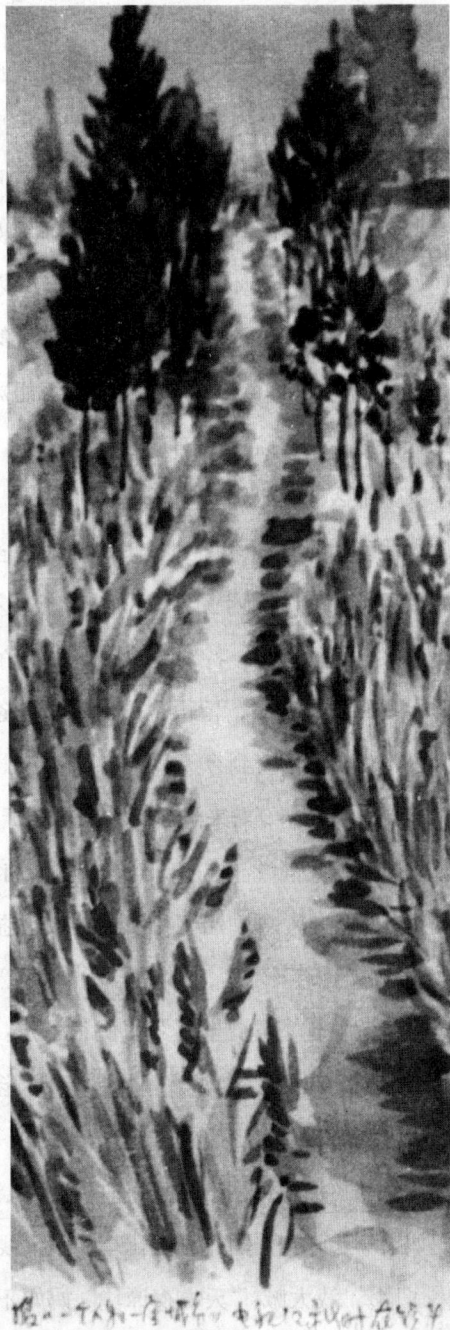

1957 年初冬，我 15 岁那年，忽然有个妇女出现在我家小厨房门外。我望着她，她也望着我。我不知道她在想什么，我在想的是：她算嬢嬢，还是婆婆？

那时候我家住在北京钱粮胡同海关宿舍里。那宿舍原是大富人家的带花园的四合院。我家住在有垂花门的内院里，但小厨房是另搭在一边的，一株很高很大的合欢树，像巨伞一样罩住小厨房和住房外的部分院落。走拢小厨房的那位妇女，穿着陈旧的衣衫，戴着一顶那个时代流行的八角帽（帽顶有八处摺角，带帽檐），她脸上尽管有明显的皱纹，但眼睛很大很亮，那时我随父母从重庆来到北京，还保持着重庆地区的话语习惯，对较为年轻的妇女唤孃孃，对上了年纪的妇女唤婆婆，但是眼前的这位妇女，年纪介乎二者之间，我望着她只是发愣。她望够了我，一笑："像天演啊！你是他幺儿吧？"我父亲名天演，显然，这位妇女是来我家做客，我就朝厨房里大喊一声："妈！有客来！"妈妈闻声提着锅铲出得厨房，一见那妇女，似乎有些意外，但很快露出真诚的微笑，而那妇女则唤妈妈："刘三姐，好久没见了啊！"妈妈忙把她引进正屋，我就管自跑开去找小朋友玩去了。

我妈妈姓王，在她那一辈里大排行第三，因为嫁给了我爸爸，同辈亲友都唤她刘三姐，后来广西民族歌剧《刘三姐》唱红了，又拍了电影，有来我家来拜访的人士跟传达室说"找刘三姐"，常引出"你开什么玩笑"的误会，但我从小听惯了人家那么称呼妈妈，看电影《刘三姐》绝无关于妈妈的联想。

我玩到天擦黑才回到家里，那时爸爸下班回来了，那位妇女还没有走，爸爸妈妈留她吃晚饭，她就跟我们同桌吃饭，这时妈妈才让我唤她胡孃孃，我唤她，她笑，笑起来样子很好看，特别是她摘下了八角帽，一头黑黑的短发还很丰茂。

我家常有客来，留饭也是常事。爸爸妈妈跟客人交谈，我从来不听，至于客人的身份，有的直到今天我也搞不清。

但是就在胡孃孃来过后的一个星期天，妈妈责备我到处撂下书报杂志，督促我整理清爽，我懒洋洋地应对，妈妈就亲自清理床上的书，其中一本是长篇小说《福玛·高捷耶夫》，妈妈正看那封面，我一把抢过去："正经好书！高尔基写的！"妈妈就说："啊，高尔基，那胡孃孃当年很熟的呀！"我撇嘴："我说的是苏联大文豪高尔基啊！你莫弄错啊！"妈妈很肯定："当然是那个高尔基，他常请胡孃孃去他家讲谈文学的啊！"我发懵，这怎么可能呢？

我那时候虽然还只是个中学生，但是人小心大，读文学书，爱读翻译小说，高尔基的《福玛·高捷耶夫》有的成年人读起来也觉得枯燥难啃，我却偏读得下去。妈妈又拿起一本法国作家巴比塞的《火线下》，说："啊，巴比塞，胡孃孃跟他就更熟了啊。"我大喊："天方夜谭！"妈妈不跟我争论，只是说："好，好，你看完一本再看一本吧，不管看没看完都要放整齐，再莫东摆西丢的！"

胡孃孃没有再到我家来。我没有故意偷听，但偶尔爸爸妈妈的窃窃私语，还是会传进我的耳朵。关于胡孃孃，大体而言，是划成右派分子，送到什么地方劳动改造去了。爸爸提到四川作家李劼人，"也鸣放了，有言论啊，可是保下来了，没划右"，很为其庆幸的声调，妈妈就提到胡孃孃："她也该保啊！那陈毅怎么就不出来为她说句话呢？"爸爸就叹气："难啊！"他们用家乡话交谈，"毅"发"硬"的音，但我还是听出了说的是谁，非常吃惊，不过我懒得跳出来问他们个究竟。

1983 年，爸爸已经去世五年，妈妈住到我北京的寓所，记不得是哪天，我忽然想起了胡孃孃，问妈妈，她跟我细说端详。论起来，大家都是同乡。在上个世纪的历史潮流里，爸爸妈妈上一辈及那一辈的不少男女，走出穷乡僻壤，投入更广阔的生活，也就都有了更复杂扭结的人际关系。胡孃孃名胡兰畦，她虽有过一次婚姻，但遇上了陈毅，两个人沉入爱河，在亲友中那并不是秘密，他们山盟海誓，在时代大潮中分别后，互等三年，若三年后都还未婚，则结为连理。胡兰畦生于 1901 年，1925 年大革命时期，活跃在广州，后来国民党分裂，胡兰畦追随国民党左派何香凝，何香凝让儿子廖承志先期去了德国，胡兰畦不久也去了德国，并在那里由廖承志介绍加入了德国共产党，组成了一个"中国支部"，积极投入了国际共产主义运动，1933 年德国纳粹党上台，疯狂打击共产主义分子，廖承志和胡兰畦先后分别被逮捕入狱，那一年何香凝去了法国，并到德国将廖承志营救出狱，何先生与廖承志回到巴黎以后，就和我姑妈刘天素住在一起，我姑妈刘天素到法国留学，也是何先生安排的，不久入狱三个月的胡兰畦也被营救出狱，也流亡到了巴黎，在那里写出了《在德国女牢中》，这个作品先在法国著名作家巴比塞主编的《世界报》上以法文连载，很快又出版了单行本，并被翻译成了俄、英、德、西班牙文，在世界流布。那时候的苏联文学界，能阅读中文原著的人士几乎为零，汉学家虽有，翻译中国当代作家作品很少，他们也许知道鲁迅，却未必知道冰心，丁玲在当时的中国才刚露头角，更不为他们所知，但他们却都读了俄文版的《在德国女牢中》，这虽然是部纪实性的作品，但有文学性，那时世界共产主义运动密切关注德国纳粹的动向，这部作品也恰好碰到阅读热点上，于是，1934年苏联召开第一次全苏作家大会，就向寓居巴黎的胡兰畦发出邀请，她成为唯一从境外请去的"中国著名作家"，参加了那次盛会。（当时中国诗人萧三常住苏联，参加了大会并致贺词。）

胡兰畦命途多舛，但胡兰畦寿数堪羡，她熬过了沦落岁月，活到了改革开放时期，得到平反，恢复党籍，1996年含笑去世。她在复出以后写出了《胡兰畦回忆录》，但到1997年才正式出版，尽管关注这本书的人至今不多，留下的宝贵历史资料却弥足珍贵。1934年胡兰畦到了莫斯科，那次全苏作家大会邀请了世界上许多著名作家为佳宾，虽然多数是左翼作家，开列出那名单来一看也够壮观的。胡兰畦是来自中国并且作品广为人知的女作家，那一年才33岁，端庄美丽，落落大方，成为会上一大亮点。那次大会选举高尔基为第一任作协主席，他对胡兰畦非常欣赏，除了大会活动中主动与胡交谈，还多次邀请胡到他城外别墅作客，一次高尔基大声向其他客人这样介绍胡兰畦："她是一个真正的人！"那时候胡所接触的苏联官员与文化界人士中赫赫有名的除高尔基外还有布哈林、莫洛托夫、日丹诺夫等，像爱伦堡、法捷耶夫等都还不足以与她齐肩。因为作为共产主义作家，西欧对胡限制入境，苏联政府就为她在莫斯科安排了独立单元主房，说养起来都不足以概括对其的礼遇，实际上简直是供了起来。1936年高尔基去世，尽管历史界对他的死亡是否系斯大林的一个阴谋有争议，但当时的情况是，斯大林亲自主持了高尔基的丧事，出殡时，斯大林亲自参与抬棺，那时有多少人出于崇拜也好虚荣也好，都希望能能成为棺木左右执绋人之一，但名额有限，最后的名单由政治局，实际上也就是由斯大林亲自圈定，而"来自中国的著名女作家胡兰畦"被钦定为执绋人之一。

"人生最风光的日子，也就那么几年！"这是十几年一位仁兄在我面前发出的喟叹。他举出的例子里有浩然。他说有的人争来论去地褒贬浩然，其实浩然的悲苦在于，他最风光的日子、往多了算，也就是 1963 到 1966，以及 1973 到 1976 那么六七年。胡兰畦作为"国际大作家"在莫斯科活动的日子，只有不到两整年的时光。

1936 年年底胡兰畦回到中国。1937 年到 1949 年这十二年里，她的活动让我这个后辈实在搞不懂。国共联合抗日，她公开身份是在国民党一边，作为战地服务团团长，蒋介石给她授了少将军衔，成为中国近代史上的第一个女将军。她为共产党暗中做了许多策反一类的事情，但她的共产党员资格却被地下组织轻率取缔，这期间她与陈毅有几次遇合，爱得死去活来，但盟誓三年之后他们失却联系，陈最后与张茜缔结良缘，并携手穿越历史风雨白头偕老。1949 年中国人民共和国成立，这应该也是胡兰畦此前奋力追求的一个胜利果实，但她的身份却变得格外尴尬，她算什么？国际共产主义运动的斗士？但能证明她这一身份的人要么已经不在人世，要么也已经在这个运动的流变中成为了可疑之人甚至"叛徒"。她算苏联人民的朋友？跟她一起照过像谈过话来往过的如布哈林等人在 1937 年斯大林的大肃反中已被处决，一些也曾被斯大林养起来的外国文化人在大肃反中也被视为西方间谍驱逐出境，实际上她后来也被"克格勃"怀疑。她算"中国著名作家"？她那本《在德国女牢中》后来虽然也在中国出版，但并没产生什么大的动静。她算共产党的地下工作者？谁来证明她有那样的身份？她一度是宋庆龄的助手，但宋和何香凝、廖承志一样，多年没见过她，不能证明，陈毅跟她之间只有隐私没有工作联系，又能证明什么？上海解放后，陈毅担任第一届市长，她顺理成章地写信到市政府请求会面，很快有了回音，约她去谈，但出面的不是陈毅而是副市长潘汉年。潘汉年多年来担任共产党谍报机关负责人，却并未将胡纳入过他的体系，他告诉胡陈已娶妻生子，"你不要再来干扰他"，胡只好悻悻离去。1950 年以后她在北京工业大学找到一份工作，不是担任教职，只是一个总务处的职员。那时候北京工业大学在皇城根原中法大学的旧址，离我家所住的钱粮胡同很近。当她灰头土脸地走过隆福寺前往我家时，街上有谁会注意到她呢？谁能想象得到这曾经是一个在中国革命大潮乃至国际大舞台上叱咤风云的巾帼英雄呢？谁知道她在 1927 年大革命时期的事迹，被茅盾取为素材，以她为模特儿塑造为小说《虹》中的女主角呢？更有谁知道她曾经和蓝蘋也就是江青，以及其他当年美女一样，登上过《良友》画报的封面呢？

就是这样一位女性，五十几年前，出现在我面前，妈妈让我唤她胡孃孃。那时从爸爸妈妈的窃窃思语里，我就知道，胡孃孃"日子难过"，"三反五反"运动里，她因管理大学食堂伙食，在并无证据的情况下定为"老虎"（贪污犯），关过黑屋子；"肃清胡风反革命集团"时，她又被定成"胡风分子"，其实她根本不认识胡风，她倒是与远比胡风著名的国际大作家有交往，苏联的那些不说了，像德国的安娜·西格斯（其《第七个十字架》《死者青春常在》等长篇小说在新中国成立后翻译过来风靡一时），就是她的密友，那可是坚定的左派啊，可谁听得进她那些离奇的辩护呢？她的国民党将军头衔虽然是在国共时期获得的，但"肃反运动"一起，她不算"历史反革命"谁算？到了"反右运动"，像她那样的"货色"，有没有言论都不重要了，不把她率先划进去划谁？她实在是比热锅上的蚂蚁还难熬啊！她到我家来找"刘三姐"，连我那么个少年都看穿了，除了享受温情，实际上也是来借钱的，在那个革命浪潮涌动的年代，像我爸爸妈妈那样还能接待她的人士，实在已经属于凤毛麟角。

在胡孃孃波澜壮阔的一生里，我爸爸妈妈其实只是她复杂人际关系里最边缘的一隅，但我爸爸妈妈在人际圈里，确实有"心眼最好"的口碑，在那个事事都要讲究阶级立场，对每个人都该追究阶级成分的历史时期，我的爸爸妈妈也是很注意不能犯政治错误的，在我的印象里，他们衷心地认同新中国、拥护共产党，但是他们对具体的人和事，却不放弃基于良知的独立判断，比如除了这位胡孃孃，还曾有位蓝孃孃（蓝素琴），在"肃反运动"里被判刑入狱，刑满释放后，无处可去，且不说其身份不雅，她是个老处女，脾气很古怪，纵使没有那样的政治污点，哪个亲友愿意收留她呢？但她辗转找到"刘三姐"，爸爸妈妈竟让她住进我家，供吃供喝，直到政府终于把她安置到一个学校里去工作。据说当时组织上也曾找爸爸谈话，问他怎么回事？他坦然地说，蓝女士在德国留学时期，与周恩来、朱德都很熟的，也算是个社会主义者，不过后来她参与的派别是错的，解放后对她的历史进行清算，我是理解的，但她的罪不重，这从刑期不长且提前释放可以看出来，她还是可以进行思想改造，把她化学方面的一技之长发挥出来，贡献给新中国的，我们暂时收留他，也给国家如何对她妥善安置，留下了充裕的考虑时间，觉得还是一件应该做的事。爸爸妈妈公然收留蓝孃孃一事胡孃孃当然知道，那么到了她走投无路时，来到我家求助，也就毫不奇怪了。即使在最苛酷的斗争风暴里，也还保持一分对个体生命的温情与怜惜，这是爸爸妈妈给予我最宝贵的心灵遗产，他们相继去世多年，我感谢他们，使我穿越过那么多仇恨与狂暴，仍没有丧失大悲悯的情怀。

　　最近我抽暇整理近二十几年来陆陆续续画出的水彩画和油性笔线画，把其中自己比较满意的装进定制的画框里。装好了，自我欣赏的过程里，我往往浮想联翩。我有一幅田野写生画的是田间小路。那是 2002 年春天，中央电视台记录片板块拍摄一组《一个人和一座城市》，让我作为"一个人"来讲北京这个城，他们在我乡村书房温榆斋录完访谈，又随我到藕田旁的野地，我画水彩写生，他们录了些镜头，后来用在了完成片里。我画这条乡间小路时，想到的是自己似乎曲折的命运。但是现在再端详这幅画，忽然想到了胡兰畦，她的生活道路，那才是真地万分曲折、千般坎坷、百般诡谲呀！兰畦之路，几乎贯穿一个世纪，折射出多少白云苍狗、河东河西、沧海桑田！……忽然想缄默下来，咀嚼于心的深处。

2008 年 11 月 4 日写完于绿叶居

王小波，晚上能来喝酒吗？

北京有三座金刚宝座塔。一座在蜚声中外的风景名胜地香山碧云寺里。碧云寺的金刚宝座塔非常抢眼，特别是孙中山的衣冠冢设在了那里，不仅一般游客重视，更是政要们常去拜谒的圣地。另一座金刚宝座塔在五塔寺里，虽然离城区很近，就在西直门外动物园后面长河北岸，却因为不靠着通衢而鲜为人知，一般旅游者

很少到那里去。五塔寺，是以里面的金刚宝座塔来命名的俗称，它在明朝的正式名称是真觉寺，到了清朝雍正时期，因为雍正名胤禛，"禛"字以及与其同音的字别人都不许用了，需"避讳"，这座寺院又更名为大正觉寺。所谓金刚宝座塔，就是在高大宽阔的石座上，中心一座大的，四角各一座较小的，五个石砌宝塔构成一种巍峨肃穆的阵式，攀登它，需从石座下卷洞拾级而上，入口则在一座琉璃瓦顶的石亭中。北京的第三座金刚宝座塔在西黄寺里，那座庙几十年来一直被包含在部队驻地，不对外开放。打个比方，碧云寺好比著名作家，五塔寺好比尚未引人注意的作家，而西黄寺则类似根本无发表的人士。

五塔寺的金刚宝座塔前面，东边西边各有一株银杏树，非常古老，至少有五百年树龄了。如今北京城市绿化多采用这一树种，因为不仅树型挺拔、叶片形态有趣，而且夏日青葱秋天金黄，可以把市容点染得富于诗意。不过，银杏树是雌雄异体的树，如果将雌树雄树就近栽种，则秋天会结出累累银杏，俗称白果，此果虽可入药、配菜甚至烘焙后当作零食，但含小毒，为避免果实坠落增加清扫压力以及预防市民特别是儿童不慎拣食中毒，现在当作绿化树的银杏树都有意只种单性，不使雌雄相杂。但古人在五塔寺金刚宝座塔两侧栽种银杏时，却是有意成就一对夫妻，岁岁相伴，年年生育，到今天已是夏如绿陵秋如金丘，银杏成熟时，风过果落，铺满一地。

至今还记得十九年前深秋到五塔寺水彩写生的情景。此寺已作为北京石刻博物馆对外开放，在金刚宝座塔周遭，搜集来不少历经沧桑的残缺石碑、石雕，有相当的观赏与研究价值。但那天下午的游人只有十来位，空旷的寺庙里，多亏有许多飞禽穿梭鸣唱，才使我摆脱了灵魂深处寂寞咬啮的痛楚，把对沟通的向往通过画笔铺排在对银杏树的描摹中。

雌雄异体，单独存在，人与银杏其实非常相近。个体生命必须与他人，与群体，同处于世。为什么有的人自杀？多半是，他或她，觉得已经完全失却了与他人、群体之间沟通的可能。爱情是一种灵肉融合的沟通，亲情是必要的精神链接，但即使有了爱情与亲情，人还是难以满足，总还渴望获得友情，那么，什么是友情？友情的最浅白的定义是"谈得来"，尽管我们每天会身处他人、群体之中，但真地谈得来的，能有几个？

一位曾到农村"插队"的"知青"，和我说起，那时候，生活的艰苦于他真算不了什么，最大的苦闷是周围的人里，没一个能成为"谈伴"的，于是，每到难得的休息日，他就会徒步翻过五座山岭，去找一位曾是他邻居，当时插队在山那边农村的"谈伴"，到了那里，"谈伴"见到他，会把多日积攒下的柴鸡蛋，一股脑煎给他以为招待，而那浓郁的煎蛋香所引出的并非食欲而是"谈欲"，没等对方把鸡蛋煎妥，他就忍不住"开谈"，而对方也就边做事边跟他"对阵"，他们的话题，在那样的地方那样的政治环境下，往往会显得非常怪诞，比如："佛祖和耶稣的故事，会不会是一个来源两个版本？"当然也会有犯忌的讨论："如果鲁迅看到《多余的话》，还会视瞿秋白为人生知己吗？"他们漫步田野，登山兀坐，直谈到天色昏暗，所议及的大小话题往往并不能形成共识，分手时，不禁"执手相看泪眼"，但那跟我回忆的"知青"肯定地说，尽管他返回自己那个村子时双腿累得发麻，但他获得了极大的心理满足，那甚至可以说是支撑他继续存活下去的主要动力！

人生苦短，得一"谈伴"甚难。但人生的苦寻中，觅得"谈伴"的快乐，是无法形容的。

"谈伴"的出现，又往往是偶然的。

记得那是1996年初秋，我懒懒地散步于安定门外蒋宅口一带，发现街边一家私营小书店，有一搭没一搭地迈进去，店面很窄，陈列的书不多，瞥来瞥去，净是些纯粹消遣消闲的花花绿绿的东西，不过终于发现有一格塞着些文学书，其中有一本是《黄金时代》，"又是教人如何'日进斗金'的'发财经'吧？怎么搁在了这里？"顺手抽出，随便一翻，才知确是小说，作者署名王小波。书里是几个中篇小说，头一篇即《黄金时代》。我试着读了一页，呀，竟欲罢不能，就那么着，站在书架前，一口气把它读完。我要买下那书，却懊丧地发现自己出来时并未揣上钱包。从书店往家走，还回味着读过的文字。多年来没有这样的阅读快感了。我无法评论。只觉得心灵受到冲击。那文字的语感，或者说叙述方式，真太好了。似乎漫不经心，其实深具功力。人性，人性，人性，这是我一直寄望于文学，也是自己写作中一再注意要去探究、揭橥的，没想到这位王小波在似乎并未刻意用力的情况下，"毫无心肝"给书写得如此令人"毛骨悚然"。故事之外，似乎什么也没说，又似乎说了太多太多。

也不是完全没听说过王小波。我从那以前的好几年起，就基本上再不参加文学界的种种活动，但也还经常联系着几位年轻的作家、评论家，他们有时会跟我说起他们参加种种活动的见闻，其中就提到过"还有王小波，他总是闷坐一边，很少发言"。因此，我也模模糊糊地知道，王小波是一个"写小说的业余作者"。

真没想到这位"业余作者"的小说《黄金时代》如此"专业"，震了！盖了帽了！必须刮目相看。

那天晚饭后，忽来兴致，打了一圈电话，接电话的人都很惊讶，因为我的主题是："你能告诉我联系王小波的电话号码吗？"广种薄收的结果是，其中一位告诉了我一个号码："不过我从没打过，你试试吧。"

那时候还没有"粉丝"的称谓，现在想起来，我的作为，实在堪称"王小波的超级粉丝"。

我迫不及待地拨了那个得来不易的电话号码。那边是一个懒懒的声音："谁啊？"

我报上姓名。那边依然懒懒的："唔。"

我应该怎么介绍自己？《班主任》的作者？第二届茅盾文学奖获奖作品《钟鼓楼》的作者？《人民文学》杂志前主编？他难道会没听说过我这么个人吗？我想他不至于清高到那般程度。

我就直截了当地说："看了《黄金时代》，想认识你，跟你聊聊。"

他居然还是懒洋洋的："好吧。"语气虽然出乎我的意料，传递过来的信息却令我欣慰。

我就问他第二天下午有没有时间，他说有，我就告诉他我住在哪里，下午三点半希望他来。

第二天下午他基本准时，到了我家。坦白地说，乍见到他，把我吓了一跳。我没想到他那么高，都站着，我得仰头跟他说话。请他坐到沙发上后，面对着他，不客气地说，觉得丑，而且丑相中还带有些凶样。

可是一开始对话，我就越来越感受到他的丰富多彩。开头，觉得他憨厚，再一会儿，感受到他的睿智，两杯茶过后，竟觉得他越看越顺眼，那也许是因为，他逐步展示出了其优美的灵魂。

我把在小书店立读《黄金时代》的情形讲给他听，提及因为没带钱所以没买下那本书，书里其他几篇都还没来得及读哩。说着我注意到他手里一直拎着一个最简陋的薄薄的透明塑料袋，里面正是一本《黄金时代》。我问："是带给我的吗？"他就掏出来递给我，我一翻："怎么，都不给我签上名？"我找来笔递过去，他也就在扉页上给我签了名。我拍着那书告诉他："你写得实在好。不可以这样好！你让我嫉妒！"

从表情上看，他很重视我的嫉妒。

我已经不记得随后又聊了些什么。只记得渐渐地，从我说得多，到他说得多。确实投机。我真地有个新"谈伴"了。他也会把我当作一个"谈伴"吗？

眼见天色转暗，到吃饭的时候了，我邀他到楼下附近一家小餐馆吃饭，他允诺，于是我们一起下楼。

楼下不远那个三星餐厅，我现在写下它的字号，绝无代为广告之嫌，因为它早已关张，但是这家小小的餐厅，却会永远嵌在我的人生记忆之中，也不光是因为和王小波在那里喝过酒畅谈过，还有其他一些朋友，包括来自海外的，我都曾邀他们在那里小酌。三星餐厅的老板并不经常来店监管视察，就由厨师服务员经营，去多了，就知道顾客付的钱，他们收了都装进一个大饼干听里，老板大约每周来一两次，把那饼干听里的钱取走。这样的合作模式很富人情味儿。厨师做的菜，特别是干烧鱼，水平不让大酒楼，而且上菜很快，服务周到，生意很好。它的关张，是由于位置正在居民楼一层，煎炒烹炸，油烟很大，虽然有通往楼顶的烟道，楼上居民仍然投书有关部门，认为不该在那个位置设这样的餐厅。记得它关张前，我最后一次去用餐，厨师已经很熟了，跑到我跟前跟我商量，说老板决意收盘，他却可以拿出积蓄投资，当然还不够，希望我能加盟，维持这个餐厅，只要投十万改造好烟道，符合法律要求，楼上居民也告不倒我们。他指指那个我已经很熟悉的饼干桶说："您放心让我们经营，绝不会亏了您的。"我实在无心参与任何生意，婉言拒绝了。餐厅关闭不久，那个空间被改造为一个牙科诊所，先尽情饕餮再医治不堪饫甘餍肥的牙齿，这更迭是否具有反讽意味？可惜王小波已经不在，我们无法就此展开饶有兴味的漫谈。

记得我和王小波头一次到三星餐厅喝酒吃餐，选了里头一张靠犄角的餐桌，我们面对面坐下，要了一瓶北京最大众化的牛栏山二锅头，还有若干凉菜和热菜，其中自然少不了厨师最拿手的干烧鱼，一边乱侃一边对酌起来。我不知道王小波为什么能跟我聊得那么欢。我们之间的差异实在太大。那一年我54岁，他比我小10岁。我自己也很惊异，我跟他哪来那么多的"共同语言"？"共同语言"之所以要打引号，是因为就交谈的实质而言，我们双方多半是在陈述并不共同的想法。但我们双方偏都听得进对方的"不和谐音"，甚至还越听越感觉兴趣盎然。我们并没有多少争论。他的语速，近乎慢条斯理，但语言链却非常坚韧。他的幽默全是软的冷的，我忍不住笑，他不笑，但面容会变得格外温和，我心中暗想，乍见他时所感到的那分凶猛，怎么竟被交谈化解为蔼然可亲了呢？

那一晚我们喝得吃得忘记了时间，也忘记了地点。每人都喝了半斤高度白酒。微醺中，我忽然发现熟悉的厨师站到我身边，弯下腰望我。我才惊醒过来——原来是在饭馆里呀！我问："几点了？"厨师指指墙上的挂钟，呀，过十一点了！再环顾周围，其他顾客早无踪影，厅堂里一些桌椅已然拼成临时床铺，有的上面已经搬来了被褥——人家早该打烊，困倦的小伙子们正耐住性子等待我们结束神侃离去好睡个痛快觉呢！我酒醒了一半，立刻道歉、付帐，王小波也就站起来。

出了餐厅，夜风吹到身上，凉意沁人。我望望王小波，问他："你穿得够吗？你还赶得上末班车吗？"他淡淡地说："太不是问题。我流浪惯了。"我又问："我们还能一起喝酒吗？如果我再给你打电话？"他点头："那当然。"我们也没有握手，他就转身离去了，步伐很慢，像是在享受秋凉。我望着他背影有半分钟，他没有回头张望。回到家里，我沏一杯乌龙茶，坐在灯下慢慢呷着，感到十分满足。这一天我没有白过，我多了一个"谈伴"，无所谓受益不受益，甚至可以说并无特别收获，但一个生命在与另一个生命的随意的、绝无功利的交谈中，觉得舒畅，感到愉快，这命运的赐予，不就应该合掌感激吗？

在以后的几个月里，我不但把《黄金时代》整本书细读了，也自己到书店买了能买到的王小波其他著作，那时候他陆续在某些报纸副刊上发表随笔，我遇上必读。坦白地说，以后的阅读，再没有产生出头次立读《黄金时代》时那样的惊诧与钦佩。但我没有资格说"他最好的作品到头来还是《黄金时代》"，而且，我更没有什么资格要求他"越写越好"，他随便去写，我随便地读，各随其便，这是人与人之间能以成为"谈伴"即朋友的最关键的条件。

我又打电话约王小波来喝酒，他又来了。我们仍旧有聊不尽的话题。

有一回，我觉得王小波的有趣，应该让更多的人分享。谁说他是木讷的？口拙的？寡言的？语塞的？为什么在有些所谓的研讨会上，他会给一些人留下了那样的印象？我就不信换了另一种情境，他还会那样，人们还见不到他闪光的一面。于是，我就召集一个饭局，自然还是在三星餐厅，自然还是以大尾的干烧鱼为主菜，以牛栏山二锅头和燕京啤酒佐餐，请来王小波，以及五六个"小朋友"，拼桌欢聚。那一阵，我常自费请客，当然请不起也没必要请鲍翅宴，至多是烤鸭涮肉，多半就让"小朋友"们将就我，到我住处楼下的三星餐厅吃家常菜。常赏光的，有北京大学的张颐武（那时候还是副教授）、小说家邱华栋（那时还在报社编副刊）等。跟王小波聚的那一回，张、邱二位外，还有三四位年轻的评论家和报刊文学编辑。

那回聚餐，席间也是随便乱聊。我召集的这类聚餐，在侃聊上有两个显著的特点，一是不涉官场文坛的"仕途经济"，一是没有荤段子，也不是事先"约法三章"，而是大家自觉自愿地屏弃那类"俗套"。但话题往往也会是尖锐的。记得那次就有好一阵在议论《中国可以说不》。有趣的是《中国可以说不》的"炮制者"也名小波，即张小波，偏张小波也是我的一个"谈伴"。我本来想把张小波也拉来，让两位小波"浪打浪"，后来觉得"条件尚未成熟，相会仍需择日"，就没约张小波来。《中国可以说不》是本内容与编辑方式都颇杂驳的书，算政论？不大像。算杂文随笔集？却又颇具系统。张小波原是上世纪八十年代大学里的"校园诗人"，后来成为"个体书商"，依我对他的了解，就他内心深处的认知而言，他并非一个民族主义鼓吹者，更无"仇美情绪"，但他敏锐地捕捉到了那时候青年人当中开始涌动的民族主义情结，于是攒出这样一本"拟愤青体"的《说不》，既满足了有相关情绪的读者的表述需求，也向社会传达出一种值得警惕的动向，并引发出了关于中国如何面对西方、融入世界的热烈讨论。这本书一出就引起轰动，一时洛阳纸贵，连续加印，张小波因此也完成了资本初期积累，在那基础上，他的图书公司现在已经成为京城中民营出版业的翘楚。

王小波对世界、对人类的认知，是与《说不》那本书宣示相拗的。记得那次他在席间说——语速舒缓，绝无批判的声调，然而态度十分明确——"说不，这不好。一说不，就把门关了，把路堵了，把桥拆了。"引号里的是原话，当时大家都静下来听他说，我记得特别清楚。然后——我现在只能引其大意——他回顾了人类在几个关键历史时期的"文明碰撞"，表述出这样的思路：到头来，还得坐下来谈，即使是战胜国接受战败国投降，再苛刻的条件里，也还是要包含着"不"以外的容忍与接纳，因此，人类应该聪明起来，提前在对抗里揉进对话与交涉，在冲突里预设让步与双存。

王小波喜欢有深度的交谈。所谓深度，不是故作高深，而是坦率地把长时间思考而始终不能释然的心结，陈述出来，听取谈伴那往往是"牛蹄子，两瓣子"

的歧见怪论，纵使到头来未必得到启发，也还是会因为心灵的良性碰撞而欣喜。记得我们两个对酌时，谈到宗教信仰的问题。我说到那时为止，我对基督教、佛教、伊斯兰教都很尊重，但无论哪一种，也都还没有皈依的冲动。不过，相对而言，《圣经》是吸引人的，也许，基督教的感召力毕竟要大些？他就问我："既然读过《圣经》，那么，你对基督被钉死在十字架上以后，又分明复活的记载，能从心底里相信吗？"我说："愿意相信，但到目前为止，还是不怎么相信。"他就说："这是许多中国人不能真正皈依基督教的关键。一般中国人更相信轮回，就是人死了，他会托生为别的，也许是某种动物，也许还是人，但即使托生为人，也还需要从婴儿重新发育一遍——二十年后又是一条好汉嘛！"我说："基督是主的儿子，是主的使者，不是一般意义上的人。但他具有人的形态。他死而复活，不需要把那以前的生命重来一遍。这样的记载确实与中国传统文化里所记载的生命现象差别很大。"我们就这样饶有兴味地聊了好久。

聊到生命的奥秘，自然也就涉及到性。王小波夫人是性学专家，当时去英国作访问学者。我知道王小波跟李银河一起从事过对中国当下同性恋现象的调查研究，而且还出版了专著。王小波编剧的《东宫·西宫》被导演张元拍成电影以后，在阿根廷的一个国际电影节上获得了最佳编剧奖。张元执导的处女作《北京杂种》，我从编剧唐大年那里得到录象带，看了以后很兴奋，写了一篇《你只能面对》的评论，投给了《读书》杂志，当时《读书》由沈昌文主编，他把那篇文章作为头题刊出，产生了一定影响，张元对我很感激，因此，他拍好《东宫·西宫》以后，有一天就请我到他家去，给我放由胶片翻转的录象带看。那时候我已经联系上了王小波，见到王小波，自然要毫无保留地对《东宫·西宫》褒贬一番。我问王小波自己是否有过同性恋经验？他说没有。我就说，作家写作，当然可以写自己并无实践经验的生活，艺术想象与概念出发的区别，我以为在于"无痕"与"有痕"，可惜的是，《东宫·西宫》为了揭示主人公"受虐为甜"的心理，用了一个"笨"办法，就是使用平行蒙太奇的电影语言，把主人公的"求得受虐"，与京剧《女起解》里苏三带枷趑行的镜头，交叉重叠，这就"痕迹过明"了！其实这样的拍法可能张元的意志体现得更多，王小波却微笑着听取我的批评，不辩一词。出演《东宫·西宫》男一号的演员是真的同性恋者，拍完这部影片他就和瑞典驻华使馆一位卸任的同性外交官去往瑞典哥德堡同居了，他有真实的生命体验，难怪表演得那么自然"无痕"。说起这事，我和王小波都祝福他们安享互爱的安宁。

王小波留学美国时，在匹兹堡大学从学于许倬云教授攻硕士学位，他说他对许导师十分佩服，许教授有残疾，双手畸形，王小波比划给我看，说许导师精神上的健美给予了他宝贵的滋养。王小波回国后先后在北京大学和中国人民大学任教，但是到头来他毅然辞去教职，选择了自由写作。想起有的人把他称为"业余作者"，不禁哑然失笑。难道所有不在作家协会编制里的写作者就都该称为"业余作者"吗？其实我见到王小波时，他是一个真正的专业作家。他别的事基本上全不干，就是热衷于写作。他跟我说起正想进行跟《黄金时代》迥异的文本实验，讲了关于《红拂夜奔》和《万寿寺》的写作心得，听来似乎十分地"脱离现实"，但我理解，那其实是他心灵对现实的特殊解读。他强调文学应该是有趣的，理性应该寓于漫不经心的"童言"里。

那时候王小波发表作品已经不甚困难，但靠写作生存，显然仍会拮据。我说反正你有李银河为后盾，他说他也还有别的谋生手段，他有开载重车的驾照，必要的时候他可以上路挣钱。

1997年初春，大约下午两点，我照例打电话约王小波："晚上能来喝酒吗？"他回答说："不行了，中午老同学聚会，喝高了，现在头还在疼，晚上没法跟你喝了。"我没大在意，嘱咐了一句："你还是注意别喝高了好。"也就算了。

大约一周以后，忽然接到一个电话，声音很生，称是"王小波的哥儿们"，直截了当地告诉我："王小波去世了。"我本能地反应是："玩笑可不能这样开呀！"但那竟是事实。李银河去英国后，王小波一个人独居。他去世那夜，有邻居听见他在屋里大喊了一声。总之，当人们打开他的房门以后，发现他已经僵硬。医学鉴定他是猝死于心肌梗塞。王小波也是"大院里的孩子",他是在教育部的宿舍大院里长大的,大院里的同龄人即使后来各奔西东,也始终保持着联系。为他操办后事的大院"哥儿们"发现,在王小波电话机旁遗留下的号码本里,记录着我的名字和号码,所以他们打来电话:"没想到小波跟您走得这么近。"

骤然失去王小波这样一个"谈伴",我的悲痛难以用语言表达。

生前,王小波只相当于五塔寺,冷寂无声。死后,他却仿佛成了碧运寺,热闹非凡。甚至还出现了关于他为什么生前被冷落的问责浪潮,几年后,一位熟人特意给我发来"伊妹儿",让我看附件中的文章,那篇文章里提到我,摘录如下:

> 王小波将会和鲁迅一样地影响几代人,并且成为中国文化的经典。王小波在相对说来落寞的情况下死去。死去之后被媒提和读者所认可。他本来在生前早就应该达到这样的高度,但由于评论家的缺席,让他那几年几乎被掩没。看来我们真不应该随便否定这冷漠的商业社会,更不应该随便蔑视媒体记者们,金钱有时比评论家更有人性,更懂得文学的价值。……为什么要这样?我们没有权利去批评王蒙刘心武(两人都在王小波死后为他写过文章)……他们的主要任务不是发表评论,而是创作。……

这篇署名九丹、阿伯的文章标题是《卑微的王小波》,文章在我引录的段落之后点名举例责备了官方与学院的评论家。这当然是研究王小波的可资参考的材料之一。不知九丹、阿伯在王小波生前与其交往的程度如何,但他们想象中的我只会在王小波死后写文章(似有"凑热闹"之嫌),虽放弃了对王蒙和我的批评,而把扳子打往职业评论家屁股,却引得我不能不说几句感想。王小波"卑微"?以我和王小波的接触(应该说具有一定深度,这大概远超出九丹、阿伯的想象),我的印象是,他一点也不卑微,他不谦卑,也不谦虚,当然,他也不狂傲,他是一个内向的,平和的,对自己平等,对他人也平等的,灵魂丰富多彩的,特立独行的写作者。他之所以应邀参加一些文学杂志编辑部召集的讨论会，微笑着默默地坐在一隅，并不是谦卑地期待着官方评论家或学院专家的"首肯"，那只不过是他参与社会、体味人生百态的方式之一。他对商业社会的看法从不用愤激、反讽的声调表述，在我们交谈中涉及到这个话题时，他以幽默的角度表达出对历史进程的"看穿"，常令我有醍醐灌顶的快感。

王小波伟大（九丹、阿伯的文章里这样说）？是又一个鲁迅？其作品是"中国文化的经典"？的确，我不是评论家，对此无法置喙。庆幸的是，当我想认识王小波时，我没有意识到他"伟大"而且是"鲁迅"，倘若那时候有"不缺席的评论家"那样宣谕了，我是一定不会转着圈打听他的电话号码的。

面对着我在五塔寺的水彩写生，那银杏树里仿佛浮现出王小波的面容，我忍不住轻轻召唤：王小波，晚上能来喝酒吗？

2008 年 12 月 1 日完稿于绿叶居

风雪夜归正逢时

"丫就是一中学教员！呸！啐他一口绿痰！"

这是 2007 年我在互联网上看到的一则针对我的"帖子"。

我真的没有想到，奔七十岁去的人，还能再次引发出轰动，这就是 2005 年至 2008 年，在中央电视台《百家讲坛》栏目里断续播出了四十四讲《刘心武揭秘〈红楼梦〉》。这是我一生中的第几次轰动？第一次，是 1977 年 11 月在《人民文学》杂志发表了短篇小说《班主任》，尽管事后的轰动程度出乎我自己意料，但我得承认，那效应正是我谋求的。我写出、投出《班主任》时，知道自己在做什么，在当时的社会情景下，那真是一次冒险，而幸运的是，

只遭受到一些虚惊，总的来说，是"好风频借力，送我上青云"了。第二次，是1985年，我的第一部长篇小说《钟鼓楼》获得第二届茅盾文学奖，我又在《人民文学》上连续发表了纪实小说《5·19长镜头》和《公共汽车咏叹调》，前一篇至今仍让许多球迷难以忘怀，有人说那是中国大陆"足球文学"的开篇作之一；后一篇则被认为是较早捕捉到改革所引发的人民内部矛盾，而试图以相互体谅来化解社会戾气的代表作。正当"春风得意马蹄疾"时，1987年我刚当上《人民文学》杂志主编，就爆发了"舌苔事件"，中央电视台《新闻联播》以"本台刚刚收到的一条消息"宣布，我因此被停职检查。第二天国内几乎所有报纸都将这一条新闻放在头版，跟着，我在境外的"知名度"暴增，这样的轰动对于我自己和我的家人来说，那是名副其实的惊心动魄。有谁会羡慕这样的轰动呢？从此低调做人，再不轰动才好。可是，没想到，花甲后竟又"无心插柳柳成行"，因《揭秘〈红楼梦〉》再次轰动。

我曾对不止一个传媒记者说过，我上《百家讲坛》是非常偶然的。但竟没有一家媒体把我相关的叙述刊登出来。这是为什么？不去探究也罢。现在我要借这篇文章把情况简略地描述一下。我研究《红楼梦》很久了，从1992年就开始发表相关文章，又陆续出了好几本书。2004年，我应现代文学馆傅光明邀请，去那里讲了一次自己从秦可卿这个角色入手理解《红楼梦》的心得。其实傅光明那以前一直在组织关于《红楼梦》的讲座，业界的权威以及有影响的业余研究者，他几乎都一网打尽了，那时现代文学馆是跟《百家讲坛》合作，每次演讲电视台都同步录像，然后拿回去剪辑成一期节目，那些节目也都陆续播出，只是收视率比较低，有的据说几乎为零收视。傅光明耐心邀请我多次，都被我拒绝，直到2004年秋天，我被他的韧性感化，去讲了。当时也不清楚那些录像师是哪儿的，心想多半是文学馆自己录下来当资料。后来才明白那就是《百家讲坛》的人士。《百家讲坛》把我的讲座和另外五个人的讲座剪辑成一组《红楼六人谈》，我的是两集。播出时我看了，只觉得编导下了工夫，弄得挺抓人的。没想到过些天编导来联系，希望我把那两集的内容扩大，讲详细些。他们的理由很简单，就是我那两集的收视率出乎意料地高。电视节目不讲收视率不行啊，观众是在自己家里看，稍觉枯燥，一定用遥控器点开。我想展开一下也好，我并不觉得自己的研究一定高明，但《红楼梦》作为中国古典文化的高峰，先引发出观众，特别是青年观众阅读它的兴趣，是我应尽的社会义务。我录制讲座时，以蔡元培"多歧为贵，不取苟同"为基本格调，以袁枚"苔花如米小，也学牡丹开"为贯穿姿态，为吸引人听，我设计了悬念，使用了现场交流口吻，每讲结束，必设一"扣子"，待下一讲再抖落"包袱"，这样做，引出了不小的收视热潮。后来有传媒称我录制节目时，常被编导打断，要求我设悬念、掀高潮云云，这完全是误传，我从未被编导打断过，所谓"《百家讲坛》是'魔鬼的床'，你长把你锯短，你短把你拉长"，这体验我一点也没有，总之，编导们让我愿意怎么讲就怎么讲，从未进行过干涉。当然，他们在剪辑、嵌入解说词、配画、配音等方面，贡献出聪明才智，才使我的《揭秘》系列播出后，出现了自称是"柳丝"的"粉丝群"。

前些时一位美国来的朋友约我到建国饭店餐聚，餐后饮咖啡时，她说朱虹要来看她，听说我在，希望能见上一面。朱虹原是中国社会科学院外国文学研究所英语文学部分的负责人，她基本上不搞英译中而擅长中译英，她先生柳鸣九则是法国文学专家，两口子都毕业于名牌大学，工作于名牌机构，到国外也是到名牌学府作访问学者，或与当地文化名流直接对话。我对他们都很崇敬。但在他们面前也总有些自觉形秽。我就对美国来的朋友推托说，替我问朱虹好吧，我还是要先走一步。谁知就在这时，朱虹已经翩然而至。她坐下来就说，是我《揭秘〈红楼梦〉》的"粉丝"，柳鸣九没有她那么痴迷，但也一再说"当今若从八十回后续《红楼梦》，非刘心武莫属"。又说，为了看每天中午十二点四十五开播的《百家讲坛》，她总是提前吃好午餐，后来发现中央电视台四频道有下午四点半的《百家讲坛》，就为自己安排相应的下午茶，边饮边看，"作为一种享受"。我听了受宠若惊。她可不是一般的"粉丝"啊。她又说特意为我带来了美国电影《时光》的光盘，里面的英国作家维吉尼亚·伍尔芙由影星妮可·基德曼饰演。为什么推荐我看这部电影？她说伍尔芙的遁世正是"沉海"。莎士比亚《哈姆雷特》里塑造的莪菲利亚是"沉溪"。她觉得我根据古本线索分析出曹雪芹所构思的林黛玉的结局为"沉湖"，有一定道理，"古今中外，薄命女子多丧水域，或许其中有某些规律，也未可知！"交谈到这个份上，我不能不相信，朱虹女士对我的红学研究的鼓励是认真的，绝非客气。

正当我获得极大心理满足时，朱虹忽然淡淡地来了句："你当年是北京师院毕业的吧？"

这就戳到了我的痛处。不知道她和那位美国朋友是否看出我的尴尬。还好，朱虹并没有等待我的回答，又说起别的来。

有一利必有一弊。轰动会引来"粉丝"也会引来"愤丝"。讨厌我、抨击我的人士里，有的就"打蛇打七寸"，不跟我讨论观点，只追究我的"资格"，文章开头所引的那个"热帖"就是一例。

我"学历羞涩"。我 1959 年进入、1961 年毕业于北京师范专科学校。尽管这所学校后来部分并入了北京师范学院（现首都师范大学），但我只念了两年专科就分配到北京十三中担任语文教师。至今我填写任何表格，上面若有"学历"一栏，都无法填入"大本"，只能老老实实地写明"大专"。

从北京师专毕业到北京十三中任教，吸粉笔末有十三年之久。之所以能写出《班主任》，当然与这十三年的生命体验有关。但我执笔写出和发表出《班主任》的时候，已经不在十三中了，我那时已经是北京人民出版社（现北京出版社）文艺编辑室的一名编辑。最近纪念改革开放三十年，一些报导提到 1977 年 11 月《人民文学》出版社刊登出《班主任》，还说"作者当时是中学教师"。《班主任》刊发后很轰动，那时候社会各阶层的许多人士都读过它，但后来许多人或兴趣转移或没有空闲很少甚至不再阅读文学作品，任凭我如何辛勤创作，持续发表作品，乃至于写出长篇小说获得茅盾文学奖，对不起，他们只对《班主任》有印象，因此遇到我不免就问："你在哪个中学教书呀？"改革开放以后，大城市的中学，尤其是所谓重点中学，包括我曾任教的北京十三中，教师的受尊重程度和工作报酬都大幅提升，但总体而言，中学教师在社会文化格局里，仍属于比较下层的弱势群体，"他不就是一个中学教师吗？"听话听声，锣鼓听音，这样的话语还算客气的，像我文章开头的那一声恨骂，"丫"是北京土话"丫头养的"的简缩，含义是"非婚私生子"，"中学教员"被骂者视为"贱货"，他这样对我恶骂，似有深仇大恨，其实我真不知道究竟我于他有何妨碍？说要啐我"绿痰"，倒让我忍俊不住了，能啐出"绿痰"，他得先让自己的肺脓烂到何种程度，才能够兑现啊？

师专学历，中学教员出身，这是我的"软肋"，鄙我厌我恨我嫉我的人士，总是哪里软往哪里出拳。

也有绝无恶意的说法，指出我和《百家讲坛》上的一些讲述者因为曾经当过或现在仍是中学教师，所以"嘴皮子能说"。中学教师面对的是少男少女，深入必须浅出，寓教于乐才能受到学生欢迎。而电视观众的平均文化水准正是"初中"，作为一档必须通俗化而且具备一定娱乐性的节目，《百家讲坛》找几位因教中学而练就的"能说会道"者充当讲述者，实属正常。

但在一些人意识里，不正常的是，"不就是教中学的嘛"，却因这一档节目而获得暴红的社会知名度，由节目整理出的著作热销，名利双收，是可忍孰不可忍？

就我而言，"曾经沧海难为水"，去录制《百家讲坛》，有一搭没一搭的，我早在 1977 年就出过名了，以前的书虽然都没有《揭秘》那么畅销，但种类多，累计的稿费版税也很不少，名呀利呀早双收了，这绝不是"得了便宜卖乖"，因《揭秘》闹出的风波很令我烦心，我始终躲着传媒，尽量少出镜，躲到一隅求个清净。但"树欲静而风不止"，是非总要惹上身来。别的且不论，我的低学历又被人拎出来鄙夷，确实心里不痛快。

"那么，1959 年你考大学的时候，怎么就只考上了师专呢？"这是无恶意者常跟我提出的问题。很长时间里，我无法圆满地回答。因为，在北京六十五中上高中的时候，我的各科成绩一直不错。是高考时失误了吗？考完后，对过标准答案，挺自信的。是志愿填得不合理？很可能是这个原因吧。那时候，我们那一代青年人，到头来以服从国家分配为己任，只考上个师专，倒霉，但还是乖乖地去报到。

没想到去报到那天，在学校前楼的门厅里，遇到了六十五中同届不同班的一位同学，他也被师专录取，我跟他打招呼，他却爱答不理，满脸鄙夷不屑，我再试图跟他搭话，他从鼻子里哼出一声："你也有今天？"然后大步离开我，仿佛逃避瘟疫。

我深受刺激。但事后细想，也不奇怪。就在两、三个月前，大家准备高考的时候，中央人民广播电台《小喇叭》节目播出了广播剧《咕咚》，那剧本就是我编写的。在那以前，高二的时候，《读书》杂志刊出我一篇书评《评〈第四十一〉》，到高三，我的短诗、小小说，常见于《北京晚报》《五色土》副刊版面。那位同届不同班的同学，高考前见到我满脸艳羡、钦佩的诌笑，甚至说："北京大学中文系不招你招谁啊？"但是，等到揭榜，他认为自己被师专录取毫不奇怪，而我竟沦落到跟他一起跑去报到，真是"今古奇观"，那是我的"现世报"，也是他的"精神胜利"——他终于从我也有那样的"今天"里，获得了一种原来失却的心理平衡。

记得收到师专录取通知书那天，我拿给母亲看，她说了句："我总觉得我的孩子能上北大。"

我伤了母亲的心。然而最深的痛楚还是在我的身上。在六十五中时，我和同班的马国馨最要好，他被清华大学建筑系录取，他到清华报到后立即往师专给我寄了封信，希望继续保持联系，我把那封信撕了，直到三十多年后，才再次跟他见面，那时候他已经是建筑大师、中国工程院院士，设计出了亚运会启用的国家奥林匹克体育中心建筑群，而我那时不仅凭借小说获得名声，也从事建筑评论，在由中国建筑工业出版社出版的《我眼中的建筑与环境》一书里，我高度评价了他的作品。记得应邀参加一次建筑界的活动结束后，我约他和他的夫人——也是一位建筑师——到天伦王朝饭店大堂茶叙，他这样向他的夫人介绍我："六十五中同班的，他那时候功课棒着啦！"我很感激他说出了这样一个事实，这其实也就意味着他并不认为我那时候就只配被师专录取。

上师专，教中学，这也许是我的宿命。我从少年时代就想当作家。"帝王将相，宁有种乎"，没上成北京大学或别的名校，难道我就不能自学成材吗？何况北京大学或别的名校的中文系也并不承担培养作家的任务。记得老早就看到过孙犁的说法，大意是写文学作品不一定需要高学历，具备初中文化水平就可以尝试。我激赏孙犁的中篇小说《铁木前传》，认同他的说法。是的，作家的养成主要靠社会这所大学校，作家最必须的素养是对人的理解，对生活的热爱，构思作品时有悟性，驾驭文字时有灵性，就可能成为不错的作家。我在"师专生"、"教中学"的压抑性环境中顽强努力，终于成为一个无论如何无法一笔抹杀的作家而自立于社会。我知道有的人无法承认我以作家而存在的事实，甚至恨不能将我撕成两半，但也确实感受到有不少人喜欢我的作品，包括我对《红楼梦》的揭秘，乃至喜欢我这个人本身。天地不仁，以万物为刍狗，但天地又有仁，它让"有志者事竟成"的故事一再上演。

1988年三月，香港《大公报》纪念复刊四十周年，邀请内地一些人士为参与纪念活动的佳宾，受邀的有费孝通夫妇、钱伟长夫妇、吴冷西夫妇，另外是两位不带夫人的相对年轻许多的人士，其中年龄最小（四十五岁）的是我。吴冷西当时是中国新闻界的老领导、大权威，他的夫人肖岩，曾任北京师范专科学校校长，我上师专时，常坐在下面听她在台上作报告。此前我从未近距离地接触肖岩校长，更不曾设想能跟她平起平坐，寒暄对话。肖岩知道我写过《班主任》，获得过茅盾文学奖，并且是《人民文学》杂志的主编（我在1987年初惹出的"舌苔事件"那时已经了结，我在1987年9月复职），把我当作一个"文坛新秀"十分尊重，但有一点是她未曾知道的，我主动告诉她："肖校长，我是您的学生，是1961年北京师专中文科的毕业生。"这让她吃了一惊。她微笑地望着我，迟疑了一下，说道："啊呀，真是鸡窝里飞出了凤凰啊。"我听了感慨万千。怎么连肖岩校长也认为北京师专是个"鸡窝"？

是的。我从"鸡窝"里飞出。当然，我未必是凤凰。但能展翅飞翔、开阔视野，也就有幸接触到一些原来对我来说只存在于文学史和教科书的大作家：冰心、叶圣陶、茅盾、巴金、丁玲、艾青、艾芜、沙汀、萧军、孙犁、周立波、秦牧……当然，许多见面都是托赖中国作家协会那时候的一些安排，比如让我和丁玲一起接受外国记者采访、和艾青一起到某国大使馆赴宴……主动被邀请到家里作客的，则是吴祖光和新凤霞伉俪。

大约是在 1980 年的某一天，我接到电话，是吴祖光打来的，邀请我去他家作客。我欣然前往。那回吴老还邀请了另一位中年作家。还有一位美国汉学家在座，他是专门研究中国评剧的，对新凤霞推崇备至。从那以后我就和吴老有了较密切的来往。我发现他和新凤霞是一对最喜欢自费请客吃饭的文化人。1955 年四月三日他们曾在北京饭店请夏衍、潘汉年吃饭，饭局结束不久，潘汉年即由毛泽东主席亲自下令予以逮捕，成为一桩流传甚广的"巧事"。

我早在少年时代就心仪吴祖光。在北京六十五中上高中时，我每天从钱粮胡同的家里步行去学校，总要路过北京人民艺术剧院，近水楼台嘛，我也就往往"先得月"，屡屡购票观看新排剧目的首场演出，记得 1956 年北京人艺演出了吴祖光的《风雪夜归人》，我看得上瘾，首场看了，后来又买票去看。那出戏演的是京剧男旦和豪门姨太太自由恋爱遭到迫害的故事，像我那么大的中学生一般是不爱看甚至看不懂的，但也许是受到父母兄姊喜爱京剧的熏陶，我却觉得那戏有滋有味。至今我还记得北京人艺当年演出的那些场景乃至细节。张瞳和杨薇分饰的男女主角，他们的一招一式固然记忆犹新，就连舒绣文、赵韫如扮演的戏迷小配角，我也闭眼如见。那时头晚看了演出，第二天到了学校，课余时间，我便会和同学们眉飞色舞地聊上一阵。《风雪夜归人》这出戏北京人艺直到 1957 年夏天反右运动初期，还在上演，我大概去看了第三次，看完聊兴更浓。

吴祖光一生结交甚广，我在他的人际网络中不占分量，他的经历事迹自有研究者描述，对他的评价更有通人发布，我本无资格置喙，但在和他的接触中，有些细琐的事情和只言片语，总牢牢地嵌在记忆里，也许略述一二，能丰富人们对吴先生的认知。

有一次他在他家楼下一家餐馆宴客，我去晚了，记得在座的有香港《明报》记者林翠芬，还有他弟弟吴祖强。闲聊中，我说少年时代读过他的剧本《少年游》，被感动，还记得剧里有一件贯穿性的道具——孔雀翎。他说那时候写剧本，一口气，几天就完成，也不用再改，《少年游》他自己也很看重，可惜上演不多。又说人们多半把他定位于剧作家，其实他自己觉得，他是个电影导演。我说当然啦，《梅兰芳的舞台艺术》嘛，还有程砚秋的《荒山泪》。我年纪小，只知道解放后吴先生导演过那样一些戏曲艺术片，林翠芬虽然来自香港，生得也晚，和我一样，并不清楚吴先生上世纪四十年代，在香港是一位重要的文艺片导演，像《虾球传》《莫负青春》等贴近社会现实的影片，他导起来都得心应手。吴先生说解放后他从香港回到内地，分配到的单位是北京电影制片厂，职务就是导演，而且开头也并不把他视为适合拍摄戏曲艺术片的导演，给他的第一个任务，是拍摄表现天津搬运工人与资本家斗争的故事片《六号门》，他看了剧本，觉得是个好剧本，应该能够拍成一部出色的影片，但是他跟电影厂领导说，可惜他对这部戏所表现的生活和人物都不熟悉，那也不是短时间"下生活"就能解决问题的，总而言之，"不对路"，于是敬谢不敏。那时候，许多从旧社会过来的电影从业人员，都积极地"转型"，拿演员来说，像原来擅长演资产阶级太太的上官云珠，努力去转型演了《南岛风云》里的共产党战士，以出演资产阶级"泼妇"而著名的舒绣文，则刻意去扮演了歌颂劳动模范的《女司机》，一些原来只熟悉小资产阶级生活的导演，则去导演了表现工农兵的影片。吴祖光怎么就不能转型呢？厂领导一再动员，吴先生也带摄制组去了天津，但开机不久，他还是打了退堂鼓。《六号门》最后由别的导演接手，最后拍成了一部很不错的影片。

一次在吴先生家书房，见到一样奇怪的东西，他告诉说是钉书器，怎么会有一尺长的钉书器啊？他家有什么东西需要用它来钉啊？原来，他家不远就是蓝岛商厦，他常去闲逛，有一天到了卖文具的地方，见到这玩意，他觉得真有趣，售货员认出他来，不知怎么地连哄带劝，最后竟说动他买下，他把那活像铡刀的东西扛在肩膀上回到家，把新凤霞吓了一跳。但吴先生并不后悔这次购物。"买东西不就图个高兴吗？"他笑着说："你要不要？你使得着，我割爱！"我自然婉谢。那一回，更觉得吴老是个大儿童。

有回他从湖南访问回来，说起参观领袖故居的情况。在刘少奇故居，他触景生情，想起这位国家主席死得那么惨，坐在故居床上珠泪涟涟。有一起去参观的人，回到宾馆问他：你好象也没被刘少奇接见过啊？是的，他跟刘少奇没什么接触，更谈不到有什么知遇之恩，但那位那么一问，他仍觉得心酸，连说："太惨了，太惨了。"眼里又泛出泪水。后来又去参观毛主席故居，他从留言簿上看到王光美不久前写下的留言，签名前，王给自己加了个定语"您的学生"，吴先生说他对此不解。最近我重读 1995 年河北人民出版社第一版的《吴祖光选集》，吴老在前面的自序里说，他划右后在北大荒，与难友王正编写了《卫星城》和《回春曲》两部话剧，从剧名就可看出，当然是歌颂"大跃进"的，按我们晚辈的想法，弃如敝屣也无所谓，但吴老却说："这两个剧本是我们这两个'右派'在北大荒的艰难岁月里，并未灰心丧气，而是淬励奋发，力争上游，充满生活情趣与泥土气息，寓有地方特点的剧作。然而由于时迁岁改，人天变幻，这两个剧本既没有发表，也不会出版，更谈不到在舞台上演出了。"我就想，个体生命镶嵌在一定的时空里，身心都无法遁逃的，王光美"文革"后下笔自称"您的学生"，和到了 1995 年吴先生仍珍爱自己划右后劳改中的颂歌式作品，其实是可以用同一把钥匙揭秘的。

到晚年，吴老常约浩亮、庄则栋等"文革"后政治上沦落的人士餐聚。有人不解，他不是"文革"中文化部系统钉死的"老右派"吗？那时浩亮是有权有势的文化部副部长，何尝对他施行仁政？吴老自己跟我说到，他是文化部"五·七干校"里学龄最长的学员，到最后，全"干校"只剩张庚和他两位还没给落实政策，他脱掉"牛鬼蛇神"的身份，是很晚的事情。但他后来却只把浩亮当成一个"打小看着出息"的"大武生"看待，有回去他家，见浩亮正在厨房里炒拿手菜，但人已患病，体态虚胖，吴老小声对来客们说："可惜了呀，难得的大武生啊！如今有几个比得上的？"

自恃和吴老比较熟了，有次我就问："您总这么请客，从来不开发票，您的稿费就经得起这么花吗？"他爽快地回答我："我这人倒是从来没缺过钱花。我从来自费。"说着从抽屉抓出一把出租车司机撕给他的小票，笑着说："据说我都能拿去报，可我报销它们干吗？留下它们，原是为了记录每次的行踪，现在发现根本起不到那样作用。"随手就把那些"的票"扔进纸篓。我知道一些餐馆老板对吴老优惠，有家烤鸭店请他题写店名，在那里请客免单，我也曾去过那里的饭局。有人提醒吴老，如此利用他的名人价值，而且往往加上新凤霞，利用"双名人"效应开拓生意，应该签约，让对方付出应有的报酬才是，怎能进餐免单就将他们打发？吴老却置若罔闻。我也曾进言："您能多富有呢？怎么能如此大方？"他竟干脆给我一个透明度："把所有的钱加起来，有十来万吧！"那已经是上世纪九十年代，十来万算什么富有？但吴老和新老二位在待客上依然那么毫不吝惜。

1996年春天，六十五中高中同班同学里的热心人，组织老同学聚会。地点是在当年班长李希菲家里。李希菲和她先生是同一研究所的研究员，都有学科方面的专著问世。他们享受到四室一厅的住房待遇，在她家聚会有足可令大家都舒适的开阔空间。从她家窗户外望，玉泉山的宝塔清晰入目。参加那天聚会的有十几位同窗。大家回忆起1956年至1958年的青春岁月，感慨良多。李希菲准备了丰盛的自助餐，大家不客气，觥筹交错，足吃足喝，十分热闹。过了午，李希菲把我单独叫到她家一间离聚会处最远的房间，进了屋，她还关上门，我真不知道她为什么要那么神神秘秘的。

"你知道高中毕业后你为什么没考上好大学吗？"李希菲问我。

事情过去三十七年了。没考上好大学，我现在也有相当于教授、研究员的编审职称，而且，在文学上也算取得了一定成绩，尽管那是我的隐痛，但命运给予的补偿也足够令我心平气和、不再追究了。

李希菲却偏要告诉我究竟。看得出，她憋了三十七年，她觉得到了必须对我和盘托出的时候了。

她细说端详。原来，起因竟是《风雪夜归人》！是吴祖光！

1957 年夏天，那时上高二，一天中午，在教室里，我和一些中午不回家的同学，吃学校食堂给煴热的自带饭食，闲聊里，我又说到北京人艺演出的《风雪夜归人》如何精彩，正在兴头上，忽有一同学截断我说："你别吹捧《风雪夜归人》啦！吴祖光是个大右派！"

据说，当时我不但不接受其警告，仍然继续坚持宣扬《风雪夜归人》如何好看，甚至说出了这样的话："是吗？吴祖光是右派？啊，吴祖光要是右派，那我也要当右派！"

这样的言论，事后被那警告我的同学，汇报给了组织。

到 1959 年高中毕业前夕，要给每一位同学写政治鉴定。操行评语是与本人见面的，政治鉴定却是背靠背的。那一年，对于政治上有问题的毕业生，在鉴定最后，要写上"不宜大学录取"字样。李希菲虽然不是政治鉴定的执笔人，但写每个人鉴定时，作为可信赖的青年团员、班长，她在场。她见证了那一刻：因为有我说过"吴祖光要是右派，那我也要当右派"的文字材料，于是，我的政治鉴定的最后一句就是"不宜大学录取"。

那一年我们班有若干同学的政治鉴定的最后一句和我一样。最惨的是全班功课最好、成绩最拔尖的一位女生。她是青年团员。据说，她的问题之一，是那天我眉飞色舞地大谈《风雪夜归人》，而且说出"反动言论"时，她不仅没有以青年团员应有的战斗性对我予以严词批驳，还一直在微笑着听我乱聊。

那我怎么又还是捞了个师专上呢？后来知道，是那一年师范类院校招不满，于是，只好从写有"不宜大学录取"字样的档案里，再检索一遍，从中拣回一些考分较高而"问题言行"尚可"从宽"的考生，分别分配到一些师范类院校。

而那位那天自己并无不妥言论，只是面对我的"反动言论"微笑的女同窗，却因为作为青年团员"严重丧失政治立场"，连师专都不要，她接到不录取通知书后，就去科学院一个研究室的实验室当了洗试管的女工。1996 年春天李希菲家里的聚会她也去了。在李希菲把我叫去个别谈话之前，大家聊起三十七年来走过的路时，她告诉大家，后来她自学了大学课程，通过了所有相关的考试，取得了本科文凭，如今也获得了副研究员的职称。后来有同窗告诉我，她近年来还为自己研究成果取得了专利登记。她与命运抗争，付出了怎样艰辛的代价啊，而这些代价，竟是为她那个中午面对我的短暂微笑而付出的！

李希菲提供的信息令我震惊。特别是我还牵连到一位女同窗这一情况。

我会在那天说出"吴祖光要是右派，我也要当右派"那样惊心动魄的"反动言论"吗？会不会是汇报者把我的糊涂言论予以"精加工"，才构成了那样一个句子呢？又有谁来找我核对过呢？但这一切都不值得追究了。我，还有那位女同窗，以及另外若干遭遇"不宜大学录取"恶谥的同龄人，毕竟没有就此沉沦，终于穿越历史烟尘，迎来了新的历史阶段，为社会作出了各自的贡献，也从社会得到了应有的回报。

当然也有悲壮的牺牲者。六十五中那一届跟我不同班的一位叫遇罗克的，他敏感地意识到，他之被大学拒之门外——他 1959 年以后又连着考了几次，无论他考分多高，都无改收到不录取通知书的结局——是政治歧视造成的，而就他个人的具体情况而言，是出身不好——他母亲是资本家，父亲是右派。于是，到了"文革"期间，他逮着一个机会，就在《中学文革报》上发表了《出身论》，试图以马克思主义的原理，来解除以出身把人分别对待的"错误做法"。就因为这篇文章，他被逮捕，并于 1970 年被戴上脚镣手铐押到工人体育场示众批斗，然后直接拉往刑场枪毙。1980 年他得到平反，但再无机会跟我们一起享受新的岁月。

话说那天李希菲把我单独请到一间屋子里，揭破一个笼罩了我三十七年的谜团，我听得发愣，她却意犹未竟，跟我说："你知道是谁揭发你的吗？我清楚。你要我告诉你吗？"

我立即制止了她。

"事情过去那么久了，你知道一下就行了，你现在也功成名就了，你还会记恨人家吗？"

"不。如果你告诉我，我会恨。所以，恳求你千万不要告诉我告发我的是谁。事情过去三十七年了，我记忆已经非常模糊。除了你说出的那位受我牵连的女同学，我完全不记得那天中午还有谁在教室里。今天晚上，我会失眠。我难免要努力去猜测，告发我的是谁呢？是男生，还是女生？那时候像六十五中那样的男女合校而且合班的中学，是很少的。这也好。在是男是女上，就够我瞎琢磨的。但我一定得不到准确答案，即便我锁定了几个当年对我不友好的同学，也终于还是没有办法把我的愤恨落到实处。这样，没有多久，我的探究兴趣，就会被生活里接而连三的新事物消磨。到头来我无人可恨。慢慢的，我会更加心平气和。真的恳求你，千万别告诉我。也永远别告诉别的同学。我们都需要平静，不是吗？"

李希菲懂得了我。她叹了口气说："也好。其实说出那名字，对我来说也不是轻松的事。我们应该原谅。那时候就是那样的。好在一切都已经过去了。你已经不怕那样的人了。你不是茅盾文学奖都得了吗？什么时候送我一本签名的《钟鼓楼》？"

我们的谈话渐渐走出沉重。我告诉她："其实我最好的作品还不是《钟鼓楼》，而是《四牌楼》。《四牌楼》里有我们青春期的印迹。我会送你一本《四牌楼》，希望你一定通读。"

李希菲和我回到大家中间。似乎没有什么人在意我们的一度离开。那天的同窗聚会经历了怀旧、伤感、戏谑、兴奋，最后以一派达观结束。

过了些日子，我见到吴老，把三十七年前的这段故事讲给他听。听完，他喟叹："没想到，我竟连累到你——还是个孩子啊！"

这个"孩子"长大成人，而且，现在也成了一个老人。

吴老晚年最喜欢写的四个字是"生正逢时"，他将这一主题的书法作品赠予了很多朋友。

在他于我诞生的那一年——1942年——创作的话剧《风雪夜归人》末尾，两个争取个人自由的主人公虽然都在风雪中回到原来他们相爱的空间，但一个冻饿而死，一个不知所终。这比唐代诗人刘长卿那"日暮苍山远，天寒白屋贫；柴门闻犬吠，风雪夜归人"的意境悲惨多了。唐诗里风雪夜的归来者尽管饱受严寒饥渴，最后总算进入了温暖的空间，在那里面等候他的不仅会有热茶热饭，更会有亲情友情乃至爱情。生正逢时，也就是尽管有坎坷有挫折，但毕竟穿越风雪迎来了温暖赢得了真情。

现在回想往事，我甚至想深深感谢那位告发我的同窗。如果不是他或她的告发，我也许就不会有后来的生命轨迹，我如果没有上师专，没当中学教员，后来又怎么写得出成名作《班主任》？风雪夜归，正逢吉时。

我现在时时深感遗憾的，反倒是我的自我遮蔽。因为《班主任》引出的反响过度强烈，遮蔽了我后来的所有努力。因为《钟鼓楼》获得了茅盾文学奖，遮蔽了我更好的长篇小说《四牌楼》。尽管我一直在坚持写小说，更有大量随笔，还写建筑评论，但因为《百家讲坛》连续播出《刘心武揭秘〈红楼梦〉》，同名的四部书畅销，又遮蔽了我的其他文字，"你现在为什么不写小说，改行搞红学了？"这是近来随时会遇到的提问。

至于他人对我的刻意遮蔽，比如尽管我当过出版社编辑，当过《人民文学》杂志主编，有编审职称，但总还是以师专学历和"不就是个教中学的嘛"来鄙夷我，我已经习惯。但我相信只要不自弃，那么，我的生命之河，"青山遮不住，毕竟东流去"。

当然，以己度人，我需要深深检讨的是：自己是否恶意地遮蔽过别人？我在《四牌楼》里，就挖掘过自己内心的恶，并为此进行忏悔。到了生命的这个阶段，我不应再计较他人对我的施恶，而应为自己曾伤害过他人——哪怕是无意中，哪怕是因大环境而左右——而深深忏悔，以此救赎。

《四牌楼》里的一章《蓝夜叉》，可以独立成篇。2006年，巴黎出版了它的法译本，我为这个译本绘制了独家插图。其中一幅是小说中的"我"——以我自己为原型——以忏悔的双臂高举象征性的"月洞门"，挣扎于救赎的心灵攀登中。

我不知道会有几多人抛开我的其他文字，找本《四牌楼》来读。我另外还有本《树与林常在》，在其中《走出贝勒府》一章里，我就"文革"中一位女教师自杀，进行了自我心灵拷问。但《四牌楼》也好，《树与林同在》也好，都并没有产生出"一部分人喜欢得要命，一部分人恨得牙痒"的效应。一颗愿意忏悔的心，是寂寞的。我感到深深的孤独。

2008 年 12 月 27 日完稿于绿叶居

宇宙中最脆弱的

2008年初冬，二哥从成都来电话告诉我：孙四叔去世了。二哥问我是否还和黄粤生保持联系？喟叹说：这一家人啊，前两辈就剩黄粤生一个了啊！

我祖父刘云门是孙炳文的好友。我在二十多年前发表的《私人照相簿》里，公开了祖父和孙炳文、李贞白的合影，以及孙炳文和任锐在北京什刹海会贤楼举行婚礼的照片，孙、任结婚我祖父是证婚人。

祖父和孙炳文在日本留学时都加入了同盟会。上世纪二十年代初，孙炳文和朱德赴德国留学之前，在我家什刹海北岸的寓所借住了多日，我父亲刘天演那时大约十六七岁，朱德见他骑自行车很顺溜，就

提出来让他教骑自行车，父亲也就真地手把手教了起来，朱德没几下也就学会，这事给父亲留下非常美好的记忆。解放后，父亲从重庆调往北京海关总署任统计处副处长时，曾往中南海给朱德写去一封信，朱德马上回信约他去叙旧，父亲去了，朱德先把学骑自行车的往事讲出，高兴地呵呵大笑。朱德、康克清留他吃晚饭后，回到家来，讲起会面的情况，妈妈和我们子女都很兴奋。虽然临告别时朱德亲切地对父亲说，以后有事可以找他，但那以后父亲再没有主动去联系过。父亲有的朋友曾问他：如此重要的社会关系，为什么不再主动维系？父亲说，一次足矣。父亲深知在朱德波澜壮阔的一生中，他与朱德的那点接触，轻微得完全可以忽略不计。何况建国后作为中央领导朱德日理万机，自己一个渺小的存在，怎能再去打扰？

孙炳文和朱德在德国见到周恩来，周介绍他们加入了中国共产党。他们没多久就一起回国，投入了第一次国共合作的大革命。作为意志如钢的政治人物，他们也有很柔情的非政治行为。那时我祖父先一步到广州投入大革命，任教于中山大学。我父亲为生计漂泊在外。留在北京的后婆婆对我母亲非常不好，孙炳文和任锐听说，就写了一封信给我母亲，让母亲离开苛酷的后婆婆，住到他们家。母亲到孙家不久，孙炳文、任锐夫妇也奔赴广州，但他们对我母亲作出了妥善安排，让她再住到任锐妹妹家去，而任锐妹妹任载坤，即著名哲学家冯友兰的夫人。我妈妈说起这些社会关系，不以男方为坐标，她管任锐叫二姨，冯夫人为三姨，大姨呢，是嫁给了后来四川天府煤矿总经理兼总工程师的黄志煊（黄爷爷是祖父的忘年交）。孙、冯两家，以及三位姨妈，还有两家的孩子，对我母亲都非常好。在孙家，那时长子孙宁世还是个少年，就热爱《红楼梦》，不仅读《红楼梦》本身，所有能找到的关于《红楼梦》的文字都读。三女孙维世还是个儿童，很喜欢当众唱歌跳舞，大方活泼。在冯家，三姨后来生下一个女儿名叫冯钟璞。后来我父亲结束漂泊找到稳定工作，才把妈妈从冯家接走。

你看我家这些七穿八达的社会关系！

这些社会关系，也确实给我家带来过不少乐趣。

　　大约是 1951 年，那一年我 9 岁。父母带我到现在仍存在的那个剧场——在东华门外路南，现在叫中国儿童艺术剧院——去看歌剧《王贵与李香香》，检票员怎么也不让我进。那时剧场入口处墙边有个刻度，我不够那个高度，人家说这戏不让小孩进，再说小孩也看不懂的。我急得直哭，后来母亲跟他们说，我们这票是导演孙维世送的。检票的望了望我父母，觉得不会是撒谎，就放我跟他们一起进去了。开演前母亲嘱咐我：一定要像大人那样欣赏演出，不许顽皮！戏开演了，我看得入神。还记得那戏里有首主题曲："一杆子红旗，满天下红……"后来，我再大些，孙维世又送票，我随父母去看了她导演的俄罗斯名剧《钦差大臣》《万尼亚舅舅》，对我进入纯艺术领域是一种宝贵的启蒙。不过我没看到孙维世导演的《保尔·柯察金》，是她没有赠票，还是赠了票父母偏没带我去，已无从考证。我长大成人后才知道，孙维世导演《保尔·柯察金》的过程里，爱上了饰演保尔的，比她足足大十岁的金山，而那时金山的妻子张瑞芳，恰被安排饰演保尔的初恋女友冬妮亚！孙维世被认为是"第三者插足"。后来张瑞芳忍痛退让，金山娶孙维世为妻。大概在他们结合一年多以后，邀请我父亲去他们家做了一次客。毕竟我祖父是孙维世父亲的挚友，又是其父母结婚时的证婚人，这份世交之谊她还是认的。父亲赴宴归家带回一瓶葡萄酒，告诉母亲和我们："维世送的。知道她哪里来的吗？是总理给她的！"那时候人们都知道，孙维世是周恩来的干女儿，爱如掌上明珠。那瓶酒在我家多次展示给客人，客人们得知来历，都很羡慕，有的说："你们怎么舍得喝啊！"但是，到过春节的时候，父亲还是开启瓶盖，给家人分饮了。

　　孙炳文在 1927 年国共分裂的"4·12 政变"中，被蒋介石亲自下令，被残暴地腰斩于上海龙华。我祖父写了《哀江南》长诗，痛斥蒋对孙中山的背叛。那时任锐刚生下小女儿，从广州抱到上海不久，据说反动派来搜查住所时，刺刀挑起尿片，气势汹汹，倘若那刺刀稍一偏斜，那小女儿也就结束其生存了。任锐为继续革命东躲西藏，无法抚养小女儿，就把她送到大姐，也就是我母亲所称的大姨即黄婆婆那里，因为这个小女儿生在广州，就取名为黄粤生。

大约 1956 年初秋，忽然又有人到钱粮胡同海关宿舍大院找"刘三姐"。我在《兰畦之路》里解释过了，我母亲何以被亲友们一贯以"刘三姐"称谓。就像我二哥告诉我"孙四叔去世了"，"孙四叔"也是孙家大排行的称谓，其实他是孙炳文和任锐的二儿子，孙维世和黄粤生的二哥，她们还有一位三哥孙名世。且说那次来找"刘三姐"是一位风华正茂，脸蛋红苹果般放光，穿着"布拉吉"（苏联式连衣裙）的女子，她走近我家，母亲迎出还没站稳，她就热情地扑过去紧紧拥抱，还重重地一左一右亲吻母亲脸颊。我在母亲身后看得吃惊，因为那样的见面礼只在外国电影里见过，偶然目睹的邻居也觉扎眼。那位来客就是黄粤生。她在黄家长大后，养父母告诉了她的亲生父母是谁。父亲牺牲许久了，母亲任锐曾与姐姐孙维世和哥哥孙名世齐赴延安，同入马列学院学习，两代三人成为革命学府的同学，一时传为佳话。任锐在 1949 年初病逝于天津，未能等到五星红旗在天安门广场升起。孙名世则牺牲在解放战争的淮海战役中。父母和三哥的牺牲是容易理解的，也是足可自豪的。孙维世后来到苏联学习戏剧，解放后年纪轻轻就担任了中国青年艺术剧院的总导演。黄粤生 1949 年从重庆转道香港到达北京，携着姐姐的亲笔信到中南海找到邓颖超，也被接纳为义女，在周总理出国访问的时候，一度就睡在周总理的床上。后来黄粤生到苏联列宁格勒大学攻读俄罗斯与苏联文学，她那次来看望"刘三姐"，是已学成回国，并已被安排到北京大学曹靖华担任系主任的俄罗斯语言文学系担任讲师。

我祖父在 1932 年著名的"1·28 事件"中于上海在日本飞机轰炸中遇难。我祖父在生命的后期已经从政治潮流中边缘化，我父母以政治坐标论，更是越来越边缘。但我家虽在边缘，却也总是与社会中心人物有着若即若离的剪不断的联系。抗日战争胜利后，我家住在重庆，父母有时会带我到黄爷爷黄婆婆家，也就是黄粤生养父养母家做客，在我童年记忆里，有这样的画面：黄家举行婚礼，不记得是黄粤生那一辈的谁的婚礼，少女黄粤生充当伴娘，我呢，和一位小姑娘，各提一只装满鲜花的花篮，在婚礼中走在新郎新娘和伴郎伴娘前面，那时候，粤姑姑——

这是父母教给我的对黄粤生的叫法——全盘西化的装束，像西洋画上的天使下凡，仿佛全身闪着银光。那几年里我母亲和粤姑姑走得很近。粤姑姑苏联学成归国来看望"刘三姐"，见面惊呼并且热烈拥抱亲吻，显然完全出自真情。

人世间有些事情真是巧上加巧。粤姑姑到北大俄罗斯语言文学系任教，听她的课的学生里，就有我的小哥刘心化。小哥又影响了我，使还是个中学生的我，就读了许多俄罗斯古典名著和苏联文学作品，而且还生发出许多心得。1958 年，我自发投稿，给《读书》杂志寄去了一篇《谈〈第四十一〉》，竟被刊登了出来。那一年我才十六岁。《第四十一》是苏联"同路人"作家拉甫涅尼约夫的一部小说，由曹靖华翻译为中文。而就在刊登我文章的那一期，《读书》编辑部约请黄粤生写了一篇介绍苏联小说《我们来自穷乡僻壤》的文章，凑巧就跟我的文章印在前后页码上。

新中国建国后被派往苏联留学的，基本上是两种人，一种是中共高干或高级"民主人士"的子女，一种是经得起推敲的工人或贫下中农的后代。这两种家庭背景的留学生，有的在苏联留学期间相爱，毕业后确定关系并结婚，一起回国为国效劳。我祖父的另一位忘年交邓作楷，父母让我唤邓伯伯，他的女儿，我叫她邓姐姐，就是这样。邓伯伯是全国政协委员，邓姐姐在留苏期间好上、回国后结婚的夫君，父母就还都在农村，是地道的贫农。黄粤生因其家庭背景比邓姐姐更加显赫，人们都以为她必定会在高干子弟中觅一如意郎君，没想到她爱上的也是贫农子弟，叫李宗昌。她回国后将自己的恋情向"总理爸爸"和"小超妈妈"公开，得到赞同，遂与李宗昌缔结连理。

黄粤生在 1966 年 6 月以前，生活非常顺遂幸福。她当然常出入中南海西花厅，与姐姐孙维世同享"总理爸爸"和"小超妈妈"的温暖呵护，但她也还跟某些从整个社会坐标系来衡量属于比较低下相当边缘的人物来往，比如邀请一位中学教师到她家做客。那位中学教师就是我。大概是 1964 年，那时候我父母已经到张家口去了，我因 1959 年高考失利，只被北京师范专科学校录取，毕业后分配到北京

13 中教书。得到粤姑姑邀请，我很高兴。那时她住在中关村，那套单元应该是李宗昌（她让我叫他李叔叔）分到的。李叔叔在中国科学院某研究所工作。那时他们的两个女儿好像都已经上学。他们给我看留苏时的照片，留我吃饭。那次我不记得在他们家都聊了些什么，只留下一种温馨的氛围记忆。

但是 1966 年 6 月爆发了"文化大革命"。1967 年，街头出现了"打倒朱德"的大标语。有的标语更恶毒地把"朱"写成"猪"。我知道，粤姑姑的大哥孙宁世后来公开使用的名字是孙泱，曾任朱德的秘书，后来任中国人民大学党委副书记和副校长。没几天，街头又出现"打倒三反分子孙泱"的大标语。所谓"三反"是指"反党反社会主义反毛泽东思想"。再没几天，街头出现了"反革命修正主义分子孙泱自绝于人民罪该万死"的大标语。后来知道，孙泱被残酷批斗，拒不认罪，被囚地下室中，他的尸体被发现时，呈现在暖气管上用绳索套住脖子的勒毙状态。究竟他是自杀，还是有人把他折磨死了以后用那样的办法掩饰他杀真相，成为一个永久之谜。

1967 年秋父母所在的张家口解放军外语学院大乱，两派武斗使人们无法正常生活，父母就逃到北京暂住姐姐姐夫居所。我们私下议论到朱德的被辱、孙泱的死亡，父母不胜唏嘘。那时候还不知道孙维世和黄粤生的情况。我安慰父母说，直到"文革'爆发"后的夏末，孙维世在大庆编导并由真正的石油工人家属演出的话剧《初升的太阳》还在上演，可见她应该还安全。母亲就说："朱德自己被炮轰，救不了孙泱。周总理还说得上话，他会保护维世的啊。"至于黄粤生，尽管都知道北京大学运动搞得惨烈，但她不仅根正苗红，自己既不是"当权派"也还够不上"反动权威"，无论如何总不至于把她当作"牛鬼蛇神"揪出来。那时我父母为孙维世担心，主要是觉得她会受到金山连累，因为金山，众所周知，是三十年代上海滩的电影明星，主演过《夜半歌声》那样的电影，身上的问题一抓一大把，比"维吾尔族姑娘的辫子"还多！

我家直到"四人帮"垮台以后，才知道孙维世竟已在 1968 年就被逮捕入狱，并惨死狱中。谁也救不了她。谁也没有救她。关于她的死，现在从网络上可以查到许多资料，我浏览时常常不忍卒读。是否准确，难以判断。但多数资料，应该还是可信的吧。阅读那些可供参考的资料时，我常常陷于沉痛的思索。政治因素当然是重要的，但也有许多因素，来自人性阴暗面的深处。我祖父挚友孙炳文一家两代七口，他本人和四子孙名世，死于国民党的铡刀与枪弹，任锐是积劳成疾而殁，都令人钦佩且可以想通，但孙泱与孙维世的惨死，却是共产党自身"党内路线斗争"造成的，这自家内部的斗争，何以会如此狰狞、如此怪诞、如此残暴、如此令人心寒？就没有另外的办法，来达到使"路线正确"的目的吗？

因为是世交，我家很早就知道任锐曾写过这样一首诗："儿父临刑曾大呼：我今就义亦从容！寄语天涯小儿女：莫将血恨付东风！"粉碎"四人帮"以后，我们家的人在《人民日报》上看到了金山悼念孙维世的文章，题目就是《莫将血恨付东风》。文章真可谓字字血、声声泪，指出孙维世的被害，正是江青一手造成的。我母亲见到金山复出而且写出这样的文章，感慨万端，她坦率地说："原以为金山熬不出来，没想到他倒熬出来了，维世却死得那么惨！"

对"四人帮"的公开审判，由电视转播。那时候电视机还不流行，我们家的人分别找到看电视的地方，全神贯注地观看审判实况。我们都期待着审判江青时跟她清算害死孙维世的人命案。这理应是给她判罪的典型案例啊。审判中终于进入到江青迫害文艺界人士这一环节了。公诉方提出了上海电影导演郑君理被害一事。"红卫兵"对郑家抄了个底儿翻，郑被投入监狱，后病死在狱中。郑君理夫人黄晨出庭作证。江青一见黄晨露面，竟亲热地唤她"阿晨"，黄晨当然怒目以对，控诉她对郑及自己一家的迫害。没想到江青一脸无辜的表情，辩称对上海"红卫兵"抄郑家事一无所知，对郑的被逮入狱更无责任。法官当然呵斥了江青。那么，是否接下去公诉方会举出孙维世的案例呢？我等待着，却并没有"莫将血恨付东风"的内容出现。事后我与家里其他人交换观审心得，都有点纳闷。为什么略去江青迫害孙维世被害惨死的重大罪行？

我们家的人毕竟都是些不懂政治的最凡庸的生命存在。对于我们不知、不懂的事情，也就止于纳闷和茫然。

既然"四人帮"已经垮台，进入改革开放新时期，我们就好好珍惜，好好生活吧。大约在1981年夏天，那时我已经发表过《班主任》，进入了文艺界，被北京市文联接收为专业作家，忽然有一天，我接到电话，是黄粤生打来的，很亲热地问我："还记得粤姑姑吗？"怎么会不记得呢？她约我去她的住处见面，我问还在中关村吗？她说现在住在南沙沟。告诉了具体的地址。

北京钓鱼台国宾馆附近的南沙沟，那时候盖出了不少高档住宅，分配给副部级以上的干部或民主人士及个别社会知名人物居住。我按图索骥，找到了粤姑姑居住的地方。她开门迎客。渡过劫波，她略显憔悴，但风度不让当年，脸蛋依然红苹果一般。她把我让进去坐。在她去张罗茶点的时候，我随手翻了翻书房里书架上的书，记得有一套几十本组合成的世界美术史，是日文的，里面丰富的插图令人兴奋艳羡。不经意中，我发现手中那本书的扉页上有金山藏书的印章。难道这是金山的住宅？说实在的，我对后来粤姑姑的生活变化一无所知，因此，当她请我喝茶吃点心时，我还问："李叔叔呢？"粤姑姑就告诉我，宗昌叔叔已经因癌症去世了。我不禁长叹。她主动说起粉碎"四人帮"后的生活变化。她重新见到了邓妈妈。邓妈妈关于孙泱和孙维世之死这样开导她："革命嘛，总会有人牺牲。"她说她恢复了最早的名字：孙新世。李叔叔去世以后，两个女儿都到外面上学去了。因为姐姐惨死，姐夫金山身心也备受摧残，她就搬到金山这里照顾金山。最初，是他们各在一室，晚上如果金山身体出现问题了，就按电铃，她闻声赶到金山身边照顾。"后来，觉得这样很麻烦……你懂，我们也产生了感情……我们就住到一个房间了……现在，我们正式结婚了。"说完最关键，显然也是她说出来最感吃力的这几句，她望着我，我虽确实有些吃惊，迟疑了一下，也就说："能理解。这样也好，你们可以——"她不等我说完就接过去："相依为命吧！"

把最关键的话说出来，底下就更好交流了。她亲切地问起我父亲"天演哥"

和母亲"刘三姐"的情况，我告诉她父亲已在 1978 年仙去，母亲还健在，眼下住在成都二哥那里。她说她和金山都读过《班主任》，祝贺我正式进入文学界。希望我和他们多联系。"现在孙家、刘家剩下的人别断了联系，世交嘛。"她的亲切使我颇为感动。

在她和我把该说的话几乎全说完的时候，金山"恰巧"从外面回来了。金山热情地伸出手和我紧握。我不知道该怎么称呼金山，就以微笑代替称呼，金山也不计较。他们留饭，保姆做出一桌菜，金山还请我喝酒，我们干了几杯。席间我们聊些当时文艺界的事情，比如中国青年艺术剧院那出喜剧《枫叶红了的时候》好在哪里差在哪里什么的。吃过饭，我告辞，他们都亲切地告别，嘱咐我一定有空去玩。

但是我后来再没有跟粤姑姑即孙新世保持联系。我倒是跟冯钟璞交往甚多。我们在 1979 年全国第一届优秀短篇小说评奖中一起获奖。她获奖的篇目是《弦上的梦》。我叫冯钟璞"宗璞大姐"（她发表小说用宗璞的笔名）。我母亲和二哥知道后，责备我"不应乱了辈分"，确实，按世交辈分序列，她和我父母同辈，我应该叫她"宗璞姑姑"才对。但宗璞知悉我就是曾寄居她家的"刘三姐"幺儿后，只是一笑，说："我们是文友。你还是叫我宗璞大姐好。"我们在一起时，就文学艺术充分地交换意见，如对《红楼梦》的理解，常展开争鸣，但我们从不涉及她的大姨、二姨两家的人与事。

孙炳文、任锐的二子孙济世解放后一度到北京任绒线胡同四川饭店经理，朱德、邓小平、吴玉章、陈毅常去那里吃饭。我父亲也曾被邀去品尝过精品川菜。后来孙济世在成都任职，粉碎"四人帮"后，已定居成都多年的我二哥刘心人跟孙济世来往颇多，二哥叫他"孙四叔"。

孙四叔去世的消息，搅动了我平静的心。孙家前两辈只剩黄粤生即孙新世一位了。她早已离开北大，1982 年金山病逝后，听说她曾组建公司开拓中苏文化交流。年老退休后，常到定居美国的女儿家长住。算起来，到 2009 年，她进入 83 岁的高龄了。往事联翩浮过心头，我百感交集。祝愿孙家这一辈仅存的生命，能幸福安康，越过百岁。

我后来为什么没有与粤姑姑和金山保持联系？对此我也说不清道不明。孙泱，特别是孙维世的惨死，令我有"高处不胜寒"之感。还是离中心远一些为好。

还是比如默默无闻地当一个中学教师为好。还是不要攀附"高枝"的好。还是不要寻求"过硬背景"的好。还是凭借自己的能力"自发投稿"去获取录用的好。还是"江湖"比"庙堂"更具坚韧的人情。还是不要孙维世那样的牺牲为好。原来"红色公主"并不一定有可持续的幸福。原来"金枝玉叶"也会在诡谲的政治旋涡里被侮辱被损害以至沦落陨灭。

宇宙里最脆弱的是人的生命。人的生命中最脆弱的是心灵。心灵最脆弱的表现是委屈求全。而人性中有阴鸷的部分，专对脆弱的存在下狠毒之手。个体生命的生存发展真是不易。

于是寻出自己的一幅画——《阳光下的三片树叶》。我爱每一片绿叶。无论是大片的绿叶，还是小片的绿叶，包括不幸出现蛀眼的叶片。每一片绿叶都企盼阳光雨露。但阳光不要太强烈啊，过强的阳光会灼伤绿叶。雨水也不要太猛烈啊，疾风暴雨会折断叶梗使叶片如孤魂般飘零。愿世道人心，能像我这幅画一样，虽然达不到完美，却至少给人以祥和的期许与温煦的慰藉。

2009 年 1 月 27 日完稿于北京绿叶居

人需纸几何

　　那是一只细瓷茶杯，外壁有金色花纹，当我因为顽皮把它碰落地下以后，发出一声脆响，立刻碎成许多"指甲盖"，而进飞门边的把手，让我觉得很像弯曲的小拇指。

"哦嘀，这下不成套了！"陈伯伯望着地下的碎片，乐呵呵地说。

坐在他对面的爸爸没有责备我。稍停了一下，就继续跟陈伯伯聊天。

那是在北京北新桥陈伯伯的居所里，当时他还没有接来家眷，一个人独居。那一年，他大概刚刚五十出头，而爸爸四十八岁，我呢，十一岁。

记忆里这一点非常清晰：那是一整套精美的瓷器，放在一个很大的礼品盒里，那放在餐桌上的礼品盒是在爸爸带我去做客时，陈伯伯才将其打开，嘱咐保姆取出茶壶和三只茶杯，将其洗净，沏上香茶，先来使用；其余的，好象还不止是茶具，应该还有碗盘什么的，都还搁在盒子里，而塞在瓷器当中防止互相磕碰的大团纸丝，被掏出来的部分，还没从盒盖边清走。

那套瓷器不是爸爸带去的礼物。应该是另外什么人送给陈伯伯的。爸爸和陈伯伯互相拜访，从不带礼物。随着岁月的流逝，我渐渐懂得，从这样的非常琐屑的细节，可以证明他们不是一般的交情。陈伯伯竟然对我碰落跌碎昂贵的细瓷毫无愠色一笑了之，爸爸竟然并不以为应该对此礼节性地致歉也懒得责备我几句，这说明，他们相聚交谈的快乐，达到物我两忘的境地。

陈伯伯名陈晓岚。上个世纪初出生在四川。他的老家跟爸爸妈妈的老家离得很近。他们相识相交得很早。属于青春期的朋友。爸爸妈妈大约二十岁出头结婚，一年后生下我大哥，那是 1925 年，爷爷到广州参加大革命去了，后婆婆对爸爸妈妈非常不好，等于是把他们扫地出门了，爸爸直到 1926 年才终于有了稳定的职业，可以把妈妈和大哥接去共同生活。那么，有一段时间，妈妈就带着刚出生不久的大哥，借住在离沙滩不远的一条胡同里的陈伯伯家。那时候陈伯伯在沙滩北京大学（俗称"红楼"）化学系读书，他比爸爸妈妈先一步结婚，是老家的父母包办的，他到北京读大学，是带家眷来的，所谓他家，其实是在北京胡同四合院里租的房子。他的妻子，1925 年早于我大哥生下了一个女儿。我 1942 年才出生，对于 1925 年的事情，很难想象。陈晓岚夫妇自己有襁褓中的婴儿，却不怕麻烦累赘，接纳一个朋友的妻子抱着一个襁褓中的婴儿，加入自己的生活，这在那个时代，是多见的吗？我现在已经六十七岁了，以我懂事以后的六十多年的生活阅历，还找不出相近的事例。伸出援手，予人温暖，说起来容易，做起来，在任何时代都是件往往心有余力不足的事。但遥想当年陈伯伯家对我家的帮助，竟是力未必足而心竟有余，"古道热肠"这个语汇，被他们的行为阐释得无以复加。

回忆往事，涉及童年阶段，我行文习惯称爸爸妈妈，到进入青春期后，则多愿以父亲母亲谓之。大约 1983 年，我已不惑，年近八十的母亲住在我北京劲松居所，谈及当年陈伯伯陈伯母的种种事情，记忆犹新。她说 1919 年 5 月 4 日那天，她跟着自己所在的女子中学的队伍，也走向了街头，在街上，迎面见到一所男子中学的队伍，一眼瞥见了陈晓岚——那时他课余常到我爷爷家去——在队伍中举着竖长的标语纸旗，穿着长衫，跳着脚高声领呼口号。后来陈伯伯考上北京大学，虽然主修化学，但对社会科学包括文学艺术都有兴趣，他常去听李大钊的课，有次他听完课，来到什刹海北岸我爷爷家，那时候我亲婆婆还在，一大家子人，我父亲，我姑妈，我母亲（那时还未和我父亲成婚，属于童养媳性质，但我爷爷婆婆待她如亲女，她与我父亲青梅竹马早有感情）……陈晓岚把课堂上从李大钊那里听来的新鲜议论，学舌一番，兴奋得不行。1920 年，李大钊就在北大组建了共产主义小组，陈晓岚入北大后参加了小组的活动。那时候，陈晓岚还写诗，正如我父亲青春期尝试写长篇章回小说《铁兰花》一样，他们沉浸在为社会变革献身，以及将才华化为美文的激情之中。母亲说，陈晓岚最不开心的是，他妻子是个小脚妇女。你现在读一些明代、清代的诗文，会发现那个时代的主流审美意识，是以小脚裹成"三寸金莲"为美，男人对女性的欣赏，往往会体现在把玩"金莲"上。但辛亥革命后的知识青年，则以"金莲"为丑为耻。陈晓岚曾推心置腹地跟母亲说："你嫂子（指他原配妻子）没读过书，这还好弥补，可是她没有你那样的天足，如何弥补得了？天演（指我父亲）命甜，我命苦啊！"到 1925 年我母亲带着大哥借住到他们家时，母亲就发现，陈大嫂每天起床后的第一件事，就是弄妥一双塞好棉花的天足鞋，然后小心翼翼地把自己的"金莲"穿进去隐匿起来，但走起路来，还是无法呈现"天然状"，为此陈大嫂常对母亲长吁短叹，母亲也不知该如何安慰她才好。

　　母亲借住在陈家的那段时间里，陈伯伯仍然是个政治情绪浓酽的热血青年。他曾被军阀逮捕，报纸上刊登出标题耸听的新闻，把陈伯母急得不行，但很快被保释了出来。大家都知道北京大学校长蔡元培曾在 1919 年"五·四运动"军阀政府逮捕学生后，挺身而出，营救被捕学生，待学生全部被释后，毅然辞去由那政府任命的校长职务。当然后来由于蔡的威望及北大师生的通力挽留，他又继续担任了下去。那以后北京大学有学生因政治行为被捕，蔡元培仍出面营救。但陈晓岚逐渐冷静下来。他减少了政治活动，抓紧了专业修炼，对文学艺术也由染指变为旁观。母亲不记得听他表白过什么，但从他的行为可以看出来，他最后给自己的人生，定位于以实用知识和科学技术来服务国家，使其繁荣富强。他 1927 年以优异成绩从北京大学化学系毕业，后赴德国留学，在寇顿工业学院学成先进的造纸技术，1933 年他学成回国，在上海与杭州之间的一座颇具规模的造纸厂任总工程师。那时候西方烟草公司在中国大肆推销洋烟。有的中国民族资本家希望能生产完全国货的香烟，但苦于中国自己生产不出需要很高级技术的卷烟纸，是陈晓岚通过反复实验，终于解决了这个问题，于是中国有了从烟叶到卷烟纸全部国产化的香烟，得以跟洋烟争夺市场，并频频告捷。

　　陈晓岚从德国归国后，把家安在了上海，自己来往于上海和沪杭线上的纸厂之间。这期间资本家分给了他工厂股份，他也成了半个资本家，经济上更加富裕，他的发妻和两个女儿不仅衣食无忧，可以说过上了很不错的中产阶级生活。1937年抗日战争爆发。陈晓岚把妻女留在上海，自己到了四川大后方，在乐山附近的一个大造纸厂任职。他归国以后一直和我家保持联系。说来也巧，我二哥在抗战胜利后，在乐山技术专科学校学习，恰是学的造纸专业，而陈晓岚作为兼职教师，在抗战时期曾到乐山技专授课，后来他知道老朋友刘天演的二儿子学造纸，非常高兴。二哥刘心人回忆，抗战时期生活十分艰苦，工农业生产都遇到很多困难，拿造纸来说，那时候国土一天天沦丧，进口纸浆不可能了，四川本身的森林资源又十分有限，但国难当头，纸张的重要性不亚于枪炮，特别是学生们不能中断学业，要印教科书，要有练习本，怎么办？是陈晓岚，开发出稻草造纸的路数，以低成本、高产出，提供给社会一种虽然轻薄黄脆、却足可印制教材、用以学习的"抗日纸"。

我对陈伯伯开始留下鲜明印象，是上世纪五十年代末，我家住在钱粮胡同海关宿舍大院的时候。他常来我家，一来，就呆上一整天。他那时五十五左右。俗话说："男子五十五，胜过下山虎。"那时的陈伯伯身板挺拔，浑身洋溢着阳刚之气，总理着小平头，浓眉大眼，笑声爽朗，每次来做客总穿着质地优异做工精细的皮茄克，脚穿颜色相配的高级皮鞋，实在不是恭维，其虎虎生气、风流倜傥，赛过电影明星。那时他心情舒畅。1949 年新中国成立以后，他得到重用，被任命为轻工业部设计院的副院长兼总工程师，还被安排为全国人民代表大会代表。还有一项令他开心的事，是在全国解放前夕，他和造纸厂老厨师的孙女儿，一位美丽的姑娘，产生了爱情，就纳其为妾，他很怕解放后这事影响他的前程，没想到新政权对他那样的人物的这一"旧社会遗留的家庭问题"并不加罪，他并不需要跟在上海的原配离婚，只是担负起原配和前面两个女儿的生活供给，自己在北京和所爱的女人过起稳定的婚姻生活，连续生下了三个儿女。因为定的级别工资很高，大约有 300 多万人民币（这是旧币值，折合新币有 300 多元）——那时一般职工一个月的工资有的还不到 30 元——因此不少人知道后都有"天文数字"之叹。再加上，他解放前在造纸厂有股份，解放初仍按时分红，公私合营后，还有定息，经济上的强大，使他供养两家人不觉吃力。

当下的社会里，人民对官员富商"包二奶"深恶痛绝。这种正义感是必须支持的。

但解放初虽然通过并推行了《婚姻法》，在一部分中共干部和统战人士中又确实呈现了复杂的婚姻状态。那时候有位剧作家岳野创作了一部话剧《同甘共苦》，由孙维世执导搬上了舞台，表现的就是一位革命干部（舒强扮演），离开家乡包办婚姻的妻子（刘燕瑾扮演），穿越战斗的风云，在革命途程中和一位知识妇女（于蓝扮演）自由恋爱，共同生活，解放后他重返故乡，打算跟原配离婚，却发现那农村妇女已经在当地的革命进程中成长位一位可爱可敬的基层干部，于是，他和后来的恋人都陷入了两难境地，两位妇女之间也发生了许多难以避免的心理碰撞，这部戏最后表达了一个引出激烈争论的主题，就是人们应该对革命引发的这类人的情感与人际关系的复杂局面，持宽容与互让的旷达态度，强调大家朝前看，同甘共苦再奔前程。《同甘共苦》没演多久就演不下去了，因为它确实有悖于《婚姻法》的推广。但我眼前的陈伯伯却把与上海原配大太太和北京后娶爱妻的"同甘共苦"，一直活生生地持续着。

那阶段陈伯伯来我家做客，总是自己一个人来，从未带那位年轻的妻子和孩子来过。不消说，我母亲从情感上，是完全倾向上海的那位陈大嫂的。她们共同生活过啊。当然，陈伯伯总自己一个人来，也未必是因为害怕携新夫人来会引出我母亲的不快。他来，除了跟我父亲聊天享受友情，还有一个非常重要的目的，就是"打牙祭"。那时候尽管陈伯伯收入不菲，但钱都归他的新夫人掌握，据说每月发给他的零花钱，仅仅20元。那位新夫人的厨师爷爷跟他们一起生活，但巧厨难为无料炊，新夫人为自己和孩子们前途计，必须储钱备荒，在伙食上十分俭省，对陈伯伯算很优待了，每顿饭专为他提供一份肉食，但陈伯伯嘴馋，哪里能够满足？于是，那阶段他几乎每个星期天都来我家，而我母亲，会在厨房里忙上几个小时，烹制出一满桌的佳肴，令他大快朵颐！

在全国人民代表大会开会期间，当中的休会日，陈伯伯也会来到我家。母亲就笑他："你那会议餐厅什么好吃的没有，怎么还来这里？"他就老实回答："原材料自然都属上乘，做出来确确实实没有你刘三姐的那么香啊！"母亲并不谦虚："那个自然。我有秘法哩！"但母亲的秘法烹制，往往要用很长的时间，她会从午后做起，直到晚上七点左右才能开宴。我那时常常心里暗恨陈伯伯，都是因为他来，弄得我肚子饿得咕咕叫还不能开饭，有次陈伯伯似乎看出了我的烦躁不耐，就乐呵呵地说："今天有两位最高级的厨师啊，一位是刘三姐不消说了，还有一位——听说过西方这句谚语吗：饥饿，是最好的厨师！"

母亲终于把头轮菜肴布上餐桌了，是若干精制凉菜，每只盘子里的菜，都像餐馆一样，摆放成悦目的形态。于是爸爸斟酒，跟陈伯伯，往往还有另外一两个朋友，先喝起酒来。而我，就还得再等候一时，才有热菜送来，可以就饭。

热菜往往很多。多到再来几位豪客也吃不完的程度。那时候家里没有冰箱，剩菜是怎么妥善保存的，我从未关注过，现在想起来，不禁发愣。记忆中的美味热菜：珍珠丸子、葱烧海参、香辣牛尾、豆瓣鲤鱼、麻婆豆腐、芙蓉鸡片、干煸四季豆、香菇烧菜心……甜味的则有枣泥烧白肉、拔丝山药、而每次少不了，也总是引得陈伯伯赞不绝口的，是家乡渣肉（米粉肉）。

大人们会大吃大喝一直到晚上十点钟。餐后还要再沏香茶，倾心交谈。

那是一些多么惬意的日子啊！

那几年有时会一两个月不见陈伯伯身影。他是出国援建造纸厂去了。他肯定去过缅甸。因为在我父母的遗物里有他所赠的，在仰光大金塔和大卧佛前拍摄的照片。记得他还去过印度尼西亚、老挝、柬埔寨。他不仅在国内造纸事业方面贡献突出，他也把中国相对先进的造纸技术传播到了那样一些国家。

但是来到我家，笑咪咪的陈伯伯似乎很少谈论政治和他的专业。那阶段常来我家的还有另一位瘦高身材的陈伯伯，也是爸爸的老朋友，他们三个人在等候我母亲烹制美味佳肴的过程里，常坐在一起打"戳牌"，就是一种叶子牌，也不知他们是从哪里买到那种散发着浓烈桐油气味的手工制品的。那实际是流行于四川农村的一种牌戏。1958 年，我偶尔听到两位陈伯伯的一段议论，大概内容是，瘦高的陈伯伯抱怨，买到的书，那纸好粗糙好黑好臭，健美的陈伯伯就说，他们那一界也有人搞大跃进搞得头脑发热，非说可以用一种土办法解决一项重要的造纸工艺，既大大节约成本又可以高产，他怎么劝说也不听，批他保守，让他靠边站，结果，就生产出了这么让人败兴的纸张！后来，过了几年，市面上的图书纸张又恢复白净了，想必是陈伯伯作为造纸界技术权威，他的发言权又恢复了，那错误的土办法取消了。

1960 年我家情况发生了很大变化。父亲调到张家口解放军外语学院任教，母亲跟他同往，那时我已入北京师范专科学校住校学习，父母把单位的房子悉数上交，没有给我留下哪怕一间小屋。母亲给我买了一只颇大的人造革箱子，供我装四季衣服及其他必要的用品。那只箱子在我学校的宿舍里很难安放，于是，就如同 1925 年我母亲借住到陈伯伯家一样，我把那只大箱子，借放到了陈伯伯家。

之所以借放在陈伯伯家，也是因为，那时他家住在右安门轻工业部宿舍，而那里离我所在的北京师范专科学校所在的南横街相当近，我可以很方便地去他家从箱子里取东西。

更巧的是，我二哥刘心人那一年从东北开山屯造纸厂调到北京轻工业干部学校任教，地点在白家庄，不久以后那里改成轻工业部设计院，二哥又成了设计院的工作人员，而陈晓岚伯伯正是他的顶头上司——设计院副院长兼总工程师。

那时候，我才见到陈伯伯的第二位太太。她比陈伯伯小很多，比我二哥略大，我比二哥小 15 岁，她在我眼里当然够得上老辈子，因此，我唤她陈伯母并不觉得勉强。他们家待我很好。每次我去陈家取放东西，即使陈伯伯不在家，陈伯母也总是很热情。我见到陈伯母的祖父，那时应该年事很高了，是一个矮个子的老头，不知该怎么称呼，就含混点头，他们也不计较。有时陈伯母会留我吃饭，记得他们总是一大锅菜汤为主，配两三盘味重的小菜，就那么下饭吃。陈伯母总充满歉意地说："你妈妈刘三姐的菜饭多好吃啊，光听你陈伯伯形容，我就口水直流哩。

你在我们这里只能将就啦！"我就总是真诚地说："哪里哪里。很好很好。谢谢谢谢。"
那时候社会进入"三年困难时期"，几乎所有东西不管是吃的用的，全凭票供应，
妈妈在张家口，纵使有种种烹调秘法，也是巧妇难为无米之炊。那时候陈家不收
我粮票，留我吃饭管饱，仔细想来，跟1925年慨然收留抱着我大哥的母亲，是一
样地古道热肠令人感动。

偶尔二哥会跟我约齐，一起拜访陈伯伯。陈伯伯对陈、刘两家的世谊并不避讳，
但二哥总怕同事知道会认为他是"浮上水"，行动十分谨慎。有一回我们同去做客，
在他家那宽敞的客厅里，陈伯伯坐在一个单人沙发上，陈伯母就坐在沙发扶手（那
种有米色咔叽布套的苏式沙发扶手很宽很牢）上，把一只胳膊很自然地环在陈伯
伯肩头，我们同陈伯伯交谈，她不插嘴，从他们两个人的表情上看，都体现出幸
福与满足——那一场景给我留下了如同油画般的深刻印象。

父亲在学校放寒暑假期间，会到北京来，住在南池子部队招待所，当然要拜
访陈伯伯。记得有一次父亲约上那位瘦高的陈伯伯，一起到陈晓岚右安门住所去
叙旧。我也去了。那时陈晓岚伯伯已经略显苍老。他们交谈，我也没太注意听。
但有一段话，我听见了，略为心动。瘦高的陈伯伯年纪最大，说起他的子女大都
成材独立，但最小的一个，应是我的同龄人，患有癫痫症，久治不愈，"我和他妈
闭眼以后，谁来管他啊！"陈晓岚和眼前这位陈伯母的第一个孩子，因小儿麻痹症，
从小架拐，他和另外两个孩子，那时候都还在上小学，陈伯伯说起来，也有隐忧：
"我要走了，他们能不能独立生存，也是个问题啊！"于是两位陈伯伯都望着父亲，
表达同一个意思：你的几个孩子，包括幺儿，都能在社会上立足了，羡慕啊！那时
候我已经是北京十三中的教员，自己有工资，偶尔还能发表点小文章得个5元10
元的小稿费，时不时还会给父母寄上点钱。本来，我常为自己没上成好大学，没
得到比中学教师更体面的职业而烦恼，旁听了他们的议论，我安心了许多。

1966年夏天，"文化大革命"爆发了。陈晓岚首当其冲，成为轻工业设计院率

先被揪出的"牛鬼蛇神"。据二哥说，开头批斗他，他很倔强，一万个不服。说他是"走资本主义当权派"，他辩称虽有副院长头衔，但决策都是党委拍板，而党委又怎么"走资"了呢？他实不解。说他是"反动学术权威"，他承认自己确实算得上中国造纸专业的权威，但绝不"反动"。但后来根本不给他辩解的空隙，就是急风暴雨般地批斗，人身侮辱加肆意体罚，然后押入"牛棚"，在昏暗的牛棚里，"造反派"递给他一叠他最熟悉的东西——纸，勒令他"老实交代自己的罪行"。

那场运动，光大字报大标语，就耗费了多少纸张啊！

直到运动中最狂暴的阶段过去，我才敢到白家庄的轻工业设计院里的宿舍楼看望二哥。二哥噤若寒蝉。他与陈晓岚有某种世交关系，被揭发出来，勒令他揭发批判陈晓岚的大字报就贴在他那栋宿舍楼外的墙面上。我找到二哥，和他一起下楼，想不被人注意地溜出那个院落，一起到街上去透气，再找个僻静的角落，倾诉各自的处境与心中的惶惑。下得一楼，在一楼楼道里，我一眼看到了陈伯伯。他穿着肮脏的衣服，头发胡须乱蓬蓬，脊背已经习惯性弯屈，拿着一把大笤帚，默默地扫着楼道地面。

我不知道二哥当时怎么想的。我站在那里，离他大约十米远，想马上挪动脚步离开他远去，却不知为什么双腿像灌了铅水一般沉重，僵在那里，足有好几分钟。

分明是陈伯伯。但真地是陈伯伯么？是那个在1919年5月4日当天，在游行队伍中激动地跳起双脚，高喊爱国口号的激昂生命么？是那个在钱粮胡同我家，形象健美衣着光鲜，常以一串爽朗的笑声引发欢欣的活泼生命么？是那个曾在仰光馏金大佛塔前，满脸自豪地留影的那个庄严的生命么？是那个坐在家里沙发上，爱妻将丰满的胳膊围搭在他肩头，恣意地享受着情爱的那个惬意的生命么？……后来知道，那时候虽然他家已经搬到白家庄轻工设计院附近的宿舍楼里，住房条件更加优越，但他被揪出以后，已经不允许回家，家人也不能探望……

随着运动的发展，一度陈伯伯那样的"死老虎"已不在旋涡中心。但到"清理阶级队伍"阶段，他又被冲到了风口浪尖。他被指认为"资本家吸血鬼"。他解放前在造纸厂确有股份，解放后很长时间里他领取定息。他在"革命委员会"给他的纸张上，写下为自己辩护的话，他认为自己拥有股份和领取定息，都是心安理得的，那是厂方，包括后来国家有关部门，对他知识与技术上的奉献给予的一种工资以外的酬劳方式。他又被指认为"共产党的大叛徒"。专案组从旧报纸上查到了"昨北大共党分子陈晓岚被捕校方紧急营救"一类的新闻。他在专案组提审时试图解释，他虽然在1923年到1926年参加过李大钊组织的共产主义小组的活动，但那并不是1921年在上海秘密成立的共产党的一个组成部分，实际上北京大学的共产主义小组成立于1920年，比中国共产党还要早，参加活动的人士可以每次必到，也可以选择参加，更可以自动离开。他说李大钊作为中国共产党北方局的领导，是严格保密的，他并不知情。他那时确实醉心于共产主义，参与一些相关的社会活动，反动军阀将他以"共党分子"逮捕，报馆称他为"共党分子"，都是那个时代常有之事。他既然并没有参加过1921年在上海成立的那个共产党，他又怎么会是共产党的叛徒呢？……他的辩解给他带来的只有拍桌痛斥与拉出批斗。

二哥后来以解决两地分居为由，自动离开北京到成都与二嫂会合，一直定居那里。1975年他因事来到北京，去轻工设计院看看，对他友善的前同事跟他说：你早来几个小时就好了，我们刚开完陈晓岚的追悼会。原来陈晓岚伯伯大约在1973年宣布"解放"，但饱受冲击折磨的他已经患了喉癌，虽然回到家里亲人身边，却不能出声说话了。1975年他在医院去世，弥留前，宣布为他"平反"，就是说，终于承认，他既不是"走资派"也不是"反动学术权威"，当然更不是"吸血鬼"和"狗叛徒"，不是"不耻于人类的狗屎堆"，不用再把他"打翻在地，再踏上一万只脚"。

父母那一辈的人，已经全都谢幕，到我难以揣想的后台去了。他们在上个世纪的种种故事，不应该忘记。我们告别二十世纪，前提是必须保持对二十世纪的记忆。有人说，纸张越来越不重要，因为有了电脑，有了网络，数字化的电子产品将取代所有的纸质品。对此我不参与争论。我只是记得，有一位陈伯伯，他为在中国生产纸张，奉献了他的一生。他生命如纸。他的一生引发出我痛切的思索，人的一生，究竟需要消费多少纸张？在这些纸张上，有几多承载了真实的心声，又有几多是违心的，甚至是用来损人害人以至抉心自噬的？

我现在使用电脑写作，投稿都以电子邮件传送电子版。但我仍在用纸作画。我 2007 年在北京怀柔水库画过夕阳残照。现在我拣出这幅画献给陈晓岚伯伯。我想告慰他的是：并非陨落消失的都会被人遗忘，拼力将人生记忆真实地记录传递下去，是现在所有仍具良知的生命的自觉使命。

2009 年 2 月 14 日完稿于绿叶居

记忆需要营养

1

那一年还住在劲松。那一年母亲从成都来北京住在我处。有一天巫丹丽和她母亲来看望我母亲。互相该有二十几年没见过面了吧？那么，是怎么联系上的？

回忆起来，就很费力。

那一时期我没有日记。我是在使用电脑以后，才开始在电脑里设置"大事记"的文件夹的。那时不记日记，是觉得没有必要——重要的事情，以后我一定能回忆起来。现在我回忆跟巫家的交往，却无法将印象锁定为准确的时间，是因为不重要？

巫丹丽的父亲，叫巫竞放。我四五岁的时候，在重庆，那时父亲是重庆海关总务处的主任，巫竞放伯伯是他的一个下属，我留有模糊的记忆：巫伯伯巫伯母带着巫丹丽来我家做客，巫伯伯人高马大，西服革履；巫伯母身材苗条，旗袍闪亮；巫丹丽比我小，但也能满地跑了，见了我家蔷薇花丛下的鹅，就敢去追……

当然，以下情况是我长大以后才知晓的：解放军来到山城重庆，军代表进驻重庆海关，海官旧职员有的被逮捕，有的被遣散，有的被留用，留用的人员中，有的还被重用，比如我父亲，他被重用，是因为海关地下党组织证明，他为不让海关的物资——其中有许多是新中国极需的特殊物资——被国民党带走，以及因为带不走就想毁坏，配合地下党，做了工作，妥善地保护了这些物资，完整地交付给了进驻的军管小组。

接收重庆海关的军管小组一进驻，就宣布了接收小组的名单，巫竞放和另几位地下党员立即公开了身份，进入接收小组，而我父亲，是旧海关职员里唯一一位非地下党而被吸收到接收小组里的人士。

新中国决定在北京成立海关总署，对全国海关建制进行大调整。重庆海关被撤消。重庆海关里的地下党员林大琪、巫竞放等保荐父亲到北京海关总署任职。那是1950年秋天。就这样，我随父母从重庆迁居北京，从那以后，我再也没有离开过北京。

父亲被任命为新中国海关总署统计处副处长。我童年记忆里，从重庆乘轮船到武汉，以及从武汉乘火车到北京一路上，包括到达北京后的头几个月里，父亲都还是穿的西装。但印象里，重庆一解放，巫伯伯就换了一身"干部服"，和从解放区来的那些接收干部穿戴得一模一样，巫伯母呢，则立即是一身"列宁装"，这是那个时代革命女干部的一种服装，很难用文字形容，必须看那时候的照片才能明白，至于为什么革命女士的服装要叫作"列宁装"？我至今不甚了了。还要特别指出的是，着"列宁装"必须戴"八角帽"，那时一看是戴"八角帽"的女性，就知道非一般家庭妇女，多半是"女干部"。每次大的社会变革总避免不了会形成大规模的"易服"。我父亲那样的"留用人员"的易服是慢好几拍的。但地下党员一旦公开身份，则都是"立地换装"。记得父亲曾跟我们子女私下说，那时因为工作关系常会见到外贸部的副部长卢绪章和江明，这二位解放前的公开身份是贸易大亨——改革开放以后拍摄过一部故事片《与魔鬼打交道的人》，就是以他们特别是卢为原型的——他们因为穿惯了西装，乍换上干部服不要说自己总表现出不那么适应，就是外人，比如我父亲从旁看来，也总觉得他们要么领子不对头，要么手抻袖口不顺当，总之多少有点滑稽。

巫竟放伯伯是和父亲前后到北京任职的吗？我那时太小，不懂大人任职这类的事。如今有了网络真好，可以从网上查到许多资料。我查到一条关于巫伯伯的，很简短，说他是江苏武进人，1937年到延安，1938年入党，历任延安边区银行科长、中央财经部主任秘书、重庆海关职员、东北空军后勤部长、北京海关关长、国家旅游局副局长。面对这条资料，我发愣。为什么把他在解放区和国统区的织务混列呢？"中央财经部"应该是延安解放区的机构，重庆海关却是国民党治下的啊。

2

打电话给成都的二哥，请教他。

二哥生于1927年，比我大15岁。

我：巫伯伯去过延安，还在那里入党、任职。那他以后怎么还能到重庆海关做事？

二哥：据我了解，巫伯伯是上海税务专门学校毕业的，毕业后就在海关当小职员。咱们爸爸手里曾有很古老的海关职员名录，我记得那里头就有巫伯伯的名字。那时候中国海关被外国人控制，总税务司都由西方人担任，他们禁止任何党派在海关里活动，无论国民党还是共产党，都不能在海关里建支部。1937年巫伯伯应该是三十岁出头，估计他是向海关请了假，然后去了延安，后来，大概在四十年代初，又回到海关工作。那应该是国共合作的时期。

我：海关怎么能允许他回来工作呢？他去了延安，入了党，还在延安银行

等部门任过职，他竟又在国民党政治中心的重庆海关获得工作，就算他把去延安等事实隐瞒起来，难道人家就不查他吗？我读《红岩》，获得的印象是重庆的国民党统治是非常森严的啊……

二哥：我也解释不了。可惜爸爸妈妈全过世了，现在问谁去？我的印象是，当时巫伯伯巫伯母隐蔽得非常好。拿平日穿着来说，咱们爸爸算得讲究，妈妈就总是很不讲究。那时的巫伯母——后来知道，她是跟巫伯伯一起去延安，一起再回到国统区，也是地下党——穿着打扮，举手投足，完全是"高级职员太太"的作派，谁会想到，几年以前，她是在延安窑洞内外纺棉花的"大生产运动"的积极分子呢？

我：那么，爸爸知道他们的真实身份吗？

二哥：我想是很快猜出来了。但大家心照不宣。其实国民党方面也还是来人查问过巫伯伯他们的。我记得爸爸有一次说，他就派巫伯伯作为海关派驻邮局的一个特派员，那样的特派员只设一个，平时也不在海关露面，工作比较清闲，行动也可以相对自便，这当然是对巫伯伯的保护。

我：怪不得解放后巫伯伯他们地下党的对爸爸那么好，力荐他到北京海关总署任职。

二哥：不过1957年以后，他们来往少了。你知道爸爸在"鸣放"时有言论，他说旧海关的有些规章制度还是好的，不要全盘否定。他没有划右。但"内部排队"算"中右"。当然不再适合担任统计处副处长这样重要的行政职务了，就另任命为专员，后来去编译中国海关史资料，当然，待遇不变。我想，保他的人里，应该也有巫伯伯。但巫伯伯的仕途继续高升，到1965年他当上了国家旅游局副局长，那时候咱们和大部分西方国家还都没有建立外交关系，一些西方前政要就都以旅游者身份来华活动，记得那时候从报纸上看到新闻，毛主席接见了某西方前政要，陪同接见的官员里，就有巫竞放的名字。估计巫伯伯心里还是会保留对爸爸的好感的，但不便联系了。爸爸起码是出于自尊心，也不会再去找他了。

3

我知道肯定有不少读者对我这种文章回忆的人物提不起兴趣。巫伯伯巫伯母毕竟都不是中国政治史上名声显赫的人物。但于我来说，人到晚年，回忆成为一种不可或缺的精神需求。人只能存活一世。人在存活中涉及到的他者，纵使很多，到头来也仅是浩荡历史长河里的一波一浪。但这些与己有关的一波一浪，牵动着生命的歌哭，忘记是不应该的。

但是历经了许多沧桑岁月，关于巫家，回忆中，只能萤光般闪出些斑斑点点，很难构成轨迹，更难洞察底里。

斑点之一，是在紫禁城里的太和殿。那是哪一年？记忆需要营养，这营养不仅是令神经元敏锐的物质，更是我们生命流动中的心理需求。往往是，因为在现实功利之外，我们就早将其"忘记在爪哇国"了。其实，真正地享受回忆之厚味，恰应在现实功利之外，但这确是一个悖论：记忆营养需要功利性的心理刺激，没有这一刺激，就会造成遗忘，而过分功利地调动回忆，则往往会化为一种偏离事实原生态的创作。

关于太和殿的回忆是超功利的。大概是1952年。那一天刘巫两家联袂游览故宫。我那一年十岁，巫丹丽可能八岁。那时太和殿是可以走进去细观的。我看到金銮宝座，没产生什么不得了的感觉。可是我记得父亲说："这可是金銮宝殿呀，以前哪里允许普通老百姓进入呀！"巫伯伯也说："随便跑进来，那时候是要抓起来杀头的呀！可是现在，你们——他指我和巫丹丽——可以在这金銮殿里打滚啊！"记得母亲和巫伯母也都快活地笑出声来。巫伯母说："丹丽，你可以在这里打滚的！"巫丹丽淘气向来超过我，她立即在地上打了个滚。我岂甘落后，也故意在地上滚了一下。大人们呵呵地笑。另外的游客，似没有介意的，也站住脚笑。

再后来，是关于一本刊物的回忆。那时候我上初中了。那本刊物是《中国青年》杂志。那一期上刊发了一篇"读者来信"，写信的是巫丹丽的母亲。她说自己的女儿巫丹丽总是不能被批准加入中国少年先锋队，对此她很有意见。她认为自己女儿只不过比较有个性，是不应该被拒之于少先队门外的。编辑部发表出这封来信，加了按语，大意是这种因为孩子有小缺点，甚至只不过是因为比较有个性，就不给入队的情况，在全国许多地方都存在，这是值得注意的一个问题，少先队应该对所有的孩子敞开大门。那本刊物不是我发现的。不记得是父亲还是母亲还是哥哥姐姐中的哪一位发现的。总之，至少有一个晚上，在晚饭时，父母带头议论了这件事。母亲说这真奇怪，丹丽是延安干部的孩子啊，怎么还会连入少先队也被卡住呢？我们家的这位（指我）那么一大堆毛病，入队晚是晚了些，也应该晚，但到底还是戴上红领巾了嘛！父亲就说丹丽母亲的信写得好，少先队员不该是些失去了活泼的孩子。不过，父亲又认为，有人不在乎父母的革命资历背景，就孩子论孩子，倒也说明，现在有些人还真是很讲原则的，尽管他对那原则的理解偏了些。我当时心里想的，是巫丹丽真够倒霉。我耳边似乎又响起她的大嗓门来。眼前似乎又见她在金銮殿带头打滚。

4

最近有个"80后"的小伙子告诉我，他知道有人主张用"第二次文化大革命"（或者叫把1976年被突然中断的"文化大革命""进行到底"），来"毕其功于一役"地解决当下中国的诸如腐败、贫富差距、工人下岗、农民失地以及买房难、看病难、上学难……等社会问题。我承认自己是个关心政治、有政治倾向，但不懂政治，更不搞政治的社会边缘人物。我现在已经早过"耳顺"之年。小伙子问我对他提供的资讯是否"大吃一惊"，视为"天方夜谭"？我说既不吃惊也不奇怪。实际上从我自己的阅读及耳闻中，也早感觉到如今有各种各样的"解决方案"浮现，有主张回到1956年以前的，有主张回到1962年"千万不要忘记"的纲上的，那么，以中国人之多，想法之杂，有人主张回到"文革"，也用不着闻之惊咤。但那小伙子跟着告诉我，听说这一派的领军人物，是当年一家大型国企的领导，在1957年曾划为"右派"。这倒令我哑然失笑。因为如果要肯定"文革"，势必全盘肯定"文革"

前历次政治运动，首先就必须肯定"反右"。既然是那么有模有样的"大右派"，那么，即使真要"将文化大革命进行到底"，也轮不到他来插嘴插手，更轮不到他来领军。

这就是中国的诡谲之处。也是人的命运的诡谲之处。"文化大革命"初期，我所在的中学，就有"右派分子"出来积极参与，他觉得既然"运动重点是整党内走资本主义的当权派"，那么，正是那些当权派给他划的"右派"，这运动不正代表着他的利益吗？是他带头揭露打倒"当权派"的时候了！也有群众造反组织，吸收他参加。但很快的，包括他自己在内的所有人就懂得，"右派"是不能翻天的，"地富反坏右"是不可能通过造"走资派"的反获得正面价值的，而且，还会被指认为"走资派"的社会基础，如活跃起来，更会被指认为群众组织的"黑手"。我们中学的那位"右派"在运动进行到几个月后，命运就很惨。一派革命群众组织说他"翻案"揪住他不放，吸收他的另一派革命群众组织决不保他，将他抛出，批斗得更狠，以显示阶级立场的正确。

这些记忆，将其保持下去，也并不容易。需要社会性营养。

为什么忽然说到这些？就是想起来，巫伯伯，他的追求，他的人生，正结束在"文革"之中。

"文革"初期，我父亲已经在张家口解放军外语学院任教将近六年，当时他们那所学校还没大乱，他到北京来，还曾去看望过巫伯伯，据父亲说，巫伯伯见到他很高兴。在巫伯伯仕途上不断高升时，父亲并没有去联系他，那么，在 1967 年"文革"已经起来，几乎每一个共产党干部都面临冲击时，父亲找到他家去看望他，显然，是一种关心。父亲所见到的巫伯伯很健康，很乐观，说一方面接受群众批判，一方面继续抓工作。相对而言，巫伯伯那时候处境是比较好的。因为他 1965 年才调到国旅局，群众冲击多是朝老领导而去。

"文革"大潮是否将贪污腐化迅速涤荡，立即呈现出一个理想世界？以我有限的见闻，就足以化解这种简单的认知。当然，对于被打倒的干部来说，他们可能会产生"今后我可绝对不敢再脱离群众搞腐败"的想法，但是，打倒一批，又立起一批，权力的转移，往往使获权者人性中的阴暗面迅速膨胀。我看到首批"红卫兵""破四旧"抄家后，有的——当然不是所有的，仅是其中少数，却也绝非个别——就把抄来的现金、珠宝、金条据为己有。后来，进驻了军宣队、工宣队。这些解放军和工人师傅，其中绝大多数给我留下了非常好的印象。但是，由于权力集中到了这样一些人手中，他们的权力在一定期间和空间里并不能得到有效监控，也就出现了一些腐败现象。再后来，作为教师，我的一项重要任务，就是动员和组织学生上山下乡，当然出现了很多感人的事情，却也出现了腐败——看看上海女作家竹林的长篇小说《生活的路》吧，那里面有很真实的描写，就是有的基层干部，也会借"文革"之机，占有知识女青年。后来各地出现了各级"革命委员会"，新的权力结构里，也出现了新的腐败，而且，那时候，你眼睁睁看着那样的人物腐败，却毫无办法。我那时教书的中学就在北海公园附近，北海公园在"文革"中被关闭了好多年，人民群众不准入内，但江青一伙却可以在里面骑马。那时每当走过对老百姓关闭的北海公园，在那高墙外，我对"文革"就不免腹诽，而当有人向我炫耀，说他有幸走门路进入了北海公园，见到了骑马的"小谢"（谢静宜），我就对一度迷信的"无产阶级下继续革命"的理论产生出幻灭之感。

就金钱和其他物质财富而言，现在的贪官的侵贪度，确实是过去任何一个腐败的干部都无法相比的，但现在能有人凭借权势把北海公园那样巨大的本应由公众共享的空间，轻松地当作只许自己和极少数"坚定的革命派"享受的溜马场吗？

因此，后来我就逐步形成了一个想法，不相信社会能通过"毕其功于一役"的暴力手段达到真正的进步。人类社会进步之难，其实最深层的原因，是人性中的阴暗面。而使人性中的善美面终于得以压抑住丑恶面，是一项必须持之以恒的慢功细活。我认为人类社会中之所以存在文学艺术，往低处说是娱乐需求，往高处说就是改善人性。我对直接的政治关心而不参与，但我觉得自己参与文学艺术活动，能间接促进好政治的发展、坏政治的衰落。

"文革"进行到1968年，提出了"文革"的实质是国民党与共产党斗争的继续，于是开展了"清理阶级队伍"的阶段性斗争。那时我所在中学里,群众组织也是战犹酣地"打派仗"。每派都指望对立面那一派"一朝覆灭"。关于那些日子的回忆,也需要特殊的营养。否则,一句冷冷的"提那些干什么",就会让事实全都沉默在时间里。我现在回忆到此,对任何方面都没有追究之意。我是要忏悔自己。

记得有一天,我们那一派群众组织的一位"战友"兴奋地跑来告诉我:"他们要完蛋啦!他们那派的骨干吴自爱是'黑手'!军宣队马上就要开会当众宣布啦!"

吴自爱是一位教数学的女教师。当时大约三十多岁。我和她不是一个教研组的,也从未教过同一班级,只打过招呼,没有过交谈。她很傲气。确实是他们那一派群众组织里敢说敢为的一位,很不好对付。但她怎么会是"黑手"呢?

我听了"战友"所透露的"好消息",虽然多少有些将信将疑,但总体反应,竟是胸臆大快!呀!好啊!军宣队既然揪出了对方群众组织里的"黑手",那等于就宣布他们那个组织整个儿站错了队,而这也就反证出我们这个群众组织属于"路线正确"!

在军宣队召集师生大会之前,吴自爱就被隔离起来了。终于开大会了,军宣队长厉声宣布:"现已查明,国家旅游局死不改悔的'走资派'巫竞放,是重庆国民党区分部的委员,他通过他的侄女吴自爱,破坏我们学校的文化大革命。现在我向广大革命师生宣布:巫竞放和吴自爱,就是伸向我校的罪恶黑手!"

我一下子懵了。吴自爱是巫竞放的侄女?!啊,一定是吴自爱嫌"巫"不好听,早把姓氏改成"吴"了。但巫竞放明明是延安干部,是重庆地下党,他怎么会是重庆国民党区分部的委员呢?他身为国家旅游局的干部,犯得上来操纵一个中学的运动吗?……

耳边响起轰雷般的"打倒巫竞放!"和"打倒吴自爱!"的口号声。我只能是举拳跟着喊。

第二天,先召开背对背的大批判。我惊讶地看到,吴自爱那一派的成员,批判她的力度,那声嘶力竭的吼叫,竟超过了我们一派。宣布再过一天就把她揪出来示众，让她当众交代巫竞放通过她破坏我们学校运动的所有罪行！

但是，就在那一晚，她趁看守她的女教师实在忍不住打瞌睡，找到一瓶杀蚊子的"滴滴畏"，一饮而尽。揪斗她的会没能开成，只能是高呼一通"吴自爱自绝人民罪该万死！"的口号。

没等到真相大白，没到"文革"结束，我就为自己乍听到"吴自爱是黑手"的消息时那种高兴得几乎跳起来的状态，而痛觉羞耻，深深忏悔。

即使她不是巫竞放的侄女，即使她真有军宣队不能容忍的观点与作为，她是一条命啊！对待一个生命，怎么可以随便圈禁起来？怎么可以粗暴对待？她为自己的尊严不惜饮药自尽，为什么还要对她"批倒批臭"？而我，怎么会仅仅因为她的揪出能以使"对立面"失势，就那么样地欣喜若狂？我还是我自己吗？我人性中的恶，怎么会膨胀到如此程度？难道可以全推到客观政治形势上头吗？

5

吴自爱自杀不久，父母因为张家口解放军外语学院两派武斗，已经无法在那里生活，跑到北京住到姐姐家躲避。我跟他们说学校里有个女教师白杀，他们听了很麻木，因为他们那个学院里运动起来后也有人自杀。但是，我不得不压抑住不忍之心，告知他们这事跟巫竞放有关系。母亲当时一语未发，但我从她表情上可以看出，她非常痛苦。父亲只简单地说了句："我从来不知道他是国民党区分部委员。"父亲把他内心的东西隐藏得很深。他不愿意就此再说什么。我也就再没说什么。

不久父母回到张家口，他们那所学院也开始"清理阶级队伍"，在前期运动里被人忽略的父亲，这次终于被揪了出来。据母亲后来告诉我，父亲早有思想准备，因为如果这个世道连巫竞放也不放过，那么，他的被揪，实在是顺理成章

——父亲在重庆海关时，尽管海关本身不容许党派公开活动，但国民党政府以"高级技术人员培训"名义，将父亲那样的海关高级职员短期借调出去集训，

在集训中不管你个人意愿如何，一律集体加入国民党。（尽管他一解放就跟组织上交代得清清楚楚，但把"文革"视为国共两党斗争继续的"最高指示"一出，那么这笔历史旧帐立即严加重罚。）

我的父母总算看到了"四人帮"的垮台。巫竞放伯伯却在1975年病故。在已经是海关职员的情况下，他究竟是怎么到延安去的？又究竟是怎么回到海关工作的？他究竟是否曾为了开展地下工作方便，在党组织批准下，获得重庆国民党区分部委员的身份，以有更好的保护色，还是那个说法完全是运动中整他的人对他的无端诬陷？究竟为什么我们学校的军宣队会把他说成是伸向我们学校的"黑手"？……我心中至今梗着许多的迷团。但有两点我心里是明白的：吴自爱不知道我家跟巫竞放家的关系，而且，即使那时吴自爱见到巫竞放（应该是她叔叔），讲到些学校里的事情，巫伯伯也并不知道我恰好与他侄女在同一所中学里任教。

吴自爱死了以后，学校里很少再有人提到她。在她死了几个月以后，有一回我见到一位男子，推着个自行车，低着头往校门外走。有同事在我身边低声告诉我，那是吴自爱的丈夫。军宣队和革委会刚找他谈过话。那位男子现在应该还健在。他们有孩子吗？如果有，应该已经很大了，或者早有第三代了。想到这些受到伤害的生命，尽管吴自爱之死与我并没有关系，我却愿再一次向他们忏悔——我不该在听到将她揪出时，一度那么样地狂喜。

巫伯伯，除了他的至亲，如今又有谁还记得他呢？这曾是一个充满理想的生命。在上世纪三十年代初，能进入海关工作，薪酬福利都是颇高的，相对于动荡的社会其他方面，海关是稳定、舒适的一角。但是巫伯伯和巫伯母毅然中断了那样的生活，自愿投奔了延安。他们后来重返海关，而且是到重庆海关，显然是组织上给予的任务，处境其实是万分凶险的。他们顺利地完成了任务，高兴地迎来了新中国，看到一个驱逐掉西方税务司的人民海关的创建。但是打击一大片的"文革"却把巫伯伯也搭了进去。在我父母留下的老照片里，还能找到他的遗像。我们两家曾经非常亲密。

6

真的不记得，巫伯母和巫丹丽是怎么找到劲松我家里的。

也许，是因为那时候，我出了名。出名的人总是在明处，不难找到。

记忆需要营养。其中一种营养是勇气。

那次劫后邂逅，我本应积极应对，本应留下很深的印痕，却到头来，模模糊糊。

只记得，母亲和巫伯母面对面时，没有"惊呼热中肠"，平静得有些可怕。

记得巫伯母说，巫伯伯在 1979 年得到平反。她呢，那时是老干部处处长。解放后她似乎从来都并不与巫伯伯在一个单位。她也当领导。她最后担任老干部处处长的那个单位是什么单位？我没有留下记忆。

还记得，巫丹丽嗓门还是那么粗那么大。她说，父亲平反以前，她备受歧视，但是她顽强生存。她和她母亲后来似乎住在一个机关大院里，她"文革"初期似乎参过军，后来父亲被打倒，部队把她清退了，回到大院里，也没人给她分配个工作，她就自己找事情做。比如秋天大院里的人们都要吃苹果，总务部门用大卡车运来苹果，没人有耐心分发那些苹果，她就主动去为大家分苹果，她分得很仔细，大小、好赖，包括颜色深浅，她全分配得很均衡，体现出最高程度的公平，于是，开始赢来一些人的好评、好感。

但是，她到我家来时，究竟又从事什么工作呢？似乎穿着军装，但我现在不能确定。

我是怎么回事？因为出了点名，就把她们母女不看在眼里了？

确实不是。

那一天在她们面前，我心灵备受煎熬。

我要不要跟她们提起吴自爱？那应该是巫丹丽的一位堂姐。

母亲和巫伯母形成一个谈话区，巫丹丽和我是另一个谈话区。我一心二用，偏着耳朵听母亲说话。也许，母亲会想起我们学校的事情来？但是，母亲只是跟巫伯母讲父亲 1978 年去世前的一些事情。母亲肯定把吴自爱什么的忘记了。那也确实不应该由她来记忆。

几次，关于吴自爱的事情，话都到了嘴边上，我又将其吞回去了。

那天，直到巫家母女告别，我始终神情恍惚。我没有说到吴自爱。她们告别时，强调以后要经常联络，母亲积极响应，我也频频赞同。她们离开后，母亲和我感叹了好久。母亲还是没有想起吴自爱，我也绝不提及。

7

后来，我并没有跟巫伯母和巫丹丽保持联系。

我也很少再忆及与巫伯伯一家，包括吴自爱的事情。

保持记忆，真不是件简单的事。忏悔就更不简单。

往往是，任有过的事情成为一片空白，最安全，最稳妥。

但是，个人保持记忆，是生命尊严的核心。集体保持记忆，是民族活力的源泉。

应该给记忆以必要的营养。

找出一幅我的静物画。芍药花十分美丽，也十分脆弱。无论是地栽的，还是瓶插的，开放的芍药花停留的时间都很暂短。但是，如果给予充分的营养，心上的芍药一旦开放，应该如这幅画一样，把曾经有过的定格在牢固的记忆里。

2009 年 3 月 17 日完稿于北京绿叶居

那边多美呀！

1

我妻吕晓歌 2009 年 4 月 22 日晚仙去。

我不能承认这个事实。我不能适应没有晓歌的世界。

一些亲友在劝我节哀的时候，也嘱我写出悼念晓歌的文字。最近一个时期，我写了不少祭奠性文章，忆丁玲，悼雷加，怀念孙轶青，颂扬林斤澜……敲击电脑键盘，文字自动下泄，*丝丝缕缕感触*，很快结茧，而胸臆中的升华，也很容易

地就破茧而出，仿佛飞蛾展翅……但是，提笔想写写晓歌，却无论如何无法理清心中乱麻，只觉得有无数往事纷至沓来、丛聚重叠，欲冲出心口，却形不成片言只语。

晓歌一生不曾有过任何功名。对于我和我的儿子儿媳，她是一个伟大的存在，但对于社会来说，她实在过于平凡。人们对悼念文字的兴趣，多半与被悼念者的公众性程度所牵引。晓歌的公众性几等于零。这也是她的福分。

王蒙从济南书市回到北京，从电子邮件中获得消息，立刻赶到我家，我扑到他肩上恸哭，他给予我兄长般的紧紧拥抱。维熙和紫兰伉俪来了，维熙兄递我一份手书慰问信，字字真诚，句句浸心。燕祥兄来电话慈音暖魂。李黎从美国史坦福发来诗一般的电子邮件。再复兄从美国科罗拉多来电赐形而上的哲思。湛秋从悉尼送来长叹。我五本著作的法译本译者，也是挚友的戴鹤白君，说他们全家会去巴黎教堂为晓歌祈祷……他们都是公众人物，他们都接触过平凡的晓歌，他们都告诉我对晓歌的印象是纯洁、善良、正直、文雅。老友小孔小为及其儿子明明更撰来挽联："荣辱不惊，风雨不悔，红尘修得三生幸；音容长在，世谊长存，青鸟衔来廿载情。"但是唯有我知道得太多太多，可我该如何诉说？

忘年交们，颐武、华栋、祝勇、小波和小何、李辉和应红……我让他们过些时再来，他们都以电子邮件表示会随叫随到。我知道我们大家都处在一个世态越见诡谲、歧见越发丛滋、人际难以始终的历史篇页中，但我坚信仍有某些最古朴最本真的因素把我们心灵中最柔软的部分粘合在一起。这个世界每天有多少人在死亡，但他们仍真诚地为一个平凡到极点的师母晓歌的仙去而吃惊，为夕阳西下的我的生理心理状态担忧，这该是我对这世界仍应感到不舍的牵系吧？

温榆斋那边的村友三儿从老远的村子赶到城里的绿叶居，一贯不善于以肢体语言交流的他，这次见到我就拉过我的双手，用他那粗大的手掌握了拍，拍了揉，揉了再握，憨憨地连连说："这是怎么说的？"

和三儿对坐下来以后，我跟他说："三儿，我想写写你婶，可就是没法下笔。"

没想到他说："就别写呗。"三儿告诉我："我爹我妈特好。就跟你跟婶那么好。特好，就不用说什么话。"三儿爹妈相继去世十来年了。他说他还记得有一天的事情。那一年他大概十来岁。他妈给他爹刚做得一双新鞋。鞋底是用麻线在厚厚的布壳帛上纳成的，鞋面又黑又亮。那天晌午暴热，他爹光着膀子，穿条勉裆裤，系条青布腰带，穿着那双新鞋出门去了。忽然变了天，下起瓢泼大雨。他妈就叹气，那新鞋真没福气！过了一阵，他爹回家来了。浑身淋得落汤鸡一般。他爹光着脚，满脚趾渍着烂泥。新鞋呢？三儿妈和三儿都望着三儿爹。三儿爹身姿很奇怪。他两只胳膊紧紧压着胳肢窝，胳膊上的肌肉和胸脯子肉都鼓起老高绷得发硬。

他也没说什么，三儿看出名堂来了，就过去，从爹胳肢窝里先一边再一边，取出了紧紧夹在那里面没有打湿的新布鞋来。三儿妈从三儿手里接过那双鞋，往炕底下一放，就跑过去捶了三儿爹脊背一下，接着就找毛巾给他擦满身雨水……

是呀，三儿爹和三儿妈，包括三儿，在那个场面里，甚至并没有一句语言，但是，那是多么真切的家庭之爱！

我听到此，强忍许久的泪水忽然泉涌。晓歌仙去后，我多次背诵唐朝元稹悼亡妻的《遣悲怀》，"昔日戏言身后意，今朝都到眼前来。""诚知此恨人人有，贫贱夫妻百事哀。""独坐悲君亦自悲，百年都是几多时！""唯将终夜长开眼，报答平生未展眉。"……越过千年，穿过三儿爹妈暴雨时的场景，直达我失去晓歌的心底深处，始信有些情愫确属永恒。

我要将关于我和晓歌共同生活岁月里的那些宝贵的东西，像三儿爹把三儿妈新鞋紧夹在腋下不使暴雨侵蚀一样珍藏。"就别写呗"，我心如矿。

2

晓歌仙去后，多日无法安眠。蒙兄郑重地劝我用药。终于还是没用。十天后，渐渐可以断续入睡。总盼梦中能与晓歌重逢，但连日梦里来了一些平日忘掉的人，却并无晓歌身影。

直到晓歌仙去后的第二十三天，应该已经是 5 月 15 日早上了，我睡在床上，忽然听到悉悉簌簌的声音，那正是晓歌以往在卧室走动的衣衫摩擦声，多么熟悉，多么亲切！我睁开眼，呀，分明是晓歌回来了！我就从被窝里伸出一只手，招呼她："晓歌，你回来了么？"晓歌就走过来，蹲下，握住我的手！呀！那是多么幸福的一瞬！……然后，晓歌就站在梳妆台前，梳她的头发。她什么也没说。她又何必说什么！

……忽然又是在我们新婚后居住的柳荫街小院里，耳边似有当年邻居高大妈李大婶说话的声音，晓歌继续梳头，我看不到她面容，只觉得她垂下的头发又长又密又黑，她就站在那边默默地用梳子梳理着……我就发现晓歌买来了新菜，一种是带着一点黄花的微微发紫的芥兰菜，一种似乎是芹菜，量不大，根根清晰，体现出她一贯少而精的原则，我自觉地把菜放到水盆里去清洗……

……忽然我又躺在床上，仍有悉悉簌簌至为亲切的声音……多好啊！但……忽然想到那天我亲吻她遗体的额头，以及跟她遗体告别……那才是梦吧？我挣扎着从床铺上坐起来，仔细地想：究竟哪一种才是梦？……

……不知道为什么从床上下来后，竟面对一条长长的走廊，我顺那走廊跑，开始绝望：原来晓歌回家是梦！……

于是醒过来。晓歌真地没有了。再不会有她走动时衣衫发出悉悉簌簌的声响了。想痛哭。哭不出来。

才顿悟，原来，她于我，最珍贵的，莫过于日常生活里那悉悉簌簌的声响，包括衣衫摩擦声，也包括鞋底移动声，还有梳头声……

自从三儿给予"就别写呗"的至理箴言，我就决定将那许多许多的珍贵回忆深藏为矿。儿子远远试图引我回忆我和他妈妈的那些酸甜苦辣，我也只跟他讲到一个镜头——

那是 1974 年，他三岁，我和晓歌带他回四川探望爷爷奶奶，爷爷奶奶那时候被遣返到祖籍安岳县，需先坐火车到成都再转长途汽车方能到达。在成都，挤公共汽车的时候，我把他们母子推塞进了车门，自己却怎么也挤不上去了，被甩在了车下。那时成都的公共汽车秩序一片混乱，一辆来过，下一辆什么时候来，或者干脆再不来了，谁也说不清。我心急如灌沸汤。弱妻幼子，他们在成都完全找不到方向，那时候哪有手机，他们和我失去了联系，天已放黑，如何是好？总算又来了一辆摇摇晃晃的公共汽车，总算在站前停下，但我们等车的挤作一团，谁也挤不上去！那汽车竟又开走了。我绝望了！我想我不如徒步去往要到达的那一站。但那需要多长时间？他们母子就算平安地到站下了车，该在那里等我多久？天完全暗了下来，那时街灯多被打碎，一片漆黑！忽然，又来了一辆公共汽车，有人喊："末班末班！"为了妻儿，我拼足全部生命力往上挤，我挤上去了！

我在目的地那站挤下了车，我一眼看见了我的妻儿站在那里等候我，妻拉着儿一只手，表情看不清，但儿子却使用了鲜明的肢体语言——他一只手没有脱离妈妈，另一只手使劲挥舞，而且，他抬起一只脚，再重重地落到地上……我迎上去，儿子另一只小手立即伸过来让我紧紧地握住……我们，大时代里三个卑微的生命，经过一段锥心的离别，终于又会合到了一起，并为这样的重聚而感到深深的欣慰……我对已经快到不惑之年的儿子说：远远，我们就是这样，穿越岁月的风雨，作为三粒尘埃，依偎着生存过来的，而现在，一粒尘已经仙去，我们两粒还在人间，尽管对人生的意义有许多弘大的理论严厉的训诫深奥的探讨，但我以为，记住那次我们短暂而漫长的离别与卑微而深沉的重逢之乐，也许也就理解了亲情在人生中的全部意义……

远儿说他完全不记得三岁时的那次失散与重聚。但听了以后他热泪盈眶。

我把他妈妈第一次梦回的情形讲述给他。我找出宋朝苏轼的《江城子》词读给他听："……夜来幽梦忽还乡，小轩窗，正梳妆……"

亲爱的晓歌，愿你常回家，在你的梳妆台前窸窸窣窣地梳理你的长发……

3

"针线犹存未忍开。"晓歌的遗物，应该清理，却不忍清理。

我和晓歌是新式夫妻。我们互相尊重对方的隐私。晓歌嫁给我以后没带过来什么隐私物品，但她后来有自己的一些笔记本，她会从报纸上剪贴下一些自己觉得喜欢或可资参考的文章图片夹在里面，也会写下一些给自己看的话语，她应该断断续续地记过一些日记，还有我们一起旅游归来后的一些追忆性文字，我猜想也会有一些我跟她争吵后（有几次非常激烈很伤感情）她对我的怨言甚至意欲分手的气话。我们的争吵究竟源于什么？追忆起来似乎真是"风起于青萍之末"，都属于"蝴蝶效应"，比如一件东西究竟是放在卧室衣橱里好还是搁到阳台杂物柜里好，可能就是一场大风暴的起始点，我或是正碰到文章写不顺发不畅之类的情况，自以为烦躁有理，她或是生理上恰失平衡正在难受，于是话赶话，抬硬杠，越吵越离奇，至到她气得噎哭，我才会幡然悔悟，到最后，总是我真诚地去抱着她双肩频频认罪忏悔，过一阵她似乎也确实原谅了我，但在她仙去后，这些令我痛苦的回忆越发地凸现出我性格中的劣质成分，使我意识到，从某种角度看，我实在是一个社会畸零人和家庭怪人，难为晓歌几十年竟终于还是宽厚地容纳了我。

我惹过多少事啊！光"舌苔事件"，试想一下，你家的电视机里播放着《新闻联播》，忽然新闻主播表情严肃到极点地告知全世界："现在播出一条刚刚收到的消息……"这条消息点了你家男主人的名，他惹了泼天大祸，被停职检查，那女主人会怎么样？那一天，我作为被点名的男主人，尽管还算镇定，心里也还是有些个发慌，而作为女主人的晓歌呢？我已经记不得她的具体表现，总之，她让我非常舒服，完全没有在外面压力上再增添哪怕一丁点儿家里的压力或抑郁……凡遇大事她总如此，她会为一样东西不该让我卤莽地扔进阳台储物柜跟我动气，却绝没有为我在社会上惹出的祸事上给予我一句的埋怨和一丝反常的脸色——其实往往明明株连到她。

晓歌也曾偶一为之地将她隐私笔记本里的一段文字抄录给我——尽管那时我已经使用电脑处理文字，她却始终还使用纸笔——表示愿意公开，我读了后一字未动地代她投给了《羊城晚报》，而他们也就原封未动地在《花地》副刊上刊出。那是晓歌在 1997 年和我一起应日本基金会邀请会访问日本后，在 1998 年写成的。我将其录入了电脑，现在引用在下面：

宫岛的鹿

吕晓歌

去秋，我随先生前往日本访问。去濑户内海的游览胜地——宫岛那天，太阳躲在灰暗的云层里，散落着细细的雨丝。我们乘游轮抵达宫岛，进入游览区宽敞的售票大厅。鹿！几只小鹿！我一时惊喜万分！这之前，陪同的翻译山根小姐虽已向我们介绍过宫岛上有许多鹿，但如此地开门见山是不曾预料到的。几只鹿正徘徊在过往的游人间，那温和的目光象是在期待着什麽，还有几只鸽子在鹿的脚边觅食。我感到很惊讶，原来人与动物能这般地互不干扰，这般地和谐麽？这时我发现有一只鹿正从果皮箱口处拽出一张纸片在咀嚼着，它们一定是饿了。我自幼喜爱动物，那鹿饥饿的样子，令我心中不忍，于是赶忙走到大厅一角的小卖部用了三百日圆购得一包饼干，走过去给那几只鹿喂食，一片片递到它们口中。开始我有些紧张，虽然知道鹿是以植物为食且性格温顺的反刍类动物，但如此没有阻隔地与它们接触，却是有生以来第一次。但我很快就发现它们灵巧得很，在接受食物时，叼食准确却又对人秋毫无犯。我坦然喂食，倏地不知从哪里一下子冒出来十几只大大小小的鹿，它们闻风而来，将我紧紧围住，争着获取我手中的食物。我这才有些惶恐，担心招架不住它们，但更多占据心灵的仍是快乐，那无以伦比的快乐！我将手中最后一块饼干投给了一只只及人膝盖高的小鹿，然后向它们挥挥手，对不起，山根小姐在等待我们上路了。

进入宫岛内，展现在我们面前的是一幅十分壮观秀美的"浮世绘"：蔚蓝色的大海环抱着郁郁葱葱高达530米的弥山，山上分布着多个天然公园，那里有浓荫蔽日的原始森林，有四季盛开的鲜花、碧青的草、翠绿的松和多彩的秋叶，其间掩映着大大小小体现着日本独特风格的宗教建筑——神社、寺院和茶室，真是如诗如画的人间仙境。我与先生都已到了知天命的年龄，自然放弃了登山，由山根小姐指引，漫步在山脚下一条蜿蜒的小路上。这时你会发现所经之处与目光所及的地方，路旁、树下、溪边、山坡上、草丛中……时时可见到那俏丽多姿的鹿影。它们是这岛上放养的小型鹿，体态轻盈玲珑，最大的不超过人的胸，通体浅棕色，背上带有白色的斑点。天公奇妙地赋予了这些生灵们华美的盛装，雄鹿头上都伸展着一对丰硕的权角，它们都有一双温静如水的眼睛，一付安安然然的体态，它们以生命的美丽点缀着大自然的山山水水，也给游人带来无尽的欢趣。

原来这岛上出售一种专为游人提供喂鹿的食物，只要50日圆一包，打开看里面是一些面包干，我买了几包一路上投喂它们，当时心想：假如身边有一群孩子，我定会让他们人手一份，使他们从小懂得要关爱这些大自然的生灵。

不觉中，我们步入了一条热闹的商业小街，街两旁充满了出售琳琅满目的旅游纪念品的摊档小店，及具有地方风味的餐厅、茶室，就在这条人来客往、熙熙攘攘的小街上，鹿仍然可以畅通无阻，不见有人驱赶它们，而它们也十分守规矩，尽管那些店铺的大门都是敞开的，它们并不冒然如内。有的鹿象嘴馋的小孩，一路上跟着我们要吃的，久久不肯离去，个别顽皮的还将头碰碰你。先生是个谨慎从事的人，他一边挥动着雨伞企图阻止前来"冒犯"的小鹿，一边说："当心啊！它们毕竟是兽，是缺乏理性的！"他的忠告也许是对的，但我却不以为然，狼食小孩的故事虽由来已久，但那却是久远的事了，现代人将地球上的动物都快杀光吃尽了，却还大言不惭地声言人是理性的，细想起来，人生在世所受的种种伤害，有多少是来自缺乏理性的动物呢？

一阵急促的雨点落下，我们顺势进入一家茶店坐下来休息品茶。山根小姐说："前些时，曾有人嫌宫岛上的鹿日益增多，提出要予以裁减，但遭到热爱动物人士的坚决抵制，"她边说边巡视着窗外，"不过今天显然比以往看到的鹿少多了。"啊？！我感到浑身一阵发紧，继而，山根小姐转过身与正在忙碌的女老板对话，然后对我们说："问过了，鹿一只都不少，今天因为是雨天，它们大都在山里没有出来。"听了她的解释，我一颗悬起的心才慢慢地平复下来。我手捧着碧绿、清香的日本煎茶，心中默念着："宫岛的鹿，祝你们永远平安！"

在离开宫岛前，我精心选购了一对木制的、上面有着精美鹿影的壁挂带回北京，将这段记忆永存。

和我一起重读这篇文章后，儿子说：其实妈妈写得比你好，这才真是文如其人啊！

是的，直到她仙去的前一天，晚饭后她还提着小纸袋去给楼区里的流浪猫送猫粮和干净的饮水。这个蔚蓝色的纸袋以及里面剩余的猫饼干和水瓶，我们现在搁在她遗像下。

但我和儿子都还不忍去触动她床头柜抽屉里的那些包括大小不一的笔记本等遗物。我们也许会永远保留，却并不翻阅。

4

我自己一直保留着一些从十三岁以来的大小不一的笔记本。从婚前一直保留到婚后。其间由于种种原因丢失损毁了一些，加上旧书信旧照片，现在也还足可填满书柜的一格。除旧照片不算隐私早已公开外，其余的东西晓歌从不曾过问，我也一直没有拿给她看过。

2008 年，我曾想把一个 1955 年的读书笔记本拿给她看，跟她预告过，她也表示有兴趣，但因为种种原因，未能实现这项交流。

那是我现存最早的一个笔记本。是十三岁时候的东西。

笔记本很小，长 15 厘米宽 10.5 厘米大小，厚约 1 厘米，并没有写满。里面粘贴了一些从报纸上剪下的作家像，有鲁迅、普希金、海涅、雨果、塞万提斯、惠特曼、聂鲁达……

那时候我读到些什么？喜欢什么？

自然，第一页上我就恭楷抄录了苏联作家尼·奥斯特洛夫斯基的名言："人最宝贵的就是生命……人的一生应该这样来度过：……献给世界上最壮丽的事业——为人类的解放而斗争。"

接下去是俄罗斯作家安·契呵夫的话："人的一切都应该是美丽的：面貌，衣裳，心灵，思想。"

我抄录了不少诗，其中有雨果的《啊，太阳》："呵，太阳，神明的面孔 / 山沟里的野花 / 听得见音波的山涧 / 细草丛中飘荡着芬芳 / 呵，树林里四处逼人的荆棘……"也有中国那时候儿童文学作家田地的《家乡》："一条小路沿着山脚与河岸 / 弯弯曲曲又细又长 / 就是天天走这条小路也不厌烦 / 因为没有比家乡更好的夏天 / 可以在大枫树下乘风凉 / 再没有比家乡更好的月亮 / 可以在打谷场上捉迷藏……"

我为苏联一位并不怎么著名的作家奥·哈夫金写的反映后贝加尔湖地区中学生参军在卫国战争中英勇牺牲的长篇小说《永远在一起》感动得不行，写下颇长的读后感，还抄录了书中的片断。我喜欢安徒生童话，对许多篇都写了读后感，但对王尔德的《快乐王子集》（巴金译）我这样写道："前面有的故事说明不要自私，更不要虚荣，反映出那个时候社会的不公平，还有'哲学其实是一团肮脏无人道的东西'……但倒数第二个故事我还不大明白，总的来说这本书不大使我满意……"

我前后提到的书计有（不按时代地区分类只按出现顺序）：《杨柳树和人行道》（苏联华希列夫斯卡娅）、《鼓手的命运》（苏联盖达尔）、《古丽亚的道路》《卓娅和舒拉的故事》（均为苏联英雄传记）、《猪的歌》（日本左翼作家高仓辉的小说）、《铁门中》（周立波）、《真正的人》（苏联波列伏依）、《绿野仙踪》（美国法兰克·鲍姆写的长篇童话）、《斯巴达克》（未记下究竟是哪个版本）、《太阳照在桑干河上》（丁玲）、《李有财板话》（赵树理）、《腐蚀》（茅盾）、《红色保险箱》（苏联反特小说）、《草叶集》（美国惠特曼诗集，楚图南译）、《儒林外史》（清朝吴敬梓）、《洋葱头历险记》（意大利儿童文学作家罗大里的长篇童话）……

我想给晓歌翻看这个笔记本，除了打算引发出我们也许有过的相同或不同的阅读记忆，找到我们之所以能走到一起并持续相伴的心灵密码，也是因为在这个小小的笔记本里，还夹着几张压平的糖果包装纸——我们少年时代都攒过糖纸；还有我从杂志上剪下来的彩色的小白兔扶着猎枪叉着腰的画像——那时候根据苏联作家米哈尔科夫创作的童话《骄傲的小白兔》拍摄的电影《小白兔》热映颇久，那"提倡集体主义反对个人主义"的主题在课堂上老师反复向我们讲述过，也让我们写过相应的作文……见到这些东西晓歌一定会莞尔……

但是，我有绝对独家的东西让她观看，那体现出我在十三岁时确实已经有着鲜明的个性，而这个性中具有优美的成分，就凭这个，晓歌后来跟我的结合应是无悔的……

那是夹在这个笔记本里的一幅钢笔画。不是临摹别人的作品。是我自己想象出来独立完成的。它画在一张薄薄的片艳纸上。那个时代我们做数学作业都使用那样的纸张。一张 16 开的片艳纸，对裁再对裁，成为 64 开的一小张，就在那上面，我画了两个姑娘，站到一个有矮矮的栅栏的悬崖上，朝前面开阔的田野和河流眺望，高一点的姑娘梳着两条长辫子，似乎在指着前方说："那边多美呀！"矮一点的小姑娘短辫上扎着蝴蝶结，提着个小篮子，朝美好的那边望去……

我想让晓歌看这幅我十三岁时候画出来的钢笔画。画出这幅画十五年后，我们相遇并且结婚，过了一年我们有了宁馨儿远远……

我们经历过那么多风雨坎坷，我们也有过那么多甜蜜欢乐。"那边多美呀！""那边"原来只意味着生活中尚未来临的时日,现在,晓歌仙去了,也就意味着一定有着某种生命的彼岸,晓歌先一步,我也会终于抵达……我们会在神秘的"那边"重逢,那边肯定是美好的!

我已经把这幅画复制放大,挂在我们的卧室里。晓歌,你再回来时,我又会感觉到悉悉簌簌的声响,那一定是你在一边梳头一边欣赏这幅图画。

2009 年 5 月 15 日下午至晚上一口气写成

暂不置评

　　1987 年，对我个人来说是最富戏剧性的一年。前半年，我在《人民文学》主编任上遭逢"舌苔事件"被停职检查，后半年，我被宣布复职，并允应邀到美国访问。

　　那次访美，我去了美国东岸、中部和西岸的哥伦比亚大学、三一学院、耶鲁大学、麻省理工学院、哈佛大学、康乃尔大学、爱荷华大学、芝加哥大学、旧金山大学、加州大学（伯克利）、加州大学（洛杉矶）、加州大学（圣迭戈）、史坦福大学等处，在其中十所大学发表了演讲。一所大学里在不同范围内连讲两次的，则是在哈佛。

哈佛名气最大，但我对哈佛校区的印象最差。史坦福像一所具有西班牙风情的夏宫，康乃尔校园里就有瀑布，耶鲁古老的建筑物上密布着翠绿的藤叶，确实体现出"常春藤学院"的风采……但是哈佛的建筑却杂乱无章，也未见有多少绿色覆盖。

但是，在哈佛访问时期，住得却最惬意。是借住在华裔女学者、作家刘年龄家里。她那栋"号司"倒也平常，难得的是从后门出去就是一道密布杉树的斜坡，坡下则是碧蓝的湖泊，有木制的阶梯穿过杉林直通湖边。那是我第一次住进那样亲近大自然却又具备现代化生活设施的居所里。

环境优美，更有雅人相伴，那是怎样的生活！而雅人还不止一个。那段时间里，除了去哈佛校区，刘年龄还会开车载我们到波士顿城里及周边地区观光。说"我们"当然就不止我一个，那一位是谁？就是来自上海的李子云。

从那时到后来我一直不问刘年龄和李子云的年龄，总之，他们比我大许多，都是我的老大姐，但我也从不叫她们大姐，我怎么称呼她们的？面对面，不称呼，以微笑，以眼神替代称呼，她们唤我"心武"，我愉快应答，就那么相处，倒也自自然然，融融洽洽。

常有人误把刘年龄跟聂华苓、於梨华、王渝、李黎等定居美国的华裔女作家视为同一背景，即都是在中国大陆尚未开放时，陆续从台湾移往美国的。其实刘年龄一直在美国长大。她曾在哈佛学戏剧取得学位，也曾任教于哈佛，中国大陆开放后，她是较早到中国访问、工作的美国人之一，她曾在北京师范大学等处任教，以木令耆的笔名发表文章、出书，跟许多的中国文化人广泛交往，特别是跟一些女作家，如宗璞、谌容、张洁等过从甚密，有时到了北京，就住到张洁家里。不少中国大陆前往美东波士顿地区短期访问的文化人，都曾应邀住到她家，由她陪伴参观访问。我和李子云并非她接待的首批来自中国大陆的作家。

1987年的那个秋天，在波士顿，我跟刘年龄、李子云成为相互欣赏的谈伴。

刘年龄的长相，确实很接近达·芬奇笔下的蒙娜丽莎，如果她穿上画中人的那种衣衫,梳成那样的发型,双手摆出那样的姿势,再现出一个朦胧的微笑,拍张照片,一定很有意思。但我跟她接触时,她从未有过费人猜疑的微笑,有时她还会颇为豪放地微微仰头把头发甩一甩,那一甩,就彻底地跟蒙娜丽莎剥离了。因为后来熟稔了,我也曾当面告诉她我觉得她有一点像蒙娜丽莎,她知道我绝非恭维而只不过是道出一种真切的感觉,就并不谦词反驳也并不照单全收,而是把短发又甩了一下说:"有一点吗?"

李子云的长相很难类比。我见到她时,花期已过。一次听白桦说,上世纪五十年代初,李子云担任夏衍秘书的时候,在市委机关的女干部群里,真个是鹤立鸡群。当然立刻就有人质疑:李子云个头偏矮,怎么个"鹤立"?白桦就长叹一声说,对形容词,能那么死抠吗?据他进一步形容,李子云个子虽然不高,却绝对自成比例,皮肤白腻,眉眼鲜亮,虽然穿的也是那时候女干部千篇一律的列宁装,但她只把腰那里稍一改动,立刻就让你眼睛把她从许多女干部里挑了出来,不由得感到优美大方,如沐春风,如闻花香。于是就有人问,你那时候还没跟王蓓遇合,为什么不追她?白桦说那时候根本够不着,而且夏公说了,追小李的小伙子们,你们可想仔细了,她恐怕是谁都看不上的,莫白耽误了你们的工夫!上世纪八十年代一些作家私下聚会时,谈论已经十分开放,白桦是其中最活跃的。不知他还记不记得、承不承认曾经这样议论过李子云?

有的人,看"呆照",甚至看录像我,你都不会觉得有什么吸引力,必须你亲自接触,而且能密切交谈,方能跟品茶似的,渐渐感受到有丝丝缕缕的魅力,从容地散发出来,于是,你就会深切地感受到那独特的魅力。李子云就是这样的人。

坦率地说,在美国纽约初见李子云的时候,我并没有觉得她有什么特别的地方。她穿戴似乎并不起眼,谈吐似乎并不出众。当然,那都是在许多人共处的场合。到哈佛以后,虽然我们两个人的原始邀请并不相同,但是派生出来的一些邀请,却是相同的——我们同被邀请在哈佛和康乃尔大学演讲。

在哈佛,记得我和李子云被安排在同场演讲。那个演讲厅很大,大约总有五百多个座位。那回座无虚席，甚至还有加座，乃至站着听的。听众以华裔居多，也不乏学中文的金发碧眼的学生。我的演讲内容是通过1977年至1987年中国文学的发展透视中国社会的巨大变化，切入角度是我个人对文学运动的参与及其心路历程。李子云的演讲内容则是介绍中国当代文学中女性意识的觉醒。我因为当过中学教师，论口才是相当自傲的。在前几站演讲中，特别是在纽约哥伦比亚大学的演讲，大获成功，记得刚讲完，就有当时美国《华侨日报》副刊的主编王渝女士冲过来拥抱我并吻我脸颊，激动地说："你讲得太好了！"这给了我更多的自信，后来在哈德佛德三一学院的小型演讲和在麻省理工学院的大型演讲，我都并不完全重复在哥伦比亚大学的内容，在灵感被激活的情况下常有精彩的话语迸出。那一年我四十五岁了，真觉得自己是处在了成熟期，仿佛树上苹果浆液充足正坚实膨胀且外皮泛红。

那场演讲安排在下午。我先李后。我演讲时，李子云坐在台下前排一侧。我讲了约45分钟，与听众交流约20分钟。我自己觉得发挥很好，结束后掌声非常热烈，还有人跑过来让我签名。

休息一刻钟后，李子云登台演讲，我坐到台下她坐过的位子上。说实在的，开始，我只是出于尊重与礼貌，坐在那里听。五分钟后，我被吸引。十分钟后，我开始吃惊。二十分钟后，我大佩服。她的仪态十分从容。她的普通话语音甚至比我还要规范圆润。特别是，她完全以实例说明问题，条分缕细，层层推进。那时候出国访问的一些人士，往往喜欢通过演讲与私下接触，竭力显示自己的开放程度，甚至多少有些投人所好。李子云的演讲从头到尾没有为官方以及任何机构、群体、他人代言的意味，没有投任何一方所好的气息，她就是作为一个独立的文学批评家，通过阅读思考，发表自己的独立见解，没有框框条条，没有禁忌也绝不放肆，严谨中不失幽默，幽默中又绝无油滑。那时候我尽管是《人民文学》杂志的主编，从工作角度也阅读了不少当代女作家的作品，也知道西方的女权主义包括文学上的女权批评传入了中国，也曾试图从女性话语角度去理解那时的女作家作品，但听了李子云的演讲，才知道自己是一知半解，甚至是强不知为已知。她对那时期中国大陆女作家在作品中有意无意渗透出的女性意识，揭橥中只有放大而没有夸大，既有肯定也有质疑。到答疑讨论阶段，听众提问的深度，以及讨论气氛的热烈，都超过我那前半场。主持人宣布曲终奏雅，掌声不仅热烈而且持续的时间超过了给我的。后来她款款走下台来，我迎向她，于是才猛然意识到，她那身乍看并不起眼的衣衫，是非常高级的品牌，其颜色是一种特别难以调出来的海洋色，穿在她身上，使她显得非常典雅，而她那似乎简单的发型，其实是精心梳理出来的，眼镜也非俗品……我心中一震，真是此刻才识金镶玉！

我在哈佛，还应邀到费正清研究中心去作了一次小型演讲。费正清研究中心是西方研究中国的一个学术重镇。那次访美时我才弄明白，西方的汉学家和中国问题专家除个别人外基本是两种完全不同的专业人士。汉学家是掌握中国语言文字研究中国语言文字及文化典籍包括最新人文科学现象的。中国问题专家则往往是并不能说中文甚至也不能直接阅读中国文献，却专门研究中国的历史与现状，特别是政治与社会变迁、现状的。汉学家一般离政治较远，而中国问题专家往往充任美国政府的幕僚，或至少是具备回答美国政府咨询资格的人士，在美国制定长期的对华战略和短期应变策略中扮演重要角色。大概是因为费正清研究中心那时候正在编撰《剑桥中华人民共和国史》，该书的计划是要一直写到1982年，因此要涉及到1976年后中国各方面包括文学上出现"伤痕文学"的情况，我既然是1977年以《班主任》开"伤痕文学"先河的角色，所以他们对我有一定兴趣吧。后来他们在1991年出版了《剑桥中华人民共和国史》，里面有一个半页码讲到我并有所评价，1992年中国大陆就有译本，这是后话。

且说那天我独自去了费正清研究中心，接待我的是中心的一位副主任，金发碧眼的女士，她基本上不会说中文，我基本上不会说英文，见了面除寒暄真无法作什么交流。中心把我的演讲安排在一个小厅里，时间是在午饭后，那天来的人不多，没有坐满，大约只有二十几个人。中心安排了一个翻译，也是位金发碧眼的女士，她汉语口语能力很强，但我们没机会单独交流什么，进入演讲现场，副主任就宣布开始，我就讲开了。我懂得把一层意思讲到多少句话后该停顿下来，让翻译从容地翻译，翻译偶有忘记我提及的具体事物名称的时候，我及时插入提醒，她也很快跟进，两个人配合得相当默契。

那天来听讲的，有几个中国面孔的年轻人，抢坐在最前排，有的就逼近在讲台前，我注意到其中有的还端着没吃尽的饭盒，很感谢他们能忙中来听我演讲。考虑到这是在费正清中心，听讲的以不懂中文的洋人居多，我就尽量以"讲给老美听"的口气，并尽量简约地讲出自己的观点。我告诉他们，我个人认为中国正在进行的改革、开放，其实重点是开放，中国必须也已经从封闭的状态中迅速走出，这就已经并会越来越多地出现中国和西方在各方面的碰撞，中国人应该更多地了解西方，既摆脱夜郎自大也摆脱盲目自卑的情绪，西方人则必须更切实地了解中国，特别是中国正在发生的变化，摆脱西方中心和歧视中国的观念。我讲到自己在美国国内航班上一位邻座的美国人，很亲切地问我从哪里来？我让他猜，他望着我，可能觉得我一身不俗的休闲服，脖子上还有个玉质的挂件，还能略说几句英文，于是先猜我来自日本，我说"NO"，又猜我来自高丽（韩国），接下去猜我来自新加坡、马来西亚。听我连连说"NO"，他最后猜我来自"福摩沙"，我告诉他那个地方应该称为台湾，是中国的一部分，但我也不是那里来的，我来自北京。"北京？"他上下打量我，似乎不能相信。这位美国人对我是友好的，但短短的接触问答里，反映出太多的问题。主要就是对中国无知，特别是还不知道当下中国正在发生着什么样的变化。我在结束演讲时表示，尽管目前中国在朝好处变化的过程中还有许多不好的情况发生，但我对自己祖国的前景，还是有信心的。

我讲完了，主持人就让听众提问。她话音刚落，听众前排正中一位中国面孔的人士腾地站起来，非常激动地指着我鼻子谴责道："刘心武，你今天的演讲太让我失望了！"弄得我一愣。

他是谁？怎么以这样的口气跟我说话？

他旁边也是中国面孔的人士就郑重地告诉我，他是某某。似乎我一听那大名，就该肃然起敬。但我颇为迟钝，想了几秒钟，才恍然大悟。原来那是一位从国内到那里的政治活动家。啊，原来是他！我听到过他的大名，也知道他在国内的一些事情。我对他本无成见。人各有志，道路各择。我原来并不认识他，他大概也只是粗略地知道我，我们在异国他乡邂逅，即使道不同，总该互相在人格上尊重，怎么我应人家费正清中心邀请，到这里来演讲，劈头就受到他如此粗暴无理的指责呢？

在以前的演讲讨论阶段，我遇到过很尖锐的提问与很激烈的批评，但发言者都取跟我人格平等的态度，比如说："刘先生您刚才的那个观点我不赞成，我是这样看的……"没想到这回遭遇居高临下的呵斥。

当时我气不打一处来。我就这样回应他："某某先生，我到这里来演讲，没有让你满意的义务！你认为自己的观念、主张是正确的，也该听得进不同的声音呀！我原来根本不认识你，你现在怎么说起话来就仿佛我天然是你一头的，说话得符合你的标准呢？你热中政治，想颠覆什么，建立什么，那是你的事。怎么你现在离成为中国政治领导人的位置还遥遥远远，就连我这么个人也容不得？倘若你真成了中国最高领导人，我还活不活得成了？告诉你，你管不着我！我怎么想怎么说全凭自己的良心良知，谁也别跟我舞动指挥棒！"

面前的那位自己觉得已是领袖人物的青年男子也没想到我竟是如此这般的反应，他和他的战友就你一句我一句地回应我，翻译根本无法翻译也无心翻译，那位主持演讲的副主任就立刻宣布结束，某某和他的战友悻悻然退场，我还站在那里生气，尽管我英语听力很差，这时那位副主任对翻译嘀咕的话我却听明白了，她说的是："中国人……见面总是吵！"

回到刘年龄住处，我把这场失败的演讲细讲给他们听。刘年龄感叹："某某怎会是这么个气度呢？"李子云则沉静地说："你以后会遇到更多的这类人这类事。"我们一起就此谈心，最后感叹：专制体制固然不好，专制人格更加可怕！由具有专制人格的人士来带领人们去争取民主，能争取出个什么来？

通过这次波折，其实我很受教育。从那时起，我就更加清醒，我是独立的生命体，我可以自愿认同某种理念，却不能屈服于任何胁迫去皈依某种理念。对于各色政治人物，我也就多了一份戒心。对于现实政治，我关心，也腹议，却不去搞政治。如果政治是社会的中心，那么我甘愿居于边缘。边缘生存边缘写作，更符合我的性格气质。

和李子云、刘年龄在那一段时间里的交往，我们谈政治的时候并不多，我们都觉得政治之外有更广阔的人生。往往是，刘年龄开车，我们一起去游览某处，在车上，在咖啡馆，在餐厅，在树阴下花丛旁，我们畅谈一切彼此都感兴趣的话题。

从时间总数上计，我跟李子云、刘年龄的交往上，比许许多多的同行要少很多很多。我跟宗璞的交往更是如此。我们真有点常常相忘于江湖的意味。但有一次在宗璞家里她问李子云："你还跟谁好？"李子云就说："刘心武。"宗璞听了有点意料之外情理之中地说："哎呀，没想到。我也跟刘心武好。"她们跟我好，也就是谈得来的意思。我们是相处非常愉快的谈伴。我们在一起很少谈政治。也很少谈文坛。甚至也不多谈彼此的文章。李子云只跟我认真地谈过我的《四牌楼》。《四牌楼》能获得上海优秀长篇小说大奖（这个奖只颁给在上海出版的长篇小说），李子云作为评委大力推荐是关键。我们会娓娓地谈很多人生中的细微况味。比如宗璞跟我谈猫，她说她家的猫咪小花"如果忽然开口说话，那我是一点也不会奇怪的"。再比如宗璞跟我谈花，她说她那风庐当心庭院里的铃兰花"有时会幽幽地发出吟唱之声。宗璞还会跟我争论《红楼梦》，她认为高鹗的续书"虽不中亦不远"，而焚稿断痴情、魂归离恨天一段则"曹雪芹自己来写也不过如此"，对我判定曹雪芹轶稿中黛玉乃沉湖仙遁大不以为然。李子云则跟我谈生活之道，"逛百货公司一定要单独，吃饭一定对面要至少有一个人。""牛排还是神户小牛肉煎七分熟的吃起来最像读诗"。刘年龄则会跟我讲到"对岁月的最好态度就是把它当作朋友"……

1987年在波士顿，刘年龄、李子云和我非常坦然地议论到性。李子云甚至主动分析到她的独身。她为什么到那时仍然独身？当然那以后直到她仙去始终还是独身。生命是多么神秘，即使我们自己，对独有的那一份生命依然是弄不懂拎不清。人生因此悲苦。人生也因此快乐。李叔同圆寂前道出的四个字"悲欣交集"，其实就是我们每一个生命里蕴涵的秘密，只是有人能悟出有人始终混沌罢了。

记得有一天汽车停在一处地方，大家不忙下车，刘年龄和李子云不知怎么就随口议论到了孙中山的私生活，其实那并不是什么稀罕的话题，香港中文大学中国文化研究所所长陈方正也跟我议论过，作为一种生命现象，怎么看待？作为一个政治人物，为什么对孙先生，绝大多数人都并不对他那非常浪漫的私生活在意，大体上无减于对他的崇敬，而对另一些政治人物，其实私生活的状态比孙先生远逊风骚，却会被不少人訾议？这确实能够成为一个学术性话题。那一回刘年龄坐在驾驶座，李子云坐在副驾驶座，我坐在后座，她们议论了一阵，忽然发现一贯爱插嘴的我居然半天无声，就一起回过头来问我："你怎么看？"

我一本正经地回答："暂不置评。"

"呀，好狡猾！"刘年龄愤愤不平。

"是呀，为什么你暂不置评？"李子云也觉得我旁听完她们的畅言深论，却居然来这么一手，确实不公平。

当然，那只是一时嗔怪。很快就过去了。不过，自那以后，我们三个人之间，就有了一句戏谑的话语："暂不置评。"见面时，电话里，时不时地会夹杂得恰到好处，引出活泼的笑声。

我最后一次见到李子云是 2006 年在上海。我是去为《刘心武揭秘〈红楼梦〉》签名售书。她约我一个人到一家她精心挑选的菜馆里聚谈。菜式非常精致可口。她虽然已经离不开箍身的一个钢架，但衣着依旧那么高雅，谈吐依旧那么脱俗。

今年，2009 年，春节我给她打去电话，不是一般的拜年，我说："我想你。"她回应："我也想你啊。"我跟她说了对一些事情的看法，都是跟别人无法交流的，她也随口把她相关的一些看法合盘托出。我们的观念还是那么相近，也还是有那么些不同。

这种非应酬的电话通过以后身心俱畅。可以如此这般交流的谈伴于我而言是今生此世走一个少一个了。会遇到新的谈伴吗？我不作企盼。人生获取名利得到爱情建立家庭相对来说都不算难，最难莫过于还有不含功利成分的纯谈伴！

今年 6 月 8 日，刘年龄来电话，说在上海见到李子云，李子云说，告诉她一个不好的消息——刘心武的妻子去世了！其实我妻子晓歌仙去后陆续通知了一些朋友，却就是还没有给李子云打电话，我本想再过段时间跟她交谈丧妻之痛引发的新的人生之思，跟她细细倾诉，听取她一贯直率而睿智的话语，她大概是从我发表在《新民晚报》上的一篇文章里得悉……没想到，只隔了一天，就又接到刘年龄电话，说李子云在 6 月 10 日，她 79 岁生日前夜，猝然仙去。

李子云曾用"兰气息，玉精神"来形容宗璞。那么，应该用什么话语来形容李子云呢？昨天见到《新民晚报》上潘向黎的文章，她把李子云形容成"夏日最后的白玫瑰"。有朋友说李子云就是一朵恬淡优雅的白云。还有朋友曾说她仿佛一朵海浪色的郁金香，郁金香并无芬芳气息，只静默地开放。我找到自己画过的一幅秋树写生。我认识李子云时她已步入生命之秋。秋叶不是花，好似评论家不是小说家，但秋叶往往又红于二月花，像李子云有的评论文章，真比有的小说读起来更有韵味。我且将这幅《秋韵》献给李子云的在天之灵。

李子云本是北京富家名媛。她在少女时期就根据自己的认知参加了革命。在波士顿时她跟我和刘年龄讲述过，1948 年的时候，她还在北京上高中，一天放学忽然发觉有特务跟踪，她回家就跟父母说了，他父亲解决这个问题的方法也很简单，就是过两天就举家迁到了上海，北京的小特务自然也就再寻觅不到李子云的踪影。

李子云到了上海一边读书一边继续参与地下工作。上海解放后她即成为文化部门的干部。她跟我交往中从不谈及她在历次政治运动特别是"文革"中的经历。我们共同的好朋友也是上佳谈伴的住在美国西海岸的李黎，今年春天到北京看望我和妻子晓歌时，还议论到李子云，说她那么一个似乎是为优雅而生，并且把革命理想和优雅生活融合在一起的人，"文革"时究竟是怎么支持过来的？作为一度是夏衍秘书的她，光让她揭发、交代跟夏衍有关的"罪行"就够她褪几层皮的吧？据说运动高潮时，把她揪出来打倒的大标语从上海作协那栋洋楼里的旋转楼梯顶部垂下来一直拖到地板上，好大的阵仗，但她居然也就挺撑过来了。如果不是其人格中有某种最坚韧的因素，岂能有穿越暴风骤雨的能力？

李子云用自己的一生证明，不管在什么时空里，不管遭遇到什么，只要自己坚强、努力，生命的尊严是可以保住，并且放射出光彩的。想起她我总不免想起安东·契诃夫，契诃夫无人论是他的小说，戏剧也好，贯穿性的东西就是反庸俗。李子云之于革命，我以为也是将其视为一种反庸俗的社会运动，其理想的核心是使公众生活与个人心灵都在公正、公平的实现中朝高尚提升，包括近三十年的改革、开放，从某种角度上说，其实也应该视为一种反庸俗的社会运动，而这运动的曲折，以及目前所遇到的问题，也都可以用高尚与庸俗之间的搏斗消长来加以诠释。李子云实实在在地实现了契诃夫的箴言："人的一切都应该是美好的：面貌，衣裳，心灵，思想。"

那么，究竟应该用什么来譬喻李子云？兰花，白云，玫瑰，郁金香，或者红于二叶花的秋树？

——暂不置评。

2009 年 6 月 18 日午夜完稿于绿叶居

唯痴迷者能解味

　　2009 年 3 月 29 日，我的私人助手鄂力接到手机短信，是周汝昌老前辈儿子周建临发送给他的，他立即抄录到纸上，第二天送来给我看。

　　鄂力是搞篆刻的。他原是吴祖光新凤霞的小朋友，后来成为我的忘年交之一，帮助我办些事。如今吴老新老都已仙去，他帮我也已达十七年之久，他眼看着我从写《五十自戒》的中年人，也进入望七之年，如果他把那短信转到我的手机，我老眼看起费力，因此抄录拿来。

　　我接过一看，原来是周老的赠诗：

　　听儿子建临读心武兄报端

《蜘蛛脚与翅膀》文章心有所感律句寄怀：

> 不见刘郎久，高居笔砚丰。
>
> 丹青窗烛彩，边角梦楼红。
>
> 观影知心健，闻音感境通。
>
> 新春快新雪，芳草遍城东。

《蜘蛛脚与翅膀》是我发表在天津《今晚报》个人专栏"多味煎饼"里的一篇文章。其中只有部分内容涉及到《红楼梦》。没想到再次引起周老对我的关怀、鼓励与鞭策。

我自 2005 年到 2008 年，在中央电视台科教频道（CCTV-10）《百家讲坛》栏目录制播出了 45 集《刘心武揭秘〈红楼梦〉》，并陆续出版了四本同名书籍，颇为轰动。在讲座中，我一再申明，自己是遵从蔡元培先贤所倡导的"多歧为贵，不取苟同"的学术伦理的，并以清代袁枚的两句诗"苔花如米小，也学牡丹开"来为自己的发言身份定位。我也几次向听众和读者说明，我对《红楼梦》的研究，是在周汝昌前辈的影响下进行的，我的"秦学"研究里，融入了他大量的学术成果，而我所引用的周老的观点，都是先征得他的同意的。当然，我对《红楼梦》的理解与周老也有若干不同甚至抵牾的地方，他也很清楚，但他从未要求我与他保持一致，我们在"境通"的前提下，始终尊重各自的"独解"。

周老年轻时，取得燕京大学西语系本科文凭，他的英文作文水平，曾令教授惊叹赞扬。当然，他后来又入燕大中文系研究院深造，国学底子打得也很坚实。他本来凭借英文水平高的优势，可以在大学英语系任教授，或从事英译中或中译英的翻译事业，但对《红楼梦》的热爱，使他走上了一条终身爱红、护红、研红的不归路。

1947 年，周汝昌还没从大学毕业，就在报纸上就曹雪芹生卒年问题与胡适进行了答辩。胡适知道他不过是位尚未毕业的大学生以后，不但并不鄙夷他，1948

年还在家里亲切地接待了他，更慨然把自己珍藏的古本（甲戌本）借给他。周汝昌和哥哥周祜昌征得胡适同意将甲戌本过录后，在解放军已经围城，从西郊燕京大学进城非常困难的情况下，周汝昌还是赶到了城里胡宅，将甲戌本原璧归还。胡适几天后到东单临时机场登上飞机，先离北京，后转往台湾，他登机时只带了两部书，其中一部就是周汝昌归还的甲戌本。鄂力跟我闲聊时曾议论，那时周先生如将甲戌本留住，待北京和平解放、新中国建立后，将其捐给国家，岂不是立一大功吗？我说，跟周先生接触不算多，但有一种很强烈的感觉，就是他毕竟是个纯书生，绝对不懂政治，也不善人际经营，用北京土话说，就是有些个"死凿"。日伪统治天津时，他闭门在家读书，拒绝为侵略者工作，爱国情怀是无可怀疑的，日本投降消息传来，他激动万分，但他不懂政治，政治的核心是权力争夺、分配，一个懂政治的人，那时不会仅仅是爱国，会有政治头脑，进行政治站位选择，比如天津的日本鬼子投降了，那要看是谁来接收，如果是非自己所属所择的政治力量来接收，那就会冷静对待，而不会凭借朴素的爱国感情奔向街头，去迎接首批入城的战胜者。周先生那时知道日本投降了，激动地走出书斋，去欢迎胜利者，他哪里能预先知道，共产党那时出于战略考虑，军队并没有马上去天津，首先开进天津的，也并不是国民党军队，而是美国的海军陆战队。第二次世界大战，美国是反德、日法西斯的，美军是中国的盟军，这一般老百姓都是知道的，那么，既然首先进天津的是美军，那么，一般天津老百姓也就"箪食壶浆，以迎王师"，这难道应该责怪吗？周先生那时以羸弱的书生之躯，挤在街边人群中，想到日本鬼子终于失败，苦已尽甘将至，流下热泪，也就是非常自然的表现了。周先生不懂政治，但懂传统道德，借人物品，一定要归还。更何况甲戌本是珍贵的孤本，怎能留下不还胡适？胡的慨然借书和周的"完璧归赵"，与政治无关，却同是中国文人传统美德的体现。

　　1953年，周先生出版了在当时引出轰动的《红楼梦新证》。那时胡适已经在台湾，而且继续从政。原来书里提及胡适全是中性表述，但大家想想，在那种情况下，出版社能那么出版吗？就由编辑操刀，加了些批判的语句，而且在胡适的名字前，加上"妄人"的二字定语。转眼就到了1954年，发生了毛泽东肯定两个"小人物"批评俞平伯《红楼梦研究》的著名事件，很快又发展为对胡适的批判。于是《人民日报》上出现了周汝昌批判胡适并与之划清界限的文章。有些年轻人翻旧报纸合订本，看到了这文章，不禁大惊小怪，觉得周某人怎么能如此"忘恩负义"？你那《红楼梦新证》，从书名上看，就是承袭胡适的《红楼梦考证》的呀，你划得清界限吗？又何必去划清界限？你保持沉默不行吗？好在周先生在晚年出版了《我与胡适先生》一书，把来龙去脉交代得一清二楚。究其底细，其实应该是毛泽东本人态度的一个体现。1953年周先生《红楼梦新证》出版之际，正逢中国文化界联合会召开大会，会上几乎人手一册。从后来"文革"中毛泽东让将《红楼梦新证》中《史料稽年》印成大字本供自己阅读，又对《新索隐》中"胭脂米"一条十分感兴趣，以至找到那样的米煮粥招待来华访问的日本首相，诸如此类情况，都可以证明，毛泽东当时不仅看了《红楼梦新证》，而且起码对其中《史料稽年》和《新索隐》部分兴趣甚浓。显然，是毛泽东布置下一个任务：让周汝昌主动写文章与胡适划清界限并作自我批评，然后无事——也就是通过这个办法将他保护起来。当时周先生见批判俞平伯的火力特猛，又牵出胡适，当然紧张，焦虑中住到医院，忽然被毛泽东大力肯定的"小人物"之一李希凡飘然来至医院病床前，蔼然可亲，让他安心养病，又跟他说，他与俞平伯、胡适还是有区别的。这当然等于给周先生吃了一粒"定心丸"。从医院回到家中，不久就有《人民日报》文艺部的干部找到他家，我说周先生不懂政治，也不善人际经营，从他的回忆文章里可以找到很多例证，比如他在文章里一直说是《人民日报》的钟洛找的他，他竟浑然不知钟洛姓田，而且在文艺界几乎无人不知其笔名袁鹰，后来出任《人民日报》文艺部主任，曾以儿童诗著名，又是散文名家。他回忆那时钟洛陪他坐邓拓专车去往《人民日报》社，那是他第一次（也可能是最后一次）坐上高干汽车，到了《人民日报》社，总编辑邓拓亲切地接待他……他哪里写得出合乎要求的文章来，后来以他署名发表的文章，其实是编辑部在他底稿上几经"彻底改造"完成的。那时候中国知识分子的处境就是那样，如果认为你没资格发表批判他人的文章，你写出的文章再"好"也不会刊用，而一旦确定一定要让你以批判他人的文章来"过关"，则你的文章再"不好"，也会帮你改"好"按计划发表。周先生当年就那么"过关"了。但他竟至今不明白，邓拓对他的态度是由当时毛泽东的态度决定的，他就误以为那以后能够让邓拓记住并保持那天的亲切态度。因此，他在另外的回忆文章里，写到1962年举办曹雪芹逝世200周年大展，邓拓出现时，他趋前打招呼，自报姓名，邓拓却十分冷淡，令他难堪，不禁耿耿于怀。他哪里知道，邓拓一直在政治的风口浪尖上浮沉，曾被毛泽东召到床前，毛痛斥他是"书生办报""死人办报"，后来就从《人民日报》卸职到了北京市委在彭真领导下工作，1962年时他心情难好，正在思考许多问题，在《北京晚报》上写《燕山夜话》专栏，哪可能与周汝昌邂逅时喜笑颜开呢？

1953年冬天，我12岁，因为5岁上学，所以那时已念到初中一年级。我早慧。那时受家里大人影响，已经读了《红楼梦》，而且很有兴趣。那时我家住北京钱粮胡同，胡同东口外马路对面，有家书店，我常去逛。有天在那书店里见到《红楼梦新证》，翻开看到有一幅"红楼梦人物想象图"，大吃一惊，因为我自己的想象，是从京剧舞台上衍生出来的，与那相距甚远。我就把那书买下来，回家捧读。似懂非懂，也难卒卷。但其中《迷失了的曹宣》和《一层微妙的过继关系》两节，令我有阅读侦探小说的快感。于是就跑到大人门前说嘴，惹得他们将书"没收"，拿去轮流阅读，然后我们家里就时时有关于《红楼梦》的讨论。那其实就是1991年（三十八年后）我开始大量发表读红心得，逐步形成"秦学"思路，以及到2005年推出集大成的《红楼望月》，并终于借助CCTV-10《百家讲坛》把自己研红心得以更大力度公诸社会，引起争议，产生轰动，拥有"粉丝"，欲罢不能的"原动力"。

1991年我在《团结报》副刊上开了一个"红楼边角"的专栏，时不时发表些谈主流红学界很少触及的"边角"话题，比如"大观园的帐幔帘子"什么的，没想到我这样一个外行人的外行话，竟引起了周先生的注意，他公开著文鼓励，更与我建立通信关系，使我获得了宝贵的动力，不为只是一粒苔花而自惭，也学牡丹，努力将自己小小的花朵胀圆。周先生对我，正如胡适当年对他，体现出学术大家对后进晚辈的无私扶持。

周先生给我的来信，均系他亲自手书。由于他早已目坏，坏到一目全盲一目仅剩 0.1 视力的程度，因此，他等于是摸黑在纸上写字，每个字都有铜钱那么大，而且经常是字叠字笔划叠笔划，辨认起来十分困难，但阅读他的来信，竟渐渐成为我的一大乐趣，而且过目次数多了，掌握了他下笔的规律，辨认的速度也越来越快，当然，往往时隔多日仍然不能认准的字，只能最后去请教他的女儿也是助手周伦苓女士。十多年积攒下来，已有好几十封。这些来信内容全是谈红，或是对我提出的问题的耐心回答，或是对我新的研红文章的鼓励与指正，更难能可贵的，是将他掌握的最新资料无私地提供给我，或将他最新的思路感悟直书给我。有出版社愿将周先生与我的通信出成一本书，供红迷朋友们参考，周伦苓女士也已经在电脑里录入了绝大部分通信，但一次电脑故障，排除后经格式化，竟将全部录入的资料丧失！不过相信通过再次努力，这本通信录早晚能够付梓。

我和周老虽有颇丰的书信来往，但我们见面的次数，十几年里加起来竟不过四五次而已。我去他家里拜访过他两次。他家的景况，坦率地说，破旧，寒酸，既无丰富的藏书，更无奢华的摆设，但在那里停留的时间略久，却又会感觉到有一种"辛苦才人用意搜"的氛围，一种"嶙峋更见此支离"的学术骨气，在氤氲，在喷薄。

周老原来的编制在艺术研究院红学所，他一不懂政治（大学有"大学政治"，研究所也有"学术政治"），二不善人际经营，因此申请退出红学所，人家也就乐得他退出，虽然还给他在红学会里保留虚衔，但学刊这些年基本上成了"批周园地"。也好。周老这些年一再申明，他不是什么"红学家"，更不懂何谓"红学界"。确实，周老何尝靠红学"吃饭"、"升官"、"发财"？他本是英文高手，上世纪八十年代他和一些人士同时被邀到美国参加关于《红楼梦》的研讨会，下了飞机，过海关，人家看见推车上那么一大堆东西，当然就欲细查，偏其他人士都不会英语，结果只好由周先生出面交涉，他告诉海关人员他们是一行什么人，为什么要携带如许多资料，因为他说出的英语竟是那么古典、规范，竟把海关工作人员震住了，这就好比有金发碧眼的美国人进入中国过海关时，忽然开口用典雅的汉语说道："诸君，这厢有理了。我们一行均是专业研究人员，因之必定要携带参加研讨会的丰富材料，盼理解，请通融……"美国海关人员听了，立即对他们免检放行。周老还写得一手漂亮的散文，他的散文集也出了不少。研究古典文学他也不仅在《红楼梦》这一个方面，他以九十岁高龄，在CCTV-10《百家讲坛》录制播出的《周汝昌评说四大名著》，把《水浒传》《三国演义》《西游记》的研究心得也表述得见解独特、生动活泼，大受欢迎，影响深远。他选注的宋代诗人杨万里、范成大的诗集几十年来不断重印。另外我们不要忘记，周先生还是书法家，他论书法的专著，鄂力曾担任特约责任编辑，在热爱书法的群众中影响也非常之大。

我不想援引某些人士对周老那"红学泰斗"的称谓。人会被捧塌。巴掌太响亮会拍死人。周老是个普通人。他只是痴迷《红楼梦》。曹雪芹喟叹："满纸荒唐言，一把辛酸泪。都云作者痴，谁解其中味？"周老痴迷地研究了《红楼梦》一辈子，如今过了九十大寿，竟还有新观点提出，他称自己为"解味道人"，可见他的快乐并不是想当"红学泰斗"，更不想当而且远避"红学霸主"，他只是以对《红楼梦》不懈地深入体味有所解读而心生大欢喜。

我前些年每逢元旦将至，会手绘些贺年卡分寄亲友及所尊重的前辈文化人。在2009年现代文学馆举办的冰心纪念展上，展示了我给冰心老前辈的几张自绘贺卡，我没去看展览，鄂力去了，他回来跟我形容，我想起当时确实是那么画的。我自绘贺卡是"看人下菜碟"，很少重复同一构图，总是根据所寄赠的对象，来画出给他或她以惊喜的内容。记得我曾给周汝昌老前辈画去过"一帘春雨"的意境，因为我们在通信里讨论过，简化字方案将布制的"帘"与细竹苇编成的"簾"统一为"帘"，结果古典诗词里的"一簾春雨"印成"一帘春雨"就完全不通了，因为"帘"会完全遮住门窗，只有"簾"才能因具有许多缝隙而构成"一簾春雨"的视觉效果并引发出浓郁诗意。我还就曹雪芹的好友张宜泉的诗句"有谁曳杖过烟林"画过意境图，作为贺年卡寄给周老。他每次接到我的贺卡都非常高兴，而且有诗作相赠。不过贺年卡因为要搁在邮政部门规范的信封里投寄，我绘制的尺寸都很小。但我也曾绘制过比较大幅的水彩画，如大观园沁芳亭。这样的画就只能先拍成缩照洗印出来，再粘到贺卡上。我也曾给周老寄去，他也非常高兴。

　　惭愧的是，虽然周老不时有诗赠我，我旧学功底太差，竟不能与他唱和。但我心里一直充满对他的敬意与感激。我只能以这样的话语答谢他——

　　　　唯痴迷者能解味，
　　　　拥知音众当久传。

　　　　　　　　　　　　2009 年 4 月 11 日完稿于绿叶居

谁在唱

1

那天乘出租车穿过一条新拓宽的街道，路牌写着金宝街，金宝！真是一个历史时期有一定的街名，如今追金逐宝竟成了堂皇之事！那条街西口各雄距着一个豪华酒店，北边是典型的现代派简约风格，南边则仿佛直接从巴黎搬来的欧陆古典建筑，不能说是相映成趣，只让人感到有了金和宝，怎么搭配都没商量。

穿过金宝街，往南拐以后，我忽然想起，这条现在唤作银街的马路东边，原

L·X·W

有一条胡同叫无量大人胡同，是我仙去妻子吕晓歌童年居住过的地方，就问司机：可知有这样一条胡同？他摇头。我就麻烦他找街边允许停车的地方暂停，下车帮我打听一下，如就在附近，那就弯进去观览一番。司机下车去打听，问了好几位都说没听见过，后来遇上一位白髯飘飘的老大爷，听了他的问题，先是一声长叹，然后告诉他：无量大人胡同这名字早给改啦，改叫红星胡同三十年啦，可是，现在红星胡同也拆得只剩一小截啦！多一半都并入这条马路，叫做金宝街啦！回到车上的司机跟我汇报完问我：是不是再拐进金宝街去观览一番呀？我发愣，好几秒钟后才说，算了，不必。

2

无量大人胡同这名字的来历，一说是朱元璋曾派手下干将吴亮潜进元兵把守的北京城，曾在此处隐藏，把城内军情刺探得十分详尽后，又潜回朱元璋帐下，使得攻城之战十分顺利，明朝建立后，为表彰吴亮军功，遂将当年他藏匿的胡同命名为吴亮大人胡同，到清朝，则讹变为无量大人胡同。但另一说则称明朝此处有一大官为其母祈寿，建成一无量寿庵，胡同名出于此。不管怎么说，上世纪五十年代初，这条胡同仍叫无量大人胡同。无量大人胡同15号是一所小巧的四合院，我妻吕晓歌上中学以前，就住在那里面。

1951年冬天，晓歌七岁刚上小学那年，她放学回家，院子里忽然热闹起来。原来，院里只住着她和父母一家人，从那天起，住进了另一家人——是一大家子人啊！一对夫妻，男的高大英俊，女的娇小美丽，还有一位老太太，更有两个跟晓歌年龄相仿的女孩子，后来知道，一个女孩比晓歌大一岁，一个则小一岁。那天雪花飘飞，那家人安顿好了，先响起叮咚的钢琴声，接着就有人唱起歌来，那歌声好悦耳啊！晓歌给我结合以后，回忆起来，承认那穿越湿润的雪花和薄如蝉翼的窗纸的袅袅琴音歌声，于她是人生中最初的艺术熏陶。

谁在唱？

3

1956 年的时候，我 14 岁，从初中升入高中。我那时住在钱粮胡同。钱粮胡同和无量大人胡同其实都在从北新桥到东单的那条贯通南北的大街，也就是如今被称作北京银街的左右，只不过钱粮胡同靠北段在其西侧，而无量大人胡同偏南段在其东侧。我那时候几乎每周都要进剧场看演出。北京人民艺术剧院专用的首都剧场离得近，走过去就行，那里的话剧我几乎每个剧目都先睹为快。看京剧那时候多半要到前门外的广和楼，需要坐有轨电车，觉得相当远。而看歌剧，就需要到比广和楼更远的天桥剧场。但是为了艺术享受，再远也觉得愉快。记得那时候在长春工作的大表姐来北京出差，我搞到两张歌剧《茶花女》的票，请大表姐一起去看，她比我还要兴奋。

灯光暗下来了，乐池里先发出嗡嗡调琴弦的声音，后来静寂下来，看到了高举的指挥棒，它猛然一动，序曲响起……幕布掀开，好一派金碧辉煌的法国古典客厅布景，宾客如云的大场面啊，有多少穿大落地长裙梳金发联垂的西洋古典美女在摇着大羽毛扇，又有多少穿笔挺燕尾服鬓角长长的西洋绅士举着高脚酒杯……哇，唱响了《饮酒歌》，陶醉啊！……

在回我家的电车上，我得意地跟大表姐说："托人买票的时候，问得清清楚楚，今天茶花女是张权来唱，果然好吧！"

那时候的说明书上，茶花女的扮演者会有好几个名字，而 A 角并非张权。许多买票的人总要问：我买的这场是不是张权来唱？

4

人生的剧本，究竟由谁编写？一幕幕地往下演，因为并不能偷看下一幕的内容，往往是，置身此幕时，懵懵懂懂，全然不能预测到下一幕时自己会是怎样。

我小哥刘心化，1950 年随父母来到北京时，已经念完高中，单纯到极点的他，觉得自己既然向往革命，那就应该去上华北革命大学，没想到入学后才恍然大悟，那并非清华北大那样的正规大学，其学员，多是 1949 年以前已经上过大学或走向了社会的知识分子，其中很多是演艺人员或当过报刊出版社的编辑，他们到这所大学里来经过短期培训，再被分配到新政权下的文化单位任职。小哥比他那些同学往往要小十多岁。小哥和我家都好客。星期天，小哥常带些比他大很多的同学，从西苑到城里钱粮胡同我父母家，一起包饺子聊天。记得有回来了一位我觉得实在不能叫作姐姐只能唤作阿姨的女士，小哥跟家里人介绍说："就叫她阿姚吧！"那阿姚也就爽朗地笑着说："这么叫最好！老少咸宜！"至今我还记得她的嗓音，是粗放而略显嘶哑的。

小哥同班的学员，后来都分配得很好。比如吕恩分到北京人民艺术剧院，出演了《雷雨》中的繁漪，后来我们知道她是剧作家吴祖光先生的前妻。小哥说吕恩留给他的最深刻的印象，就是一次全班同学到颐和园东岸湖区游泳，吕恩在那种情况下，还用上海话跟另一女士说："咯个思想改造，是顶顶重要的咯！"多年后小哥跟我提及此事，还感叹：那时候他们华北革命大学的那些"旧知识分子"改造自己以使自己成为"革命知识分子"的心劲，真是执著甚全狂热的，其诚挚尤可怀疑。阿姚，名姚滢澄，分配到了《文艺报》当记者。"她后来嫁给了唐挚吧？"小哥的这一误记遭到了我严厉呵斥："怎能乱点鸳鸯谱？她嫁的是唐因。唐因、唐挚是两个人！唐挚是唐达成，他的夫人叫马中行，是北京电影学校表演专业最早一届的！"

谁能想到，1988 年以后，我和唐达成、唐因住进了北京安定门外东河沿的同一栋楼里，成为邻居。但那时阿姚早已不在人世。

怎么会说到阿姚？她跟《茶花女》，跟张权，有关系。性命交关啊！

5

1957 年的时候，晓歌 13 岁。她家的房客，是莫家夫妇，男主人莫桂新，其妻张权。张权演《茶花女》，晓歌并没看过。她甚至不记得张权在家里唱过什么洋歌。反倒是，直到她嫁给我以后，还清楚地记得，张权反复练唱的，多是些中国民歌，像《半个月亮爬上来》《小河淌水》《蓝花花》……莫桂新偶尔也唱，他们也有不唱光弹钢琴的时候，给她记忆最深的，是一曲《牧童短笛》。以至到 1981 年，我们从柳荫街小平房搬到劲松楼里单元房后，用那时连续挣到的稿费购置了一架二手钢琴，她没弹多久车尔尼练习曲，就照着谱子硬啃高难度的《牧童短笛》，几个月后，竟然基本上拿了下来！她说，当她弹出《牧童短笛》的那些音符时，往往是心头百感交集，无数往事，片断呈现，令她觉得此曲不应天上有，实在是人间方能闻——这些音符，让人到头来憬悟到，最美的还是朴素生活、醇厚人情。

我曾问晓歌，你那时候觉不觉得张权很洋气？她说没觉得很洋气。晓歌坦承，当时她和我一样，内心深处，是很希望知道些西洋事物的。她说那时候无量大人胡同里尽是些好四合院，还有些中西合璧的，带两三层爬满常春藤小楼的院落。她家那个小院，是比较小也比较简单的。那时候梅兰芳一家也住在无量大人胡同里。还有若干名流也住在里面。她记得有一回得机会进入了一个大四合院，绿阴森森，曲径通幽，忽然花木掩映的堂屋里落地大座钟报时了，那具有特殊韵味的声音缓缓飘来，令她小小的心里，充满了欢喜与憧憬……她说父母告诉她，那院里当时住着西洋人，她觉得那外表是中国式的院落里，氤氲出的是浓酽的洋味儿。后来那个院里的西洋人回西洋去了，她也就再无缘进入了。记忆里让晓歌想起张权是从美国回来的，只有一个细节，就是有一天张权从一个漂亮的铁听里取出糖果，分给她的两个女儿，见到晓歌从门外走过，就叫住晓歌，走出屋，笑咪咪地往晓歌手里塞了两块糖果。那糖果确实很洋气。糖纸很漂亮，印着英文，晓歌拍平了夹在书里，保存了很久。不过那糖的味道有些怪，后来知道，那是熏衣草的气息。

张权一家成为晓歌家房客后第三年，莫桂新和张权又生下了一个女儿。这位从美国归国的歌唱家的生活更增添了喜兴。晓歌记得有次她敲门进入来交房费，穿着云南蜡染土布缝制的衣裳，跟晓歌母亲拉了一阵家常，说起北京小吃，说豆汁还不能接受，但炒肝是最爱，只是那炒肝里虽然有几片猪肝，其实主料是猪肥肠，做法也并不是炒而是烩,可见老北京人好面子,凡事总往好了夸,说着呵呵地笑……

张权小女儿三岁那年,提出了"百花齐放,百家争鸣"的口号。后来就提倡了一阵大鸣大放。说是可以给领导提意见,帮助整风。转眼到了 1957 年。是那一年的哪一天?北京人民艺术剧院南边的一栋灰楼,当时是中国文联大楼,从里面走出来一位女士,正是我小哥口中的所谓阿姚,她作为《文艺报》的记者,出发去采访张权。那一天中午,我是不是去北京人艺售票处买吴祖光编剧的《风雪夜归人》的戏票了呢?正在王府井小学上学的吕晓歌,是不是在教室里跟着音乐老师唱那首《让我们荡起双桨》呢?而《文艺报》编辑部里,作为编辑部主任的唐因,是在二审谁的稿件呢?他的副手唐达成,是否正在为自己以唐挚的笔名写出了敢与周扬争鸣的《烦琐的公式可以指导创作吗?》一文,而暗中得意?……

人生的剧本早已写好。就是不能事先偷看以改换剧情。

6

姚滢澄对张权的采访,经她整理,以张权署名方式发表,题目定为《关于我》。张权确实发了一些牢骚。当年我就读过那篇"鸣放"文章。嵌在记忆里的,是张权说起一次她公开演唱后,一位领导这样表达异议:"像张权这样的美国妇女,若是站在人民的舞台上,简直是不能容许的。"这深深刺痛了张权的心。对于这种不给人立椎之地的蛮横指责,难道还不能发牢骚吗?

后来我知道,张权早在抗日战争时期,就在重庆演出过歌剧《秋子》。那时候周恩来作为共产党驻重庆办事处主任,很看重进步的文艺团体和相关人士。1949年建国以后,周恩来作为总理,在文艺方面常常亲自过问,想起重庆时期所熟悉的那些文艺人才,有的还漂流在国外,就让有关部门通过各种渠道动员其回国,参与新中国的文艺建设。他真是心细,像话剧演员赵韫如,抗战后嫁给了美国空军人士,去了美国,赵在重庆剧坛并非一线红星,周恩来却也记得她,她被动员回国后,成为北京人民艺术剧院的骨干演员。周恩来也记得 1947 年赴美深造的张权,跟有关部门有关人士提到她，张权遂在 1951 年获音乐硕士学位后回到中国，第一处住所，就租住在无量大人胡同 15 号吕晓歌父母家。

万没想到，《关于我》刊出后酿成弥天大祸。莫桂新张权夫妇都划成右派分子。据说《关于我》这篇文章里很多成问题的话都是莫桂新道出的，再加上认为他有历史问题，因此，被划为极右，送去劳动教养，先在北京郊区，后发配到黑龙江劳改农场。1958 年夏天，莫桂新死在劳改农场，时年 41 岁。他的具体死因和死亡过程，当时跟他在一起的杜高有回忆文字，网上可以查到，这里不引。但 1993 年左右，我跟吴祖光交往时，有一次他提起来，在细节上跟杜高所述有些差异，构成另一版本，应予披露。吴祖光当年也在同一农场劳改，只是没有跟莫桂新编入一个小队。吴先生说，那时候每天劳动强度非常大，人会出很多汗，但却并不充分供应饮水。一次干完重活排队归来，路上莫桂新实在渴得难耐，见路上车辙里还有些雨后积水，就不管不顾地蹲下去用手掌掬起喝入肚中，回到宿舍就开始腹中绞痛，后来就上吐下泻，发高烧不省人事，拉去急救已经不中用，当夜就死掉了。吴先生跟我说起这事时表情和语气都很平静，也没加什么议论感叹。他们那一辈人经的见的多了。吴先生虽是编剧圣手，却深知冥冥中更有君临每一生命之上的存在，为我们每一个生命准备的剧本，其诡谲奥妙，是永远无法企及的。

因为采访了莫桂新张权并炮制成了《关于我》一文，当然还有其他若干"放毒"行为，姚滢澄划为了右派。她夫君唐因更被认为罪孽深重——作为《文艺报》中层领导，为多少牛鬼蛇神的恶攻言论开了绿灯啊！当然划右。两口子最后下放到东北。唐达成呢，别的都先甭说了，敢写文章跟领导文艺界反右斗争的周扬叫板，划右！后来下放山西，马中行虽然没划右，但随他下放，本是电影学校（后改学院）表演专业外形气质最佳的女生，其星途也就从此葬送。

张权被赶下了台，被安排去洗涤补缀演出服装。

我问晓歌，可记得莫桂新和张权一家沉沦的景象？她说印象很模糊。只记得从那边房客住的屋里传来的不再是琴声歌声而是拼命忍却又忍不住的哭声。丈夫劳改去了，上有一老下有三小，张权自己工资待遇也降了级，但还按时来交房租。那两个大晓歌一岁和小晓歌一岁的莫姓姑娘，本来是晓歌跳猴皮筋的玩伴，那以后很少出屋了。后来张权一家搬走了。再后来晓歌父母把无量大人胡同的院子以很低的价格卖掉了，搬到西北城东官房一处院落租屋居住了。

告别了无量大人胡同，晓歌也就告别了她的少女时期。而那以后，我从北京师范专科学校毕业后，被分配到北京十三中任教。我问分配我工作的教育局人士：十三中怎么个去法？他告诉我，坐十三路公共汽车，从起点站算第十三站下车，那一站叫做东官房。于是，我去十三中报到时，就会路过东官房南口的一个小院，那时候，我万没想到，那个小院里，就住着我未来的妻子。（关于姚滢澄采访张权、被划右派、"文革"中人遭迫害自杀，参考姚小平《不应该遗忘的音乐家莫桂新》一文，见山东画报出版社《老照片》第三十七辑，并刊于《扬子晚报》2008年10月14日。）

7

1962年，我从《北京晚报》上看到一个很不起眼的演出广告：哈尔滨歌舞剧院张权独唱音乐会。这个张权应该就是六年前我和大表姐在天桥剧场看到的那位扮演《茶花女》女主角薇奥列塔的张权吧？我跑去买票，没有买到。她的独唱音乐会很低调地举行，但显然当年喜欢她的观众跟我一样，并没有忘记她，形成一票难求的局面。

后来就到了1966年。发生了许多很难预测到的事情。在东北，唐因的妻子姚滢澄，本来其历史问题就压得透不过气，又被指认为"现行反革命"，于是上吊自杀了。大约四十年后，她的女儿姚晓晴来到我家，跟我约稿，我与她淡然相对。但我心里忍不住说，我是见过你母亲的啊，在钱粮胡同我家，小哥让我叫她阿姚，我没叫，因为不知道该叫成"阿姚姐姐"还是"阿姚阿姨"，但我一直记得阿姚那特殊的嗓音……其实1988年唐因就搬到了安定门那栋中国作协和中国文联合盖的宿舍楼里，他家住在2层，我住在14层，但我们没有什么来往。只记得有一回在门口遇上，打过招呼后，他说看了我的《私人照相簿》，发现那用文字和旧照片构成的文本里，有关于罗衡和张邦珍的内容，他说引起了他一些回忆，"那时候罗衡总是女扮男妆，非常有个性"……我到现在也并不清楚唐因是在他生命的哪个时段，在什么地方，根据上苍精心编写的剧本，跟罗衡和张邦珍那两位国民党女性，在同一幕中有过什么样的角色关系；她们应该都是他老师辈的人物吧。这两位女士1949年以后都在台湾继续她们的人生戏剧，也都在那里谢幕离世。

1978年，从报纸上看到一条消息，张权回到北京，她的"右派"问题得到改正，我想她会回到当年排演《茶花女》的原单位，再跟男高音歌唱家李光羲配戏吧，说不定会再演一把《茶花女》。但没有那样的后续新闻出现。她没有回原单位。她后来加入了新成立的北京歌舞团，再后到中国音乐学院任教。估计她也不会再去由无量大人胡同改称的红星胡同里徜徉。她应该是尽量远离伤心地，去融入改革开放后的新剧情。

我在1980年成为北京市文联的专业作家。大约在1982年，跟两位写作上的熟人，路过沙滩，顺便进到中国作家协会暂时安身的简易房里，遇到了二唐，即唐因和唐达成，他们当时正奉命联袂完成了批《苦恋》的大块文章，是春风得意马蹄疾的意态。真是所谓咸鱼翻身。他们不但"右派"问题获得改正，而且，跟张权的选择不同，他们不是远离昔日伤心地，而是偏要"在哪里跌倒在哪里爬起"，并且不仅是爬起来，更挺直腰杆再上层楼了——他们不仅回到《文艺报》，先获得了原有的位置，再进一步获得擢升。那几年动静很大的电影《苦恋》事件，不要说如今的"80后""90后"多半茫然无知，就是"60后""70后"的许多生命，明明曾经知道，现在也多半淡忘。根据白桦剧本由彭宁执导的电影《苦恋》被某些非一般人士认为问题很大，闹出风波，以至不得不由高层决策，责令中国作家协会的《文艺报》撰写一篇"使争论各方都能满意的批评文章"。这重任最后就落在了二唐身上，而他们也就居然不孚期望，改了不知多少稿，终于定稿隆重地在《人民日报》和《文艺报》同时刊出。这应该是他们作为官方评论家的事业顶峰。记得那天二唐谈锋都很健，唐达成说："整个文章的写作、修改和刊发过程，就构成了非常精彩的一部长篇小说！"

二唐二唐，是一是二？合二为一？难怪连我小哥也把唐因唐挚混为一谈。唐因比唐达成即唐挚大三岁，唐达成自己跟我说过："我是一直把唐因视为兄长的啊。"

但是命运的剧本编写得出人意料，却又自有逻辑。

1985 年年末到 1986 年初，中国作家协会召开第四次代表大会，领导机构大改组。唐达成一下子被任命为中国作家协会党组书记，即货真价实的一把手。正部级待遇啊。而且马上成为全国人民代表大会的代表，并且是人大法制委员会委员，记得有回他见到我笑呵呵地说："要打官司来找我啊。"搬进安定门那栋新楼，他住12 层，是四室一厅再加一个相连接的独单元。

从来二唐连袂，都是唐因、唐达成（或唐挚）的排序。好比一起储蓄政治资本，唐因所占份额似乎还要大些，但最后提款，连本带利全被唐达成一人独占。四次作代会一开完，只见唐达成飞黄腾达，唐因呢？据说是年纪大了（他刚好过六十），不好安排，二唐没有联袂升腾，唐因最后只被安排为作协下属的鲁迅文学院的负责人。作协是个官场，论官阶最高的是党组书记，其次是党组副书记，再其次是党组成员，再再其次是书记处书记。当然，另有虚衔系列，即作协主席、副主席、主席团成员等等。唐因既然上述职位头衔无论实的虚的全落空，你想该是怎样的心情？

唐因也住进了同一栋楼，住房面积比唐达成差多了。说实在的，我对二唐的情断谊绝的最真实的原因至今不明，这里所说的应属以小人之心度君子之腹。后来我也曾当面问过唐达成：当年情如手足，何以如今闹成这样？唐达成没有正面回答，只说他们最后一次谈话，是他从 12 楼下到 2 层去拜访唐因，唐因先是不让他进门，后来勉强让他进去，说了非常刻薄的话，最后等于把他轰了出来，并且声色俱厉地说：你以后再不要在我跟前露面！说完进屋，把门砰地关拢。"我站在他门外，心如刀割！"唐达成跟我说到这里，不愿再置一词。

　　三年后唐达成被清查处分下台。我也免去了《人民文学》杂志主编的职务。我们本来很少来往。都赋闲后我偶尔下两层楼去他那里聊聊。有次去了他说夜里做了恶梦，是被往一辆大卡车上赶，"哎呀，怎么又要下放呀？"他说梦里就喊出了声来。

　　再后来唐达成查出了肺癌。先手术，再化疗，再放疗，然后是人生最后的谢幕。据说唐达成下台时唐因说过很快意的话。但唐因也终于谢幕，并且比唐达成早两年。安定门那栋楼里有的人没活到七十，不少活过七十的没达到八十，活过八十的没达到九十，近些年几乎年年甚至季季有人去世，几乎每层楼都有剧终而去的角色。挨整的固然多有逝者，整人的也未必长寿。1993 年，我又从报纸上看到一条不怎么起眼的消息，张权去世，享年 74 岁。

　　唐达成遗孀马中行有次见到我说，她很后悔——他们反右运动落难后下放山西时，唐达成因苦闷大抽劣质纸烟，她不但没有劝阻，还跟他比着对抽，因为那似乎是消除郁闷的最有效方式，她认为唐达成肺癌的祸根，就是那时候酿成的。我听了觉得未必，但无需跟她讨论。她想跟我那么说，说了，我听了，她心里也许就宽松一点吧。有回她从街上回楼，走到大铁门那里，觉得很憋屈，就站住了。恰巧晓歌也从街上回来，见她站在那里，也就站在那里，两个人没有说什么话，但事后马中行跟别的人说，她非常感激晓歌，因为能那样陪她站着，是赛过万千话语的。

　　后来马中行在家里因心肌梗塞仙去。她曾跟我说过，她唯一一次拍电影，是在伊文斯的一部纪录片里，扮演一个回娘家的农村新娘，其中有一个长镜头，表现她骑驴在很高的花丛里趱行，放映出来那画面美极了，更美的是拍摄时的那个时空，那种心灵感受……我就问她，记录片应该讲究真实，为什么要摆拍呢？为什么要拿演员扮村妇呢？她想了想说，那是伊文斯的一种风格吧。其实，回想人生，几分是真？几分是假？在与他人同场共演的人生戏剧里，作为一个角色，我们"摆拍"得难道还少吗？反正，一幕幕，流过去的，就那么流过去了……

是呀，一幕幕的，全流过去了。现在连晓歌也仙去了。

只觉得有歌声，来自幽深处，令我的灵魂，莫可名状地陷于深深的惆怅……

谁在唱？

8

为自己的一篇小说《谁在喊》，用彩色油性笔画过一幅插图。注意，那篇小说是《谁在喊》而非《谁在唱》。那篇小说试图揭示一个生命在自我身份认同上陷于困境时，应该勇于面对现实，并且寻求一个恰切的人生定位。从无量大人胡同引出的种种回忆及思绪，使我觉得这幅《谁在喊》其实也可以改题《谁在唱》。张权和莫桂新都信仰基督。他们在教堂里举行的婚礼。1993 年 6 月 16 日，在北京西什库天主教北堂，为他们夫妇举行了隆重的追思弥撒。我画的这幅画，那生命是在喊还是哭，是在歌还是呼？可作多种理解，而那背景，恰是一座基督教的教堂，用来配合这篇以回忆张权为主的文章，似也对榫。

逝者的歌哭固然令人怀想，我们仍在人生剧本的演出中走向下一幕并迎向剧终幕落的角色，是否也该聆听自我心音，为自己的错失忏悔，为自己的甘苦而悲欣交集呢？

我们确实无法偷看人生剧本的下一页，但我们可以尽量演好这活剧中的眼下这一场。把玩自己画出的这幅画，灵魂的声带似已在振动……

2009 年 7 月 21 日写完于绿叶居

守候吉日

1

1983 年，在从北京飞往巴黎的航班上，我问挨我坐着的法语翻译："为什么去法国的是我？"她笑笑说："我哪里知道。难道你不想去吗？"

我当然非常向往法国。但是把我列为中国电影代表团的成员，去参加法国南特电影节的活动，不仅我自己感到意外，一些文学界和电影界的人士也多少觉得诧异。

吉日　　　L·X·W

到写这篇文章为止，我仅有一部小说被改编拍摄为电影，那就是 1982 年北京电影制片厂出品，黄建中导演的《如意》。中篇小说《如意》发表在 1980 年的《十月》双月刊上，主体内容是表现一个中学校工和一位满清皇族后裔——格格——之间隐秘的爱情，是个有情人终未能成眷属的悲剧故事。在次年中国作家协会首届优秀中篇小说评奖活动中名落孙山。据说在评奖委员会讨论到《如意》时，有位著名的文艺批评家严厉地指出，小说主人公——中学里的老校工，为"文革"中被红卫兵拉到操场上活活打死的资本家尸体，去盖上塑料布；又在红卫兵批斗党支部书记时，走上台去取下挂在书记脖子上的大铁饼；还在惩罚性劳动中，给焦渴的"牛鬼蛇神"送去绿豆汤……这些行为都属于人道主义范畴，但作家不能跟老校工站在一个水平线上，应该懂得人道主义属于资产阶级的情怀，作家应该注意批判人道主义的局限性。有人把这样的批评转达给我以后，我明白了自己这个中篇小说不能获奖的最根本的原因。

不过，中篇小说《如意》刊出后，也有喜欢的人士。1981 年，戴宗安女士在前辈电影艺术家成荫的鼓励下，将《如意》改编为电影文学剧本，并刊发在了《电影创作》杂志上。当时黄建中刚执导完《小花》，好评如潮。但《小花》字幕上的导演是张铮，黄建中只是副导演。因小花的成功，北影厂允许黄建中作为名正言顺的导演拍片，他选中了《如意》，请我再重写电影剧本，我本不愿"触电"，经不住他的动员，就接了这个活儿。影片完成后在字幕上与戴宗安联属编剧，戴女士毕竟提供了一个电影剧本的基础。这是我迄今为止唯一一次"触电"，后来我的长篇小说《钟鼓楼》《风过耳》、中篇小说《小墩子》等改编录制成电视连续剧，剧本都是别人写的。

电影拍摄过程中，陈荒煤、冯牧两位前辈十分关注，给予了强有力的支持。陈荒煤"文革"前就是管电影的，在"文革"正式爆发前，他就因为《早春二月》《舞台姐妹》《北国江南》《林家铺子》等影片，跟夏衍一起遭到批判，批判他们的罪名之一，就是"宣扬资产阶级人道主义"。"四人帮"垮台后，陈荒煤先是在中国社会科学院文学研究所担任负责人，他是在我的短篇小说《班主任》引出"这是解冻文学""不是歌德而是缺德"的非议后，站出来鲜明支持《班主任》的前辈之一。不过《班主任》毕竟获得了 1978 年全国优秀短篇小说奖头名。他后来重返管理电影生产的岗位。他明知《如意》在中篇小说评奖中落败，也清楚批评者的尖锐意见，却不仅支持北影改编拍摄为电影，更作为他的工作重点之一，多次找到导演黄建中和我谈话，指导影片的改编拍摄。

陈荒煤总是那么严肃。以至后来跟他熟了，我有一次冒昧地问他："您会笑吗？"他才露出一种勉强可以称作笑容的表情，一贯低沉的语音里加进一种嗤嗤的勉强可以理解成笑意的成分。他在跟我们讨论《如意》的改编时，并不进入人道主义的理论范畴去形而上一番，但我能清楚地感觉到他是不跟那种把人道主义一股脑划归资产阶级的见解认同的，也不以为作者必须站在小说与电影中的主人公石大爷之上，引导读者与观众去俯看这个淳朴的劳动者并批判其情怀的局限性。人道主义究竟是否只能姓资而不能姓社？肯定讴歌人性中的同情心、怜悯心，主张"要把人当人待"，是否就"局限于淳朴"而丧失了某种至高的原则？这些理论问题我从那时到现在还一直在思考。但是，无论是我的小说、剧本，还是陈荒煤对改编拍摄影片的关注，恐怕都首先并不是基于概念，而是出于深切的人生体验。记得有一次只我和陈荒煤两个人在一起的时候，因为谈得比较投机，也建立起了互信，我就问起他"文革"中关入监狱时的情况，他说："你知道他们怎么折磨我吗？"我期待他往下说，他却沉默了。我也不好敦促。良久，他才又开口："我不说了。"我觉得真是此时不说胜痛说。我心里默默地想，那时候他若遇见《如意》里老校工那样的淳朴存在，该是怎样的一种反应？会因为其人道主义的救援安抚具有理论上的"局限性"而排拒吗？

冯牧是中国作家协会那时期主持文学评奖的负责人之一。《如意》获得优秀中篇小说提名而落榜，他最清楚不过。但他很关注电影《如意》的拍摄。黄建中剪接出了声画双片第一稿，在北影内部放映，陈荒煤去了，冯牧也去了。放映完了，他们各自提出了很具体的修改意见。黄建中的风格趋向唯美。当叙事与抒情产生冲突时，黄建中往往宁愿牺牲叙事的清晰与流畅，而迷恋那些光影画面的美丽，纵容纯抒情甚至是耍弄技巧的那些镜头舍不得精简。冯牧和陈荒煤对此都提出批评。比如那种逆光拍摄而形成七彩"糖葫芦"的镜头，他们就都很不以然。但是完成片里"糖葫芦"还是没有剪掉。当然这还不是大问题。大问题是老校工与格格的含蓄而又深切的情爱看下来还缺乏浓度。后来陈荒煤建议加一场戏，我听了觉得甚有道理，就补写了一场戏，黄建中进行了补拍，效果很好。

电影完成后，先在北影内部审查。影片映完后，参与审查的一位老同志率先表达了惊诧："我们北影怎么拍出这么一部片子来？最后让主人公死掉，太残酷了！"的确，这样的结局令人心酸。这又牵扯到一个我们体制下的文艺能否容纳悲剧的问题。而且，再往深想，中国传统文艺作品，即使被称为大悲剧的《窦娥冤》；到最后也还是感天动地获得昭雪。中国民众的传统审美心理是一边揩眼泪一边期待着大团圆的。《如意》不仅毫无遮拦地弘扬了人道主义，又酣畅淋漓地表现了一出人间悲剧，它也确实值得狐疑：这样行吗？那位资深的老同志出于本能的惊诧，话语不多，却是强烈的否定意见。当时气氛紧张起来，黄建中后来告诉我，他心脏顿时加快了跳动频率，手心捏出一把汗来。于是我作了一个发言。我心平气和地讲述了自己的创作初衷。我说这个作品并没有把一切归结为残酷，恰恰相反，这个作品对"文革"前的社会生活是基本肯定的，主人公石大爷对新中国的缔造者是充满感激之情的，在新社会中终于走上自食其力之路的格格也是化忧郁为喜悦的，残酷的是"文革"以及导致"文革"的不断膨胀的极左因素，讲述这样一个悲剧故事的目的，意在引出人们的反思，养好伤痕，恢复健康，使社会生活朝更好的方向发展。这应该是符合当下改革开放的总精神的。另外，我们年轻的文学艺术工作者，尝试一下悲剧的创作，也许还存在诸多不足，却是应该得到理解甚至鼓励的，我们已经有那么多的正剧、喜剧，适当有一点悲剧，把美好的东西被撕裂的情况展现出来，让人们更加懂得珍惜真善美，这不是残酷，而是善意的引导。我的发言起到扭转现场气氛的作用。后来，几位人士的发言都基本上对影片持肯定或容纳的态度。

当然，由于《如意》在电影主管部门有后台，也就是说陈荒煤从一开始就支持了它的拍摄，到头来通过审查，在全国发行放映。由于是黄昏恋的冷题材和抒情性的雅格调，发行的拷贝不足 100 个，放映的范围也就有限，但报刊上影评不少，且多是赞赏之词。

记得在正式公映之前，在北京全国政协礼堂的一个文艺界的大型春节团拜会上，先放映了一部西德娱乐片《英俊少年》，然后放映了《如意》。那时候文艺界大体上还维系着"渡过劫波兄弟在，相逢一笑泯恩仇"的氛围。记得《如意》映完后有掌声，那天周扬和我握手后有鼓励的话，并且让我把青年作家们介绍给他，我很不懂事，闹出笑话。周扬其实早认识了一些新冒头的作家，对于五十年代曾风光过的青年作家（那时他们多半已经接近五十岁，但仍被称为青年作家）当然更加熟悉，他那样跟我说，不过是通过对我的亲切信任表达出一种新的领导风范，我初上台盘，不懂深浅，其实我选两三位比我年龄小的新作家介绍给他也就行了，却傻乎乎地跟着他逐桌巡游，我当然知道王蒙、刘绍棠等本是他的熟人，还不至于需要我唱名，可是当他走到宗璞那桌时，我却跟他介绍起来："这是《弦上的梦》的作者宗璞……"宗璞忍不住笑了，跟周扬握完手，对我说："他是我老领导啊。"原来宗璞五十年代曾在中国作协工作，跟周扬经常见面，周扬知道她乃冯友兰之女，早就更加注意，何需我这直到 1979 年才加入作协的晚进者介绍！但周扬看完《如意》确实是肯定的神态，几年后他写出那篇惹出轩然大波的关于人道主义和异化问题的论文，就我个人而言，是毫不惊讶的，那应该是他内心真实想法的外化。

《如意》的拷贝不知是如何到了台湾的。1984 年我在西德访问时，一位台湾文化人跟我说，台湾电影界的精英看完《如意》以后，像侯孝贤等，都感到震惊，他们没想到大陆能拍出如此纯粹的人道主义影片来。对黄建中的导演水平也大表敬意。后来台湾一些音像出版机构出版发行了一套世界电影参考资料，里面就收入了《如意》，跟《罗生门》《野草莓》《去年在玛里昂巴得》等放在一起。这套资料影碟一度流行于大陆，有人送我一摞，令我不快的是封套上竟在《如意·根据刘心武原著改编·黄健中导演》等字样后面，将产地列为"台湾"。

《如意》的正版影碟有是有，很难找到。但是到了2004年，中国青年出版社决定出版一套附影碟的《电影伴读中国文学文库》，却找到我，说头批就要收入《如意》，我说有那么多获得过金鸡、百花奖的影片，《如意》并未获得那样的荣誉，怎么你们要收入它？回答是小说和电影《如意》都具有长久的欣赏价值，其可读性不因时间的推移和世道的嬗变而衰减。又说尽管黄建中后来又执导了许多影片，并且还执导了根据金庸小说改编的电视连续剧，也都各有长处，但他最好的作品，到头来还是《如意》。他们的话于我是溢美之词，但我当然乐得他们把书和影碟合在一起出版。这书出来后虽然也重印过，却并不畅销。

前些时在互联网上看到一位网友的言论，他自称是"80后"一代的，非常偶然地对电影《如意》进行了在线观赏，本来他以为自己看不下去，没想到却一口气看到最后，他的感受是"原来我们也拍过这样的电影，非常干净，却又非常动人"。我想，就算只有这么一位年轻人能欣赏《如意》，我也该知足了。在这个似乎以迅捷淘汰为家常便饭的世道中，《如意》尚能留在"无情之筛"上，可以说是非常之幸运。

只有一部小说被改编拍摄为了一部电影，却给我带来了偌多的怡悦，这是我命运中的亮点。当然，《如意》给我带来的最大快乐，还是1983年因它而成为中国电影代表团的一员，去法国参加了南特三大洲电影节。

2

在西德法兰克福机场转机赴巴黎，等候登机的时候，我还在跟团里的翻译絮叨，说实在应该让黄建中来。毕竟电影是导演的艺术。我也不是叶楠那样的职业编剧，只不过是据以改编的小说的原著者，以编剧身份跻身中国电影代表团出国，真的很不好意思。那时候中国大陆文化人出国的机会还不多。黄建中就还没有出过国。作为我们代表团团长的名导演谢晋，也还是头一次到一个西方国家去。我又说要么应该让李仁堂来。李仁堂在"文革"前就主演过电影《青松岭》，在"文革"中《青松岭》又获得重拍机会，他还在引发出事件的《创业》中扮演了油田领导，将人物塑造得真实可信，"文革"结束后他出演了《泪痕》，成为恢复评选的电影百花奖的新科影帝，在《如意》中他驾轻驭熟地出演了男一号石大爷，《如意》到法参加电影节，他随团出访应是顺理成章之事。可是也没派他去。我本来还想议论到郑振瑶。她在《如意》中出演女一号格格，其演技之成熟，达到无痕的程度，有篇影评提到，有场戏，表现格格在什刹海畔跟石大爷终于心心相映，黄建中给了她一个大约半分钟的特写，她在那个没有切换的镜头里，五官并没有什么变化，却通过内心的情绪调整，使脸上的毛细血管渐渐泛红，传达出一个迟暮生命获得真情的幸福感，那斯坦拉夫斯基"体验派"的演技，臻于化境，令人惊叹。到法国参加电影节活动，她当然也比我更有资格。但我没把为郑振瑶抱屈的话说出口，因为我身边还有另一位女士，她就是陶玉玲。

陶玉玲是我们那一代人所熟悉的女演员。她以电影《柳堡的故事》里清纯的女民兵二妹子形象一炮走红，后来又以话剧和电影《霓虹灯下的哨兵》里高尚的农村媳妇春妮而巩固了其在那个时代的艺术成就。她是在"文革"结束后最早重返银幕的女演员之一。她在电影里多是演女一号，而且几乎全是工农兵的形象。在《如意》里她却只是女配角，演的是格格当年的丫头，后来沦为城市贫民，这个角色不但没有什么革命色彩，更通过穿越政权变迁而始终忠于格格，表达出一种中国传统文化中所肯定的义气。据说黄建中找到她时，她听说是这么个角色，很犹豫了一阵，黄建中给了她一个考虑的期限，她在即将到期的前一天给黄建中打电话，说她来演这个叫秋芸的角色。

《如意》里出演女配角，当然只是陶玉玲从影生涯中的一个小插曲。但这个角色却使得她在1983年就去了法国，不仅到法国西北部布列塔尼半岛的南特市去参加了电影节活动，更在巴黎大开了眼界，应该是她人生中的一大幸运。为什么《如意》参加电影节不让出演女一号的郑振瑶去，而让只不过是女配角的陶玉玲去？一个解释是郑振瑶前不久刚因《城南旧事》出访过菲律宾。那时候文学艺术家出国都必须通过官方安排派遣的唯一管道，在机会名额的分配上要保持均衡。这一解释是说得通的。

我们电影代表团从法兰克福飞往巴黎时，在巴黎上空遇到大雾，飞机最后"盲降"在巴黎奥利机场。那时候戴高乐机场还没有修好。奥利机场在戴高乐机场造好后才改为法国国内航班的机场。后来乘飞机多了，才知道"盲降"是不予鼓励相当危险的。但那时候我还是"傻小子坐飞机"，只觉有趣毫无畏惧。

在巴黎我们被安排到离城区很远的一个属于中国大使馆的，由公寓楼改装成的招待所里。住进去时已经天黑。那里一位热心的司机读过我的小说对我很表亲热，说虽然晚了却仍可以开车带我去逛巴黎城。我们第二天就要赴南特，参加完电影节活动回巴黎也许不让停留就安排回国，因此，我觉得必须抓紧看"西洋景"的机会。我问谢晋去不去，他说要睡觉倒换时差。我跑到陶玉玲和女翻译合住的房间外，冒昧地往里喊话，陶玉玲回应"等着我"，原来她已经躺到床上，她穿戴好出屋，告诉我翻译本是在法国留学的，不稀奇，但她很愿意见识一下夜巴黎。我们就跟司机进入巴黎城，在夜色中把凯旋门、香榭丽舍大街、圣母院、铁塔全浏览了。

从那晚以后，在法国一周多的时间里，除了正式活动，陶玉玲总是笑嘻嘻地跟谢晋说："团长，我又要跟刘心武满处跑去啦！"论年龄她是姊辈，但我却如同兄长般，神气活现地领着她各处观览。因为她是头一回出国，我之前已经访问过罗马尼亚和日本，总算能说几句蹩脚的英语。其实在法国一般法国人是很不喜欢你用英语去寒暄问路的，不过我领陶玉玲去的地方都是旅游点，工作人员是接受英语的。比如我领着陶玉玲参观罗浮宫，那里面展品太多，必须抓重点，我就用英语询问："米罗的维纳斯在哪里？往左？往右？往上？往下？一直？拐弯？"人家简单回答，我听明白了就顺利地把陶玉玲领到了维纳斯断臂雕像跟前，她高兴极了，尽情欣赏起来。后来，她回国，应邀到东北一游，在一家出版社人家请她讲讲法国风情，她竟说在法国观览全凭刘心武英语好，那家出版社过些时有编辑来跟我组稿，说："您要是一时没有新小说，给我们翻译部小说也行。"弄得我羞红了脸。但我并不责备陶玉玲。她没有故意夸张的恶意。她是部队里成长起来的。她有一种淳朴的气质。她能接受西餐，但说最喜欢吃的还是中国的茶叶蛋，而且她自己会制作茶叶蛋，以后演不动了，她还可以卖茶叶蛋去。我们在法国期间相处得很好，那真是些良辰吉日，是国家进入改革、开放阶段，给我们这样的生命存在带来的福祉。

3

《如意》安排在南特电影节开幕式上放映。我一直盼《如意》能获奖。确实不是为我自己着想，而是想让黄建中扬眉吐气。但是闭幕式上宣布获奖名单，《如意》并不在榜单中。我颇沮丧。其实早该知道，各国各处电影节，凡安排在开幕式上放映的影片，均意味着给予了尊重却不再参评，那时候我对这一约定俗成的游戏规则还不明白。

电影节当中，安排了一次乘中型游轮穿河入海的游览活动，在船上，电影节的两位主席——他们也是一对兄弟——特意找到我，说他们前期到中国选片，看了不下十部片子，最后一致看好《如意》，觉得是难得的纯文艺片，文学基础特别好，所以他们提出要请小说原作者来参加电影节活动，以期提高大家对电影的文学基础的重视，他们没想到这一提议得到了中国电影局局长石方禹的积极回应。原来我之能跻身中国电影代表团成员赴法，是这么一个原因。我直到回国后，参加电影局的出访总结会，才见到石方禹。我很早就知道他的名字，他上世纪五十年代初的长诗《和平的最强音》曾引起轰动。我始终记得他在诗中谴责杜鲁门、艾森豪维尔时，有这样的句子："你们的先人／在地下哭泣"，这就是说他还是肯定杰斐逊、华盛顿、林肯他们的,不完全否定美国的历史。我感谢石方禹拍板让我参加了中国电影代表团的活动。他说这种让文学家更多参与电影界活动的做法,将进一步坚持下去。

但是,后来事态的发展,似乎并没有呈现那样的局面。作为小说家因原著被改编拍摄为电影而应邀到电影节去作佳宾的,无例可举。即使是专业的电影编剧,写原创电影剧本的,也很少在电影节上得到充分的重视。已故作家李准,他既将自己的小说改编为电影,更进行了不少电影剧本的原创,曾以电影编剧的身份到日本参加电影节,我亲耳听他讲到,在那里作为电影编剧,跟电影导演和著名演员的待遇竟难平等,只把他安排在一个角落里,而且给他的座位标识是"脚本",令他十分不快。

我写小说时,并不去考虑"这样写是否适合改编为影视作品"。我认为小说首先要恪守小说自身的"骨气"。我的长篇小说《四牌楼》里有一章,作为独立的中篇小说《蓝夜叉》,应该说是文学性很强,也很适合于拍摄为文艺片的,也有相当有名气的中年导演表示有执导将其搬上银幕的强烈冲动,但是却久久找不到投资者。有的投资者听了表述后说:"东西是好东西。但这样的电影可能只是到国际电影节上去获一个奖,却难收回投资。"其实他就是认为文艺片是"票房毒药"。过去我总觉得自己的写作受到来自意识形态方面的压抑,近十几年却更深切地感受到资本对创作的辖制。有人劝我去写赚钱为主的电视剧剧本,写小说,动笔前也先考虑如何适应改编为影视的可能,我却宁愿保持"只有一部《如意》上过银幕"的落伍记录,不去追求"一的突破"。

4

我和谢晋在参加南特电影节期间有过亲密交往。南特电影节的正式名称是"三大洲电影节","三大洲"指亚、非、拉三个洲,电影节的宗旨在破除一贯由美国好来坞和西欧"说了算"的电影评奖,试图闯出一片新的电影天地。这个电影节至今仍在举办，不过看来影响还是敌不过戛纳、威尼斯、柏林电影节和美国奥斯卡奖，我们国家携片参加的消息越来越少。

那次主办方是以中国电影为"焦点"，除安排《如意》在开幕式放映外，还安排了声势浩大的"谢晋电影回顾展"。我记得主办方印制了精美的画册，为谢晋开列了详尽的创作年表，那时候谢晋还没有拍《芙蓉镇》，《牧马人》刚拍完还不为外面所知，年表上最后的一部是《天云山传奇》，作为整个回顾展的压轴戏，放映完了全场观众起立鼓掌足有五、六分钟。

在南特我们每天马不停蹄地参加电影节各项活动，回到巴黎，我和谢晋住在酒店的一个大套间里，我恨不能游遍巴黎，兴致很高，每天和陶玉玲结伴去观光，谢晋却除了铁塔等几个主要景点，其他地方都懒得去，宁愿留在酒店房间里喝酒遐思。我回到酒店房间，总有一股酒气袭入我的鼻息。"心武老弟，又逛了哪儿？"从那以后，他见了我或偶尔通电话，总以"心武老弟"为引领语。我当然马上向他报告比如参观罗丹博物馆的心得，他却笑咪咪地似乎心不在焉，后来我知道他一只耳朵失聪，往往听不见我在说什么，我特别想让他听见时，就坐到或走在他那只好耳朵一边去说，他听见了，会非常诚恳地作出坦率的回应。

我问他，南特电影节的主席抱怨，说中国方面不愿出借《春苗》《青春》的拷贝到他的回顾展上放映，他自己究竟作何感想？他反问我："心武老弟，你觉得呢？"我说，其实应该把他执导的所有影片都大大方方地借给主办方，回顾得越全面，越具有学术价值。《春苗》是"文革"中拍摄的歌颂"赤脚医生"的一部故事片，通过这部影片推出了一度大受中国观众喜爱的女演员李秀明，我说我特别记得影片中李秀明饰演的女主角为救治患病的贫农，不辞辛苦从山野采药回村，在朝阳驱散雾霭时光腿从水塘里走出的那一组镜头，把"赤脚医生"升华为超时代超地域的爱心天使，真的非常动人。当然，影片在丑化其对立面农村卫生院"走资派"方面，则情节不合理，角色脸谱化。谢晋笑说："你以为那时候导演说了就算？有'三结合'领导小组哩！"所谓"三结合"就是由"革命干部、工人宣传队、群众代表"

组成的班子。《青春》拍摄公映在 1977 年,影片推出了至今仍活跃影坛的女星陈冲。这部影片既表现了粉碎"四人帮"却又仍歌颂"文化大革命",是短暂的华国锋时期"两个凡是"的意识形态的产物。我说主办方其实很有水平,他们懂得中国电影导演的艺术才能只能在特定的框架里去发挥,比如在研讨会上,一位法国影评人说,《舞台姐妹》固然有浓烈的意识形态内涵,但开片的一组长镜头处理之妙之巧之气派之流畅,是放诸世界电影之林而令人赞叹的审美极致,这评价还是公正的。

我也曾冒昧地问过他,是否因为嗜酒导致了智障儿子?他说绝对不是,他婚前就嗜酒,长子谢衍聪明过人呢!又说"文革"中"造反派"抄他家,下楼时他小二小四两个儿子跑到楼梯口往下面愤怒地啐唾沫,"哪里弱智?"言谈间充满对其他儿女一样的挚爱。

那回在南特电影节上,看到了不少有大胆性爱表现的电影,都是些主题很严肃甚至很深沉的文艺片,绝非一味色情的展示,我觉得眼界大开。法国记者采访我时,你那《如意》虽然是黄昏恋的主题,里面的男女主角怎么连拥抱接吻的镜头都没有?我说许多中国人就是这样克制,特别是在婚前,记者很不理解。我问谢晋,他以后会在他的电影里安排床戏吗?他说不会,他老实承认在性的问题上他是真诚地保守。因为谢晋一贯善于在自己的新片子里推出新女星,就有传言说他搞"潜规则",以我和他的接触,我觉得他是个好酒不好色的艺术家,不要再对他如此误解和污蔑下去。

谢晋已被定位为中国第三代电影导演翘楚。这一代电影导演那悲苦与欢欣交织的创作历程需要后辈有更多的理解、尊重与崇敬。现在一些年轻人对他们那一代及他们前后的两代文学艺术工作者往往会有"不洁的作品"而鄙夷,所谓"不洁的作品",主要指当年紧贴式配合政治运动的那些作品,谢晋 1958 年就自编自导过表现"反右运动"的《疾风劲草》,是一部短片,与其他人拍摄的另两部短片组合为《大风浪里的小故事》,这部电影我始终没有能看到,如今从网上搜索也只有简单的文字资料而无图象资料。据当年看过的人告诉我,《疾风劲草》表现的是大学里有"右派分子"反对大学毕业生"国家统一分配",有趣的是饰演"右派分子"的是杨在葆,而这位演员在 1964 年拍摄的《年青的一代》里却出演了坚决服从国家分配到最艰苦地区去的先进大学生;故事里的"右派分子"取名为秦兆龙,这显然是因为 1957 年《人民文学》杂志的一位因发表《现实主义——广阔的道路》而划右的的副主编叫秦兆阳。《疾风劲草》镜头的推拉摇移十分别致,给观众强烈的视觉冲击力,展现出导演的才华。如今的"80 后"听了这个短片的故事可能大惑不解,国家不包分配、自己到招聘会上去求职,这不已成了社会惯例了吗?影片里是非对垒的两方,怎么"右"的倒显得颇有"先见之明"呢?我也曾听到个别人因有过《疾风劲草》,就对谢晋二十几年后拍摄的《天云山传奇》啧有烦言,怎么女主人公拉着板车上的"右派分子"在风雪中前行的一组煽情镜头,又成了"疾风劲草"呢?我以为,《天云山传奇》的激情才是谢晋内心深处本真的东西,作为一个虽然比谢晋老哥小十九岁却也经历了多个政治运动的过来人,我呼吁生活在可以游离于政治之外的新一代弄文学艺术的年轻生命,多一点精微的历史考察,多一点人性的感悟,多一点体谅与宽容,而实际上,敢问一句:如今自诩为"洁净"的人士,待时空转移后,又真能被更后来的年轻人视为"美丽的不沾锅"吗?个体生命,从本质上说,是被时空捕捉的人质,无论什么时候竭力保持独立思考善其言行都是高尚的,但只要不是主动害人甘心附恶,因轻信迷信而被大潮裹胁一度失却自我,都应以大悲悯的情怀予以理解与谅解。

自 1984 年《黄土地》《红高粱》出现以后,中国电影逐渐多元化了,导演也已经衍进到第六代、第七代,但谢晋一脉的政治抒情电影,仍有后继,我觉得尹力的《云水谣》就是这个流派的新发展。

2001 年,久未联系的谢晋老哥来北京开政协会,从住地给我来电话,说他打算拍新的《桃花扇》,问一起开会的王蒙:"请谁编剧合适?"王蒙竟说非我莫属,"心武老弟,听说你研究《红楼梦》走火入魔,《桃花扇》《红楼梦》是相通的啊!"我问:"古装文艺片,很费钱的,谁来给你投资呢?"作为民营影视公司的法人,他不必再受什么"三结合"小组之类的羁绊，却又遇到了资本的桎梏，他叹口气说："找到钱我再找你！"过一年，2002年夏天，他又忽然风风火火地来电话约我到京广中心见面，我去了，他近80岁高龄，谈吐却像个大儿童，兴奋地说，不拍《桃花扇》，要拍一部表现当下乡村教师生活的影片，"我们公司自己就能投资"，他说已找陈道明、赵薇谈过，都欣然同意出演，现在只欠剧本，他要"心武老弟"来编剧，"这是多么强大的阵容啊！"他甚至提出来过几天就带我去上虞他老家一带"下生活"搜集素材。我干脆利落地拒绝了这个约请。谢晋老哥大出意料，愣在沙发上半天说不出话。

2008年10月18日谢晋老哥在老家上虞仙去。消息传来，我百感交集。我对不起他。但是现在说什么做什么都晚了。静夜里，我憬悟：其实任何从事文学艺术创作的人士，其才能都是镶嵌在特定的时空里的，问题只在于能不能将其艺术良知与良能在特定的范畴里推到极致。

找出自己一幅油性笔画《吉日》。是我一篇荒诞小说的插图。人生既真实又荒诞，既往往出乎预料，又都在历史的轨道之中。无论取何种站位的人，总希望自己的日子都是吉利的。追逐吉日，守候吉日，一旦丧失了吉日，便再追逐，再守候，这便是我们人生的共同点吧。

2009年8月27日午夜完稿于绿叶居中

心灵深处

1

我正在家里心情大畅地准备行装，忽然有人敲门，打开门一看，不免吃惊——门外站着我们单位的一位负责人。

那是 1983 年初冬。我被安排参加中国电影代表团到法国参加南特电影节。中国电影代表团的名单是由当时的电影局长石方禹拍板的。当然，电影局还必须征得我那时所属单位——北京市文联的同意。很爽快，甚至可以说是很高兴地同意了。第二天就要出发了。北京市文联的负责人老宋却忽然到我家来，是不是发生了什么变化呢？

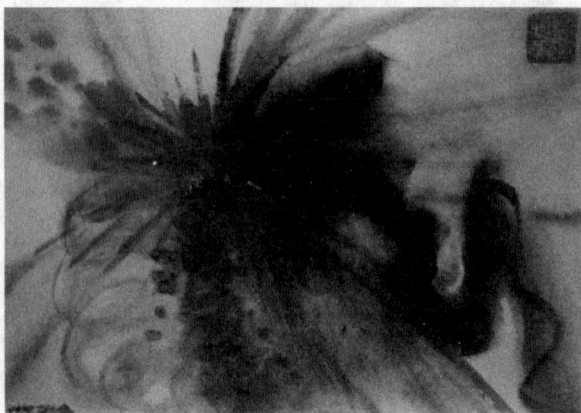

我把老宋让进屋，他也不坐，看看周围，我告诉他爱人孩子还没回家，他知道家里只有我一个，就跟我说："有个事要嘱咐你一下。"

老宋为人一贯温厚随和，但他话一出口，我不禁有些紧张了。明明头两天他见着我还提起去法国的事，只表示为我又能增加见闻高兴。他有事要嘱咐我，怎么早不说，现在风风火火地跑来说？

老宋个子高，真所谓虎背熊腰，我站在他面前，仰望着他。他十分严肃地嘱咐我："到了法国，如果有人问到时佩璞，你要证实，他是北京市文联的专业创作人员。"

原来是这么句话。我说："那当然。他就是嘛。"

宋老又叮嘱一句："你记住啦？"我点头。他就蔼然可亲地说："那好。不耽搁你收拾行装了。祝你们一路顺风！"接着就告辞。

老宋走了。我暂无心收拾东西，坐下来细细琢磨。

2

我意识到，老宋突访我家，一定不是他个人心血来潮。

到了法国，我应该在有人问起时，证实时佩璞属于我们北京市文联的专业创作人员。

我能证实。

想到这一点，我心安。我害怕撒谎。哪怕是为正义的事业撒谎。老宋不是嘱咐我撒谎而是强调我应该说实话。我很乐于跟任何人陈诉真实情况。

我是 1980 年从北京出版社调到北京市文联任专业创作人员的。直到我 1986 年又从那里调到中国作家协会《人民文学》杂志工作，并没有为专业创作人员评为什么一级、二级……专业作家的做法。后来时兴那样的做法，我已经从事编辑工作，未能参评，那以后到现在，我已没有专业作家的身份。但 1980 年至 1986 年之间在北京市文联任专业创作人员（也可以说成专业作家）那几年的情形，回忆起来还是花团锦簇、满心欢喜的。

那时候的北京市文联专业作家群真是老少几辈济济一堂,蔚为大观。老一辈的,有萧军、端木蕻良、骆宾基、阮章竞、雷加、张志民、古立高、李方立、李克……壮年的,有管桦、林斤澜、杲向真、杨沫、浩然、李学鳌、刘厚明……归队的,有王蒙、从维熙、刘绍棠等……新加入的,有张洁、谌容、理由等……因为人多,每次组织学习,必分组进行。我所分到的那一组,除了上面提到的某些大名家外,还有一位资历极深的老诗人柳倩,他曾是"创造社"的成员;另一位呢,跟我友善的兄长辈作家附耳嘱咐:"千万别在他跟前提到艾青!"原来艾青于他有"夺妻之痛";再一位呢,就是时佩璞。

开始我也没怎么注意他。有一天又去学习,他恰巧坐在我旁边。他堪称美男子,头发乌黑,脸庞丰腴,给人印象最深的是脸庞和脖颈皮肤超常地细腻,我估计他那时怎么也有四十岁了,心中暗想,他就没经历过下放劳动吗?怎么能保持着这样的容颜?更引起我好奇的是,他里面的衣裤和皮鞋都非很洋气,可是身上却披着一件土气的军绿棉大衣,那时候可是只能从军队里得到的啊。

学习会休息期间,我们有对话。我跟他说,真不好意思,还不知道您是写什么的,是诗人吗?他就说是写剧本的。我就问他写过什么剧本?他说写过《苗青娘》,我就"啊呀"了一声。

我敢说王蒙他们可能直到今天都不知道何谓《苗青娘》,那真是太偏僻的作品了!可我偏偏知道!

当然,我以前只知道有出京剧是《苗青娘》,并不知道编剧是谁。于是我不得不再自我惊叹,我的祖辈、父辈、兄姊辈,怎么会牵出那么多七穿八达的社会关系,竟一直影响到我,有的甚至延续到今天。父亲曾和一位赵大夫有密切交往,而那位赵大夫的弟弟,便是京剧界鼎鼎大名的程派青衣赵荣琛,因而,我们家的人,在以往的程派青衣里,也就特别关注赵荣琛。也就因此知道些赵荣琛的秘辛。比如,上世纪六十年代初,忽然有关部门夤夜造访赵荣琛家,说是对不起打搅,毛主席想听您唱戏。赵荣琛登上接他的汽车去了中南海。下车的时候,发现另有一辆车,接的是侯宝林。原来毛主席把夜里当白天过，白天是要睡觉的。进去后发现那是一个跳交际舞的大厅。毛主席跳舞间隙，再听段相声，来段京剧清唱。毛主席很亲切地接见了赵荣琛，让他坐到自己那架大沙发的阔扶手上，说你今天能不能唱段新鲜的？赵荣琛就说，那我唱段《苗青娘》里的二黄慢板吧。毛主席那时候也不知道何谓《苗青娘》，说生戏生词听了不懂，赵荣琛就扼要地介绍了剧情：此剧又名《羚羊锁》，剧中的苗青娘因金兵入侵与丈夫儿子离散，丈夫投入敌营，苗青娘后来也被掳去，在敌营她私下劝丈夫杀敌归汉，丈夫不从，还要加害于她，她就在儿子帮助下刺死丈夫，以明爱国之志。毛主席听了剧情，十分赞赏，说表现大义灭亲啊，好！又让秘书拿来纸笔，赵荣琛当场挥毫，毛主席直夸其书法漂亮，后来赵荣琛唱那段二黄慢板，毛主席就边看写出的唱词边叩掌细品。

我跟时佩璞说知道《苗青娘》，他长眉微挑，道："真的么？"我略说了几句，他发现我非吹牛，十分高兴。我问他是否自己也上台演唱？他说当然，只是次数不多。他说曾拜在姜妙香门下，在北京大学礼堂唱过《奇双会》。哎呀，天下巧事到了我这儿真是一箩筐！我就跟他说，我哥哥刘心化是北京大学京剧社的台柱子啊，唱的是梅派青衣。他说那回他们在北大演出，前头就有北大京剧社的成员唱"帽戏"，我说指不定就是我哥哥唱《女起解》哩……我们聊得就更热乎了。

后来又有一次，学习时我们又坐一块。休息的时候又闲聊。他问我住哪儿？我告诉他在劲松小区。那时侯只有给落实政策的人士和极少数加以特殊奖掖的人士，才能分到新小区里的单元房。我告诉他时不无得意之色。我分到一个五楼的两室单元。四楼有一套三室的分给了赵荣琛，刚听到那个消息时我兴奋不已。但由于赵荣琛那时年事已高，又有腿疾，拿那四楼的单元跟别的人调换到另外地方的一楼去了，我也因此不能一睹赵荣琛便装的风采。不过我们那个楼里住进了荀派传人孙毓敏，还有著名武旦叶红珠……时佩璞很为我是个京剧迷高兴，他说，原以为你只知道几出"样板戏"。散会时我顺便问他住在哪儿？他说在和平里。欢迎我有空去坐坐。他问我喜欢喝茶还是咖啡？我说当然是茶，咖啡喝不惯。他说那真可惜——他那里有上好的咖啡。他给我留下了电话号码，又说，你要来一定先打电话，因为我也许在城里的住处。他家里有电话？那时候我们住在劲松的中青年文化人几乎家里都没有安装电话，打电话接电话都是利用公用传呼电话，所谓"劲松三刘"——刘再复、刘湛秋和我，都是到楼下那个大自行车棚里去，那里有一台宝贵的传呼电话，我记得有一次因为都在那里等着别的邻居把老长的电话打完，站得腿酸，湛秋就一再问我，怎么才能申请到家里的个人电话？但是时佩璞家里却有私人电话。更让我妒火中烧的是，他居然除了和平里的住处，在城里还另有住处！当时阴暗心理油然而生：《苗青娘》的影响，怎么也没法子跟《班主任》相比啊……（那时候因为和平里在二环路以北，被视为"城外"，现是四环以外才算郊区了。后来知道，他城里住处在新鲜胡同，是一所宅院，那住所里不仅有电话，更有当时一般人家都还没使用上的冰箱等电器。）

我当然没有给时佩璞的和平里居所打电话，也没有去拜访他打扰他构思写作新剧本的想法，我只盼望下一次学习时能再跟他插空聊上几句。

但是那以后时佩璞再没有出现。我也没太在意。那种专业作家的学习会常会缺三少四，我自己也请过几次假。

当我已经差不多把时佩璞忘记的时候，在去法国前夕，老宋却突然来我家，特别就他的身份问题嘱咐于我。没得说，我一定照办。

3

到了法国，在巴黎住了一晚，第二天就乘火车去了南特。那是一座典型的西欧富裕城市，整个儿活像一块甜腻腻的奶油蛋糕。在那里每天要参加许多电影节的活动，我的神经高度兴奋，兴奋点几乎全跟电影有关，因此，我几乎把时佩璞忘得一干二净。在南特期间没有任何人跟我问起过时佩璞。

从南特返回巴黎，第一夜，我就想起了老宋，他那嘱咐我的身姿神态宛在眼前，我就提醒自己：若有人问，一定要如实回答。当然，我也懂，如果没有人问起，我一定不要跟任何人提起这个名字来。

在巴黎停留的几天，我多半是约上陶玉玲，用当时堪称大胆、如今已很时兴的"自由行"的方式，乘地铁加步行，到各个名胜点观光，没有任何人认识我们，当然也就不可能有任何人跟我们提出任何问题。巴黎的华侨领袖请谢晋和我们一行去看"红磨房"的演出、参观新奇有趣的蜡像馆、到华侨开的旅游纪念品商店购物、到有红挂头和龙图案的中餐馆吃饭……其间也没有任何人提起过时佩璞。在巴黎还有几位专门研究中国电影的人士跟我们聚谈，他们谈的都是中国电影，不涉及京剧，当然更没有什么跟《苗青娘》相牵扯的内容。

那是在巴黎最后一晚了。我跟陶玉玲逛完了回到旅店，谢晋见到我就跟我说，有位叫于儒伯的汉学家把电话打到我们俩住的房间，说晚上想约我出去吃个饭，聊聊天。谢晋告诉他我可能会吃过东西再回旅馆，于儒伯就让谢晋转告我，多晚都不要紧，吃过饭也没有关系，他还会打电话来，一直到我接听为止，如果我吃过晚饭，他会带我去酒吧聊天。

于儒伯是那时候法国汉学家里关注当代中国作家创作的一位。他多次访问中国，跟几辈中国作家都有交往。他在北京见过我，在法国报纸上介绍过《班主任》和"伤痕文学"。我既然人在巴黎，他来约会，没有理由拒绝。但谢晋发现我面有难色，以为我是逛累了，就劝我说："人家是好意。你累了先躺一躺，到酒吧喝点鸡尾酒，你就有精神了。"他哪里知道，我是怕终于由于儒伯来问时佩璞。

于儒伯是个中国通。但他有时候"通"得有些可怕。记得有一次我应邀到外地参加一个活动，住在一个我自己连名字都还记不清的旅馆里，刚进房间不久，电话铃响了，一接听，竟是于儒伯打来，我吃惊不小，忙问他怎么知道我到了哪个城市而且还知道我住的旅馆更知道我住进了几号房间？什么事跟侦探似地追着我来电话？于儒伯却只在电话那边呵呵笑。其实听下来，他找我也并没有什么特别要紧的事。

那晚在巴黎，我还并不知道，时佩璞从我们北京市文联专业作家学习活动中消失，是应一个文化活动的邀请到了法国，而就在我们中国电影代表团去参加南特电影节前数月，在法国以间谍嫌疑被捕，将面临起诉审判。但绝不愚钝的我，已经敏感到，无论是有法国人跟我问起时佩璞，还是我答曰他跟我一样是北京市文联的专业作家，都绝非一桩可以轻描淡写的事情。

我紧张了。甚至问谢晋要了点他所喜爱的威士忌来喝。我希望于儒伯不再来电话。毕竟，我是戴过红领巾和共青团徽章的人，我的成长过程决定了那时的我绝不适应夜生活，哪怕是很雅皮的酒吧夜生活。那个时间段我应该是上床睡觉了。

然而电话铃响了。谢晋提醒："找你的。"我去接。是于儒伯。他第一句话就是："我的车就停在你们旅馆门口……"

我就出去上了于儒伯的车。他驾车，我坐在他旁边。问好之外，且说些淡话。他开车太快，拐弯太猛，而且，妈呀，怎么要跑那么远？什么鬼咖啡馆，非去那儿吗？

终于到了。是一间很雅致，甚至可以说是相当朴素的酒吧。显然于儒伯是那里的常客，柜台里外的服务人员都跟他亲热地打招呼。于儒伯把我引到一个车厢座，哎呀，那里怎么另有两位法国人？于儒伯给我介绍，人家也就礼貌地跟我握手。我只听清其中一位是一家什么报纸的编辑。另一位没听清是什么身份。我是否该再追问一下呢？心里这么想，却也没追问。于儒伯给我推荐了一种淡味的鸡尾酒。后来又要了些小点心。他谈兴很浓。他向我问到一些人，记得问到巴金，问到王蒙，问到毕朔望（当时是中国作家协会外联部主任）……我心上的弦绷得很紧，随时打算回答他那重要的一问："是的，时佩璞是我们北京市文联的专业作家之一，他是位剧作家，写过一部剧本叫《苗青娘》……"但是，直到后来我说实在很疲惫，明天一早就要去机场赶飞机了，他乐呵呵地送我回到旅馆门口，跟我挥手告别，祝我一路顺风，又说北京再见，也并没有一句话涉及到时佩璞。

睡下以后，我在被窝里重温与于儒伯的会面，他应该不负有向我询问时佩璞的任务。他跟我交谈中，不时穿插着用法语跟那两位不懂中文的法国人翻译我的部分话意，又仿佛略讨论几句，我仔细回忆推敲，其中一位确实是报纸编辑，另一位则应该是出版社的人士，于儒伯跟我探讨的主要是当下中国哪些文学作品适合介绍翻译到法国。

回到北京，我很快选择了一个只有我和老宋在场的机会，跟他简单地汇报："整个在法期间，没有任何人跟我问到过时佩璞。"

老宋听了只说了两个字："那好。"

说完我就离开了。

1984 年，我又接到当时西德方面一个邀请，去了那里。在法兰克福，一位德国汉学家说刚从巴黎回来，我就问他是否见到于儒伯？西欧汉学家是个小圈子，一般都有来往，若是汉学界方面的活动，一定会熟脸汇集。没想到他说："你不知道吗？于儒伯死了。前些时候他开车去奥利机场赶飞机，半路上跟人撞车，死了。"我一惊，跟着一咋："是一般车祸吗？会不会是……"对方说："就是一般车祸。谁会谋杀一个搞汉学研究的人呢？"虽然道理确实如此，我还是发了半天愣。

4

后来我跟小哥刘心化说起时佩璞，他还记得当年时佩璞在北大礼堂演出《奇双会》的盛况。他说时佩璞还跟关肃霜配过戏。时佩璞不仅能唱小生，也能演旦角，扮相极好，嗓音也甜，只是音量太小，"跟蚊子叫似的，若不坐头几排，根本听不清，那时候也不兴带唛"。但是，他对我说时佩璞是《苗青娘》编剧，却大撇嘴。他强调那是老早一位叫金味桐的先生专为程砚秋编的本子，但是程本人并没有将这出戏排演出来，后来赵荣琛演了，但统共也没演几场，是极冷的一出戏。

出于好奇心，我到图书馆去查，找到了薄薄的一册《苗青娘》，是 1964 年北京出版社出版的，那个戏曲剧本署了两位编剧的名字，第一位是薛恩厚，第二位是时佩璞。再后来又打听到，时佩璞曾在云南大学学过法语和西班牙语，他与薛恩厚合编《苗青娘》剧本的时候，编制在北京青年京剧团。关于苗姓女子杀夫殉国的故事，不知究竟源于何典，但闽剧里早有相关的剧目，只是女主角姓苗而不叫青娘。1952 年金味桐编写的本子叫《羚羊锁》，羚羊锁是戴在女主角儿子脖颈上的具有标志性的佩件，是贯穿全剧的一个道具。这个儿子长大后与父母重逢，在父母发生去留争议时站在母亲一边，最后跟母亲一起大义灭亲。将同样的故事改编成有所区别的本子，在戏曲中是常见的事。薛、时的本子究竟与金味桐的本子差别何在，因为没见到过金本，我无从知道。但有一点是可以肯定的，就是薛、时的本子在弘扬爱国这一主题上，特别地用力。

随着时间的流逝，我对时佩璞的好奇心渐渐淡漠。

1988 年我再次踏上法兰西土地，这回是参加一个中国作家代表团去的。在巴黎，有一天聚餐时，我忽然听见几位巴黎的中国华侨议论起时佩璞来，他们议论的内容是，时佩璞 1983 年被捕，轰动一时，但很快人们就又被新的轰动事件吸引，几乎全把他忘记了，可是，三年过去，1986 年忽然法院进行了宣判，判时佩璞间谍罪，判他的情人，法国原外交官布尔西科叛国罪，顿时又引发了轰动。

细听那几位华侨讲述，事情也真该轰动。太耸听了啊！

原来，布尔西科先在法国驻北京大使馆工作。是身份很低的外交官。他在一次酒会上见到了时佩璞，当时时被邀去表演京剧唱段，是彩扮演唱，扮出来的不是小生而是小旦。布尔西科为之倾倒。两个人后来私下就往来起来。布尔西科一直以为时佩璞是个女人。两个人的关系最后发展到肉体接触，多次作爱。后来布尔西科奉调回国，但两人情深意绵，剪不断理还乱。再后布尔西科又谋到了法国驻蒙古国大使馆里的职务，利用出差北京的机会，跟时佩璞再续前缘。有一次布尔西科到北京找时佩璞时，发现时佩璞身后有个怯生生的小男孩，是中国人与西洋人混血的模样，时佩璞就让那孩子叫他爸爸。布尔西科没有怀疑。接受了这个意外的惊喜。后来时佩璞带着这个孩子来到巴黎，跟布尔西科团圆。但好梦难续，法国反间谍部门称掌握了确凿的材料，布尔西科跟时佩璞交往期间，不断把大使馆里的机密文件带给时佩璞……

最令法国舆论大哗的是，布尔西科直到 1986 年宣判时，才知道时佩璞竟是个男子！而时佩璞虽然不承认是间谍，却对自己的男子性别直供不讳！法庭更呈现了 DNA 检测结果，那个男孩与布尔西科了无血缘关系，根本就是一个从中国西北部找来的貌似中西混血儿的中国儿童！布尔西科当场精神崩溃。这究竟是怎么回事？难道一起作爱还不能辨别性别吗？后来媒体根据分别采访向公众解释，说时佩璞主要是使用了两个方法来迷惑布尔西科，一是他能巧妙地隐蔽自己的性器官，二是他强调自己是东方人，东方人不习惯在光照下作爱，必须在黑暗中进行；这样，布尔希科竟一直以为自己在和女子作爱……

华侨的议论还有更多的内容。说是法国的审判结果出来，在中国外交部例行新闻发布会上，有记者提问时，中国外交部发言人称，时佩璞不是间谍，他是办理了正当手续被法国当局批准进入法国的。中国在任何时候也不会施用"美人计"以获取情报。时佩璞间谍案对中法两国的关系似乎并没有产生什么负面影响。更有意思的是，宣判才过一年，1987 年，密特朗总统就宣布了赦免令，既赦免了时佩璞，也赦免了布尔西科。那么，他们出狱后，还会再在一起生活吗？当然不会。到 1988 年我们中国作家代表团来巴黎访问的时候，据说时佩璞已然流落街头，他到中国领事馆要求回到中国，领事馆以他没有了中国护照并且已然入了法国籍加以拒绝。

他们议论时，我一直默默地听着。我身边一位不住在北京的同行问我："这个时佩璞是个什么人啊？"我就回答说："他原是北京市文联的专业作家，他写剧本，京剧剧本《苗青娘》就是他跟另一位剧作家合写的。"

就这样，在巴黎，我终于回答了关于时佩璞身份的问题。

5

我曾画过一幅抽象画，命意是《心灵深处》。那正是我从"不惑"朝"知天命"跋涉的生命阶段。在那一阶段里，我不仅画水彩画，也画油画。有时更在材料、颜料和画纸的使用上"乱来"，我完成后一般会在画题后注明"综合材料"。《心灵深处》就是一幅"综合材料"的制作。经过近半个世纪的生命历程，我开始醒悟，其实，无论政治、经济、文化、时尚……在表象之下，有很深很深的，难以探究却又必须孜孜不倦地加以探究的东西，那就是人性。在人，那活生生的躯体里，存在着一个神秘的心灵，在心灵的深处，时时涌动着的，究竟都是些什么因素？

时佩璞和布尔西科间谍案，确实没有搅乱中法关系。从官方来说，中国方面虽然坚决否认时佩璞是间谍，认为法方以间谍罪审判时佩璞令人震惊和遗憾，但表完态也就算了，不仅政治、经济方面的中法关系继续友好推进，文化交往也有增无减，刚判了时佩璞六年监禁，包括我们中国电影代表团在内的若干文化团体与个别文化人，仍前往法国参与各项文化活动，就是明证。

时佩璞确实爱布尔西科。布尔西科也确实曾把时佩璞当作东方美女爱得死去活来。这应该不算典型的"同志之爱"。时佩璞后来证实生理上并非双性人，也没有做过变性手术。时佩璞在法庭审判时说，他虽然任由布尔西科当作女子来爱，但他自己从未跟布尔西科宣称自己是个女性。这申明对于法官确认他是间谍毫无动摇之力，但时佩璞说这话时眼泛泪光，使不少旁听的人士感到，他对布尔西科确有某种超越政治的情感的忠诚。据说两个人同被赦免后，布尔西科对时佩璞转爱为恨，不愿再跟他来往，但到了两个人都越过了"耳顺之年"，时佩璞主动找到因中风住进疗养院的布尔西科，在他榻前真诚地表白："我还是深深地爱着你。"这应该绝对不是为完成某种使命才使用的"伎俩"，而是发自心灵深处的幽咽之声。

布尔西科难以原谅时佩璞。他比时佩璞小六岁。当他被时佩璞激起情欲拥吻作爱时，才刚满二十岁。据说他们头一次作爱后，时佩璞去浴室洗浴，布尔西科在朦胧的光影下，看到时佩璞下体上有鲜血，就激动地冲过去紧搂他，连喊"我的女人"。由此布尔西科对时佩璞给他生下儿子深信不疑。他们给那个孩子取的法国名字叫贝特朗，中国名字则叫时度度。时佩璞当然是欺骗了布尔西科，但直到法庭审判，布尔西科仍坚称他向时佩璞提供使馆文件绝不是为了金钱，而只是出

于感情，那感情不仅是爱情，更有亲子之情。当时佩璞自己承认并非女子不可能
生育后，布尔西科一定感觉陷入了地狱。审判结束他们被作为一对男犯关进同一
监室，对于布尔西科来说那就是地狱的最深一层。他质问时佩璞究竟是男是女？
时佩璞拉开裤子的文明链让他看，又再拉拢。这比魔鬼的拷打更疼痛。监狱出于
人道考虑，很快将时佩璞移往别处。布尔西科用剃刀自杀未遂。

　　法国总统为什么赦免布尔西科？据说布尔西科先后提供给时佩璞的那些使馆
文件都是保密级别最低或次低的，当然，作为法国大使馆成员，哪怕只将一份最
低级别的保密文件拿去给人都属叛国行为，但布尔西科给法国带来的损失确实不
足道，他的浪漫痴情却颇令人同情，这也许是赦免他的一个重要原因吧。尽管布
尔希科从那以后一直不能原谅时佩璞，但有人在他家中发现了一段写在纸上的话，
大意是时佩璞毁了他的一切，但到头来被人欺骗总比欺骗人好，他仍然宁愿时真
是一个女子，贝特朗真是他的儿子……

　　至于法国总统赦免时佩璞，那可能是出于向中国示好。既然这个引出轰动的
间谍案，社会舆论热点并不在政治、外交方面，那么，乐得施恩。一般人都认为
时佩璞被赦后找到中国领事馆要求回国被拒，于是带着时度度隐居巴黎。但有细
心的人士在1999年发现了一份《北京市卫生局统战处先进事迹》的打印件，其中
列举的一桩"先进事迹"是："旅法华侨时佩璞教授回京，他患有心脏病、糖尿病，
我们安排同仁医院给予细心的治疗，他非常满意。"当然，那也许只是姓名相同的
另一位时先生。

　　[本节部分内容参考了2009年《南都周刊》第27期由括囊根据Joycewacler撰
述编译的文章。]

6

　　1994年初，我到台北参加了《中国时报》主办的"两岸三地文学研讨会"。除
了会议的正式活动，也和一些台湾文化人一起到茶寮酒吧聊天。有一次在茶寮里，

是和几位很年轻的台湾文化人在一起，有的还在大学里学戏剧或电影，尚未正式
进入文化圈，但他们思想很活跃，心气很高，话题也就都很前卫。不知怎么就聊
到了"同志电影"。有的说到底还是台湾走在了前头，八年前（1986 年）虞戡平就
把白先勇的《孽子》搬上了银幕；有的就说还是大陆后来居上嘛，陈凯歌的《霸王
别姬》去年（1993 年）不是在戛纳夺得金棕榈了吗？于是就有一位提到了最新的
好莱坞电影《蝴蝶君》，说是根据一个中国大陆男扮女装的间谍的真人真事改编的，
那间谍案在法国刚刚尘埃落地，纽约百老汇就编演了歌舞剧《蝴蝶君》，编剧叫黄
哲伦，是个 ABC（在美国出生长大的中国裔人士），这剧一演就火了，去年（1993
年），华纳公司请澳大利亚导演柯南伯格把《蝴蝶君》拍成了电影，本来是非常出
色的，可真是"既生瑜，何生亮"，谁想到去年国际上同性恋的电影扎堆儿出现，
陈凯歌的《霸王别姬》拍得有霸气，那光芒硬是把《蝴蝶君》给掩下去了！有的
就说，柯南伯格特别请到尊龙来演蝴蝶君，尊龙也真出彩，但是怎么又想得到人
家张国荣出演程蝶衣，"此蝶更比那蝶狂"，张国荣又把尊龙给比下去了……他们
在那里对"同志电影"品头论足、嘻笑怒骂，独我一旁沉思，于是对面一位女士
就问我："刘先生，您听说过'蝴蝶君'的事情吗？"我答："岂止是听说过。不过，
我觉得，那个法国外交官和他之间，似乎还并非'同志之恋'……"席间有位人
士就说，他有刚翻录来的《蝴蝶君》录象带，非常难得，如果我想看，他可以请
大家陪我去他家欣赏。在座先就有女士尖叫起来，催着快走。有人建议他回家把
录象带取来，在茶寮的电视机上放，他说："那就犯法了啊！"他问我想不想去他
家看《蝴蝶君》的录象带，我的回答不仅出乎他的意外，更令几位想跟他去看带
子的人士失望，我说："算了。以后总有机会看到的吧。"

　　那时，我对"蝴蝶君"时佩璞及其风流艳事，已经完全没有了兴趣。黄哲伦也好，
柯南伯格也好，尊龙也好，他们通过电影能诠释出什么来呢？

　　又过了十年，2004 年，我才得到一张电影《蝴蝶君》的光盘。本来就没抱
什么期望，放完光盘更是大失所望。其中只有一段涉及什刹海银锭桥畔的镜头，

引出了我若干伤感情绪，但那与电影中人物的命运无关，而是因为我自己在那镜头展现的空间附近生活过十八年，我的反应属于"接受美学"范畴里的"借酒浇愁"。

当然，看完《蝴蝶君》的光盘，也不禁沉思。究竟时佩璞的心灵深处，涌动的是些什么东西？他还在巴黎吗？

7

今年，即 2009 年 6 月 30 日，时佩璞病逝于巴黎，享年七十岁。法新社马上予以报导。中国新闻社及国内一些传媒也有所报导，《南都周刊》还作为"封面故事"，给读者提供了图文并茂的信息。存在过的肉体将在棺木里渐渐腐烂。心灵呢？是马上消亡，还是也有一个慢慢腐烂的过程？

记者们当然不能放过肉体和心灵都还存在的布尔西科，他们到疗养院找到了风瘫的他，出乎他们的意料，布尔西科对时佩镤死去的反应十分冷淡。他只是用游丝般的语气说："四十年过去了。现在盘子清空了。我自由了。"谁能充分阐释他说这几句话时，心灵深处究竟是什么状态？

从网络上寻觅到一段京剧《苗青娘》里的二黄慢板，是赵荣琛生前留下的宝贵录音资料，这一唱段，正是近半个世纪前，他深夜在中南海里幽咽婉转地唱出来给毛主席听的：

骤然间禁不住泪湿襟袖，

悲切切想起了国恨家仇，

叹此身逢乱世我嫁夫非偶，

母子们咫尺天涯难诉从头，

我好比在荆棘里挣扎行走，

我好比巨浪中失舵的扁舟，

到如今断肠事不堪回首，
对孤灯闻夜漏痛彻心头！

　　这段戏词究竟是出自金味桐，还是薛恩厚，抑或就是时佩璞的手笔？不管是谁所撰，总之，细细体味吧，搁在"蝴蝶君"自己身上，不是很有宿命意味吗？

2009 年 9 月 23 日完稿于绿叶居

悼念一个不相识的人

前两天看电视，偶然看到一个叫"追光一束"的节目（是某个专题节目中的一个小栏目），记者采访北京人民剧院一位女演员，她在谈自己演艺生涯的过程中，不知怎么就提到了他们剧院一位男演员不久前在广州自杀的事，不禁黯然，荧屏上也就穿插了一个该演员与她在某剧中的剧照镜头，当然是一闪而过，那位眼睛潮湿的女演员说："……他，也可能是因为觉得，自己所追求的，总没追求到……"我感觉，女演员的神情中，不止是对逝者的愧惜，也蕴含着对自我的惆怅。

"追光一束"，这栏名的立意，也许只不过是表明，它所介绍的，是舞台演员而已，因为在舞台演出中，追光一般总是耀射着导演所强调的人物，即使不是主角，也该是某一幕某一场中起关键作用的角色；舞台上追光的运用，大体等同于影视中的特写镜头；但在"追光一束"这个电视栏目里，被采访的舞台演员所展示给电视观众的，就不仅是他们所扮演过的角色，而是他们真实的人生，于是我们看电视时，也就很容易由彼及己，联想到我们自己，我们，不管所占据的生活舞台多大，一般来说，也都渴望着成功，渴望生活的"追光"能耀射在自己身上，虽然我们口头上，乃至理智层面上，也许确实谦逊、谨慎，不作"出人头地"之想，但潜意识里，一般都是隐伏甚至奔涌着对"追光"的向往的。"追光一束"这个栏目，在这样的"解读"中，也就有了命名者始料未及的深层效应。

那天那个节目里，女演员所提及的自杀者，叫任宝贤。

"他演过什么？"

这不仅是任宝贤即使死掉依然会遇到的问题，也几乎是我们每一个人在生活舞台上都会遇到的问题。常常是，我们提及一个老同学、老同事、老邻居、老相识，于是总有人问："他（或她）现在怎么样？"甚至会在"怎么样"之前加"混得"两个字，当上局级干部了吗？升到副部级了吗？上下班是什么车接送？皇冠？奥迪？桑塔纳？有高级职称了吗？出几本书了？出几次国了？发多大财了？住几室几厅？儿女可在美国？日本？澳洲？欧洲？……或者没这么高的标准，但所射出的，一定是一束"追光"，我们提及别人时如此，别人提及我们时也如此，庸俗吗？没办法，我们，绝大多数的世人，都庸，都俗，我们希望自己在追光下是令人尊重乃至艳羡的，我们也希望别人如此吗？一般来说，我们总是希望别人"也好"（即与自己持平），或不那么好（可立即倾泻浓酽的同情），如别人的境遇好到我们自己高不可攀的地步，那么，我们便一不会嫉妒二不会向往，但我们也许会乐于频频提及自己所知的该人出道前的种种轶闻趣事。

任宝贤不消说演过很多的角色，有的角色塑造得很成功，但是，很遗憾，一般人记不住这个名字。尤其如今，如今是"大腕"（一作"大蔓"）和"大款"主宰传媒的时代，红的更红，紫的更紫，有的达于"龙胆紫"，传媒还要更用劲地把他那"符号"嵌进你的脑海，即使你反感，到头来你还是记住了她或他的名字。他们与你的意识同在，甚至不以你的意志为转移！

我不认识任宝贤，他的自杀，也许有永难解释的原因，有纯私密的因素，但从那位女演员的片言只语中，我总感觉，他那"没有追求到"的悲剧心理的形成，我们，一群庸人和俗人，我们总是热衷"鲜花着锦、烈火烹油"而吝于"雪中送炭、吹尘见璞"的世风，所构成的氛围，也起着隐形的作用，这也许是没有办法的事，这里所牵扯到的，是一些超意识形态的东西，普遍人性的东西（中外古今皆然），念及此，我心中不仅惆怅，而且充溢着一种大悲悯。

我悼念这位不相识的演员，这位至死尚未被公认为"大腕"而且也未能在影、视、歌、剧"四栖"的演员，这位也许他内心早已认为自己不亚于公众追光中的"大腕"、却得不到传媒追光耀照的演员，或是他焦虑于自己已无希望成为"大腕"而终于失却信心的演员；在对他的悼思中，我寄托着什么？是劝慰自己，不要如他那样，对经过认真努力挣扎奋斗所能获得的实归之名、实至之利，过分地执着？还是鼓励自己，在漫漫的人生道路上，继续地承受不断"边缘化"的处境，把追光的不再追己，视为常态？

保罗·沙特说："他人即地狱。"其实，他人的眼光犹如"追光"，只容得下"摩登宠儿"，不将未成功者及平庸者、失败者收入视野罢了，中国人的习惯说法，是"势利眼"，"势利眼"虽可恶，却也还谈不到如地狱般可怕。过去，有"人言可畏"一说，阮玲玉还因此而弃世，现在却似乎是"人无言更可畏"，尤其是渴望成功的演艺人员，演了半天，谁也不置一辞，连喝倒彩的都没有，闹到最后，台上台下都无追光，于是也有弃世的。可见"追光"这东西，很有点追魂索命的杀伤力，我们对它，都该求之勿执、失之无惜才好！

1994 年 3 月 9 日绿叶居

丁玲复出独家见闻录

1978 年，我在北京人民出版社（现北京出版社）参与了《十月》杂志的创办（刚开始称"丛书"）。编辑部的人们都四出积极组稿。那时我对曾经挨过整遭过难的文坛前辈，确实不仅同情，还总愿意为他们做点什么，在我的组稿对象里，他们是重要的方面。

那时候听说丁玲也回到北京，住在友谊宾馆，为自己政治上翻身努力活动。从后来她自己及相关人士的回忆文章可以知道，她的平反历程并不那么顺遂，不是一步到位。我找到友谊宾馆丁玲住处，跟她说我是《十月》编辑，是来向她求教，跟她约稿的。她怀疑地望着我说："我的东西你们能发表吗？恐怕落伍了吧？"我说："哪能呀。《十月》的读者如果见到您的作品，不知道有多么高兴呢！"她就说："我倒是有现成的一篇。不过，给人家看过，人家不愿意就这么发表。"我说："怎么会不愿意呢？您拿给我们去发吧。"她犹豫了一下，打开书桌抽屉，拿出一篇稿件来，却没有马上递给我，仍然说："我怕你们年轻编辑看了，觉得我这种东西老旧。"停了停又说："人家说结尾写得不好，让改呢。"我说："就给我们拿去发吧。"于是她把那篇稿子递给了我。回到家，我展读。那篇散文叫《杜晚香》，写一位北大荒的女劳动模范。从题材上和叙事方法上看，确实属于"文革"前看惯了的那类革命现实主义的作品。但丁玲毕竟是丁玲。她的文稿有着并非刻意而是自然流露的个人风格。那以前的这类作品往往以激情洋溢取胜，她这篇却非常冷静，似乎拙扑，却颇隽永，其结尾我不但没觉得不好，反而觉得是水到渠成。于是当晚我就在家里斗室给她写了一封信，告诉她我看了《杜晚香》的感受，认为这样的作品在《十月》上刊登是非常合适的，读者也早就期待着她的复出。第二天我到了编辑部就跟"领导小组"其他成员汇报了情况，大家都很高兴，我就立即编发，并且再附一封短信，寄出了那晚给丁玲写的的长信。那一期（应该是《十月》的第二辑）的稿件基本上审定，过两天就可以送往印厂付印。

　　就在这关口，忽然出现了戏剧性的情况。一天晚上，我当时所住的那个小院门口忽然开来停下一辆小轿车，里面下来一个人，进院就问："刘心武住在哪屋？"邻居指给他看的同时，我也闻声迎了出去。来的是刚刚恢复活动的中国作家协会的负责人之一葛洛，此前我已经认识了他，他那时也是《人民文学》杂志的副主编（主编由于张光年调去当中国作协一把手，已经换成李季），他怎么大老晚的跑我家找我来了？葛洛也不及进屋就问我："丁玲的《杜晚香》在你手里吗？"我说："我已经编发了。稿件现在在编辑部。"他气喘吁吁地说："那就快领我们去你们编辑部。"我莫名惊诧："编辑部早没人了呀。恐怕整个北京人民出版社除了传达室看门的，全走光了。什么事这么急？明天再去不行吗？"葛洛严肃地说："明天就晚了，必须今天，现在！走，你坐上我的车，咱们边去边说。"就这样，我跟他上了那小汽车。我告诉司机怎么往编辑部所在的崇文门外东兴隆街开。车子行驶中，葛洛告诉我，几个小时前，中央给中国作家协会来电话，说已决定给丁玲平反，书面通知随后会到，但现在必须立即安排丁玲复出的事宜，就是火速在即将出版的《人民文学》杂志新的一期上，刊登她的作品。而丁玲本人表示，她现成的作品就是《杜晚香》，而《杜晚香》前两天被《十月》的刘心武拿走了，还收到刘的信，说已安排在《十月》刊发。葛洛说，丁玲复出首发作品，必须由《人民文学》实行，这是中央的指示。他连连叹息，说其实他们杂志的一位编辑在我之前去过丁玲那里，丁玲把《杜晚香》给了她，没想到她很快退稿，说质量不够，要丁玲有了质量高的作品再给《人民文学》。"你看，把事情弄成了这样！"葛洛的口气很懊丧。我说，丁玲复出首发作品由《人民文学》刊登,这我理解。但这事光跟我说不行啊,需要通知《十月》总头甚至出版社总头才行啊。我一个人怎么能就把编好待发的《杜晚香》抽出来交给你们呢?他说你今天的任务就是让我们拿到《杜晚香》,其他的事情我们自然会跟你们出版社领导乃至北京市协调,肯定不会给你个人造成任何麻烦。车子开到出版社门口,发现还有车子已经等候在那里,原来人民文学出版社的负责人严文井也来了。他怎么也来?原来他也得到通知,中央决定为丁玲平反,他们出版社也要赶编赶印丁玲的书,书里也要收入《杜晚香》。我就领他们进入出版社楼里,拿我平日用的钥匙打开编辑部的门,终于取出了已经过技术处理的《杜晚香》原稿,葛洛与严文井如获至宝。至于他们在那个年代如何去复印分享,我就不得而知了。

　　第二天不待我汇报,出版社的诸领导都说已经知悉来龙去脉,"没什么好说的,丁玲复出国际关注,自然轮不到《十月》首发。"此事可谓当年中国大陆作家作品与政治交融的一大例证,可回味处甚多,但我现在回忆此事想特别强调的是,尽管后来丁玲与中国作家协会几位主要领导心不合面也不合,发生了许多摩擦,而我后来被调往中国作协担任了《人民文学》杂志主编,但丁玲在风向对中国作协不利,我的处境不妙的情况下,仍在一次文学界的公开活动里感念那时被《人民文学》退掉的《杜晚香》得到我的真诚肯定,她说:"我现在还保留着青年作家刘心武给我的信,或许有一天我会公布出来。"丁玲已去世多年,估计我写给她的那封信,仍可在她遗物里找到。

2009 年 3 月 19 日

刘心武给丁玲的两封信

其一：

丁玲同志：

　　从您处回到家中，一口气读完了《杜晚香》，的的确确，杜晚香这个形象"是从无垠的干旱的高塬上挤出来、冒出来的一株小草，是在风沙里傲然生长出来的一枝红杏。"当前的中国，实在需要更多的默默无语、扎实苦干的杜晚香；我们的文学画廊中，也实在需要增添杜晚香这样的形象！

　　我最欣赏的是最后一段，关于杜晚香决定自己拟定讲话提纲、并畅叙心曲的那五、六面。她平日的默默无语，并非盲从，更亦非麻木，而是她坚信行动胜于空谈，身教高于言教，因此，一旦她开起口来，便犹如江河奔泻，波声浩荡，扣人心弦了。她对党、对祖国的那种诚挚的爱，您写来真切感人，想必是她之所言，也是您之心声；我今天读来，共鸣不止，可见也写出了我的心声；我相信，此作发表后，会有相当数量的读者欢迎这一段的——这一段对塑造杜晚香的形象，真有"一锤定音"之效。

　　以上是我的直感。

　　您说想听到我的批评意见，我细想了一下还是提不出什么意见来。您或者以为，我是善恭维而怕得罪老前辈吧。不，我如果觉得有什么不妥乏处，一定会坦然陈述。

　　但是，我很理解您所告知的，某些同志对这篇作品的意见，他们说这篇作品"不精练"，大概是这么个意思：(1)整个作品淡淡写来，没有呐喊，没有惊人之笔，因此似乎"絮烦"；(2)结尾处，您的用意何在他们没有品出，因此更觉"何必如此"。我觉得，现在人们太习惯于惊心动魄、形露于外的写法了，太习惯于激情的呐喊、意外的情节、叱咤风云的形象，我自己所写的东西，就往往不能免这个"俗"，而您所取的写法，的确是许多人不习惯的："闲闲引入"，"淡淡叙来'，于质朴中见真情。当然，惊心动魄、激情洋溢、叱咤风云也不好一概否定，"俗'也有"俗"的优点，那也算得是一种风格；而清淡蕴藉，应当说是一种更难得的风格，我是把您的这篇《杜晚香》算到这一"格"中去的，也许甚不恰当，或者竟完全违背了您的本意，但我既然这么想了，也就不必隐瞒，于是把想法向您和盘托出。

　　我的住处（什刹海附近，西城柳荫街28号），离翻译家叶（老）君健同志颇近，常去向他请教，据他说，现在西方文学，愈见向清淡质朴发展，"全武行"之类的东西，"大声疾呼"之类的作品，"金刚怒目"式的风格，不能说已全然绝迹，但都只能列于"商业性作品"而判属下乘，要登"大雅之堂"，必得冷静、客观、不动声色，有时甚至不大注意描写，而采用淡淡的叙述、理智的交代。叶老的意思，是西方文学的这种发展趋势很值得我们研究、借鉴。据说西方文学家们接触我们的作品，总觉得有点幼稚，属"青春发动期"的产物，不够含蓄、冷静。这当然很可能是一种"阶级偏见"，但我们似乎也不好堵住双耳不予理睬，还是应当考虑考虑。您这些年来与世隔绝，当然更不可能接触到当代欧美文学，所以肯定不是受其影响或有所借鉴，而您的《杜晚香》却颇有清淡蕴藉之风，这真是个值得研究的文学现象，这，也许是您更加成熟的标志吧？

以上是我个人的读后感，还不能代表编辑部的意见（我还未拿到编辑部去），也许其他同志看了还有不同的意见，但我想我们《十月》的同志都会有及早发表这篇作品的愿望。广大读者渴望着读到您的新作，《杜晚香》送到他们面前，他们会高兴的；也许，会有一些读者对这篇作品提出这样、那样的意见，我想那也是一件好事，您要了解读者的口味、要求，最好还是采取发表作品引出反应、再加分析的办法，单是坐在屋里估计，恐怕是难以弄明白的。

这封信写到这里，才忽然想起，您年纪偌大，眼力一定不好，我字写小了，且又潦草，真对不住您，请您原谅！信太长了，啰啰嗦嗦，耽误了您不少时间，就此打住吧！

问陈明同志好！

祝您健康、快乐！

刘心武

5.16 夜 10 时

其二：

丁玲同志：

您好！

《杜晚香》已决定发在《十月》今年第三本（建国三十周年时出，十月份见书），现我们已拿去插图。

那天从您处回来，当晚我便拜读了。并于激动之中写成一信，但第二天未发出（因为还不知道其他编辑同志喜不喜欢这篇作品）；现在我们有四位同志读过，两位激赏（其中有我），一位认为有特色，另一位年轻同志虽然觉得不大习惯，也赞成发表。您瞧，《杜晚香》毕竟是香的，我相信发表后，能赢得不少读者赞赏的。

现将我写好未早发的信附于后，如果说得有不适当的地方，敬请批评指正。

祝健康快乐！

刘心武

5. 21

获奖前夕的高行健

2000 年 5 月 25 日　星期四　小雨转晴

隔着地铁三线终点站 Gallieni 东出口的玻璃门，我看见了他的身影。穿一身黑色衣服。我们八年没见了。上一回，是在斯德哥尔摩。那是 1992 年，我应瑞典文学院马悦然院士邀请，由 SAS 航空公司赞助一套机票，到瑞典及挪威、丹麦访游期间。行健闻讯专程自费从巴黎飞过去会我。他住到再复的那套公寓里。再复当时是斯德哥尔摩大学客座教授。我虽然被安排了独立住处，但为了跟行健、再复畅谈，也就住在再复那里。挚友间的聚谈是人生中最可珍贵的精神宴飨。暌别八年，最可珍贵的享受又将来临，心湖里涌动起一阵紧似一阵的波环。

没推开出口的玻璃门，行健已经在向我和妻子招手。出得门去，见他左手里攥着两把收拢的折叠伞。那天早晨巴黎飘着眼睛看不清的细雨，空翠湿人衣，石块镶嵌的老街被润得诗意盎然，但我们到达 Gallieni 时，霏霏细雨已经停了，空气里氤氲着树叶和青草的味道。去之前，没设想过见到他该怎样、会怎样运用肢体语言，握手？拍肩？却本能地——他那边也一样——拥抱在了一起。

行健老了，我亦然。但我们都老得与年龄相称。他比以前丰满许多，但他先天是小骨架，十多年前又得过肺病，一度可谓"萧然太瘦生"，身体状况很让亲友揪心，现在的丰满，令人欣慰，不像我，是往"胖子"发展，时刻要提醒自己"好自为之"。看到他那以往似乎有"永驻"趋势的黑眼圈彻底消退了，我更为他高兴。

他说现在生活很平静，起居活动有规律，睡觉也好。

他住的地方紧靠巴黎老城区东部边缘。那里触目全是些方盒形的现代建筑，与老城区景观很不相同。领我们乘了两三站公共汽车，到达一座小丘，一边是绿树荫翳的公园，一边是体量很庞大的公寓楼。进公寓楼，乘电梯到达他的那个单元，进门过道比较狭窄，厨房、卫生间交错分列于过道两边；但往右拐进他的画室，顿觉豁然开朗；那画室约三十多平米，雪洞一般，不作画时画案折叠起来靠墙而立，中国墨、毛笔、笔洗等作画工具也都收藏一边，大卷的宣纸倚墙角竖立，一些画成的作品则卷在一起横放墙边，空阔的屋子倒有些像舞蹈家的练功房，不过，地面满铺灰色的吸水毛毡，那不利于舞蹈，却有利于把宣纸直接铺在地面创作大幅的水墨画。仔细观察，发现一角有体积不大、质量很高的音响设备，行健告诉我，他作画时照例要播放心爱的乐曲，我注意到，他购置的 CD 盘除了西洋古典音乐，大都是些中国古筝、箫、埙演奏的乐曲，有传统的，也有像瞿小松创作的那种很前卫的作品。画室朝西一面开着一排阔窗，西望巴黎，老城区一望无际，举凡铁塔、圣心大教堂、先贤祠、伤残军人荣誉院等高耸建筑物历历在目；彼时开阔天宇仿佛泼上几团淡墨的宣纸，灰色水气往下方作不规则浸润，空灵的神韵似正欲渗入熙攘的俗世，我和妻子眺望再三，叹为观止。行健为何卜居此处，不问自明。

作为客厅的空间，要穿过画室再往里面去，不大，也就十来平米吧，对放着两具沙发，当中是朴素的茶几。客厅一角靠着个小画架，没有什么讲究的摆设，更没有故意炫耀"品味"的符码，略显凌乱，却很舒适。行健说，欢迎我们来住，这沙发一拉开就变成床，被褥什么的都为我们准备好了。我知道他很少在这新居里留客，他的欢迎我们，是既真诚而又罕有的。

品着香茗，我们畅谈。他把自己的生存状态描画给我们。他的收入主要靠卖画。巴黎好几个画廊，包括卢浮宫广场玻璃金字塔下面的著名画廊，都常备他的水墨画展销。他的画风偏向于抽象，但又有具象因素，主要用浓淡的中国墨来抒发他的生命体验，近来特别醉心于对光的表达，偶尔用点别的色彩；画幅大小不一，通常如对开报纸般尺寸。他的画不畅销，但每隔一段时间总能销掉几张，算是常销品吧。画价虽不算昂贵，画廊分成和缴税后所得，却也足够支撑他那有尊严的小康生活。他所酷爱的小说创作，不但不可能赚钱，还常常需要贴钱才能出版。他拿出台湾联经出版事业公司1999年4月出版的长篇小说《一个人的圣经》给我看，这本他从1996到1998三年时间写成的作品，厚达456页，印制得素雅精致，封面和书脊上都标明"法国国立图书中心赞助"。正因为他能"以画养文"，所以他能差不多用一千零一夜的时间潜心结撰出这个大部头。可喜的是有理解他欣赏他的法国汉学家和出版社，像对待他十二年前的那本长篇小说《灵山》一样，很快就翻译出版了法文本的《一个人的圣经》；他把那比中文本厚许多的法文书递给我，沉甸甸的。行健除了画画、写小说，还写戏、导戏。二十世纪八十年代中期，他的剧本《绝对信号》《车站》《野人》一个接一个在北京人民艺术剧院演出，引出过不小的轰动，但他接下来所写的《彼岸》等剧本虽然尚可经过一番曲折在刊物上发表，却再也不能在舞台上出现。1987年再到法国并定居以后，行健获得了畅所欲写并且畅所欲演的从事戏剧创作的条件，他兴奋，他勤奋，新剧本一个接一个出来，又一个接一个在舞台上化为了戏剧现实，而最令他高兴的是，他可以自己导演自己的剧作，十几年来，他把自己的戏剧亲自带到了世界许多地方，西欧的法、英、德、意、奥自不消说，北欧的瑞典，东欧的波兰、罗马尼亚、南斯拉夫，以及俄罗斯、日本、澳大利亚，非洲的象牙海岸、多哥、贝宁，都去过，至于香港、台湾，更去过不止一回。我详细问及他导戏的资金来源、运作方式、个人收益，他都一一作答，总而言之，个人收益无多，但乐趣大大。他告诉我们，近期不拟写小说，要把法国文化部订的一个戏在8月1号以前写完交上去，然后便打算安心画一阵画。由文化部拨款，向若干定居法国的剧作家预订剧本，不限内容形式篇幅，不设任何前提，更不会中途干预，只要按期交本子，就立即付给四万法郎，剧本则交给各剧院供戏剧专家们阅读选用，这是法国重视文化的一大例证。这将是行健用法语写作的第三个剧本，他告诉我开笔时觉得比较艰涩，现在篇幅过了预计中的三分之一，如登至山腰，开始有顺畅酣快的感觉。这个剧本是叩问死亡的。
我听了心里一紧。这样地终极追问，心灵该是怎样地绞汁呕髓？

　　行健关切地问到我们的情况，我把自己的微妙处境与越来越平静的心态告诉
给他。他说晓歌看去气色好多了，晓歌头回到欧洲，应该好好转一转，散散心。
我们说准备参加个旅游团先去意大利。他立刻给还没下班的女伴芳芳打电话，让
她回家时捎一份有旅行社广告的中文报纸来。他家似乎不订报纸。我们在北京时，
法国驻华大使馆的文化参赞卜来世先生和文化专员戴鹤白先生在饯行宴上都提到，
法国的《世界报》上有整版对高行健新作的评论，配发着他大幅照片，但在巴黎
高行健家里，我问到此事，他只淡淡地点下头，没有找出那张报纸向我展示的意思。

　　又谈及绘画，行健忍不住再引我们回到画室，那一刻，我感觉他对自己的定位，
首先是画家。这绝不是因为在文学、戏剧、美术的全方位发展中，到目前为止绘
画的经济收益最大，而是因为他的心灵，越来越渴望以水墨在宣纸上的皴染来倾
诉禅悟。他弯腰展开卷放在墙边的一摞托过的画作，一幅幅地在停顿中让我们品位，
只偶尔提及一下拟定的画题，或对我即兴评论简短地给予回应。他说那一摞都是
舍不得赠人更舍不得卖掉的，其中少数曾公开展出过，多数是近期作品。我觉得
他的近期作品里多次出现类似月亮的图象，而且在用水气表达光的衍射方面有近
乎固执的反复尝试，一时悟不透他内心里究竟旋绕蒸腾着些什么情愫。

　　他们的卧室兼书房与画室、客厅完全隔离开，在正对单元门的走道深处。他
领我们到那门口，打开门让我们看了一下。那个空间颇大，一般人家起居室的内容，
也具备。给我印象很深的是，他似乎没有很多藏书，大概他总是不断地对单元里
的书作减法，能稳定在那空间里的，只是工具书和最心爱的读物。他说还在使用
一台很老的文字处理机，那功能于他而言足够了，他没有电子信箱，电话、电传
已能满足他的社会交往需求。我很惊异于他那台文字处理机的"皮实"，问到其品牌，
他却答不出来。

　　我和晓歌在他家消磨了一整天。中午他基本上用冷餐招待我们，我们两就着

鹅肝酱，品着波尔多红葡萄酒，说出来的话不多，停顿的时间却颇长；我心头闪动着一些我俩从1978年开始交往以来的，穿越里时间风雨也超越了空间雾霭，延续不减的友情经历中的零碎镜头。晚饭是芳芳回家以后准备的，有好几道热菜。

告别下楼，已经夜幕低垂。行健说倘在白天，他会带我们穿过那个小花园，那是通向地铁站的捷径；晚上那里面不安全，说不定会有北非移民里的坏小子，从暗影中冲出来抢劫，芳芳就被他们抢过。我们从公园墙外绕向地铁站。四周非常冷清。行健再次请我们住到他那里。他说近一段时间除了去趟澳大利亚，推《一个人的圣经》的英文本以外，他都在巴黎，每天只是用一部分时间写剧本，暂不使用画室。可是我坦率地跟他说，现在落脚的地方就在蓬皮杜文化中心附近，游巴黎实在方便，还是约着再见面吧。他一直把我们送到地铁梯口，嘱咐我道，一定要多见面、多聊天。那一晚我和妻子出地铁站后迷了好一阵路，巴黎裹着夜裳，让我们尝到了其迷离诡谲的一面。

2000年5月31日　星期三　小雨转阴

这回和晓歌到巴黎，住在慧慧家。行健离过两次婚。慧慧是和他离异的第二个妻子。他的第一位妻子我没见过。慧慧呢，从他们相恋到他们结合，以及他们到法国后的一段生活，我都有些了解。我和妻子参加过他们的小规模婚宴，1988年我和刘再复参加中国作家代表团访问法国，还在他们巴黎家里畅叙留宿过。行健和慧慧以热恋始离异终，完全是性格差异未能磨合成功造成的。那是人生的一种无奈。不存在政治、道德方面的因素。外界的传闻都是无稽之谈。他们离异后，我和妻子仍把他们双方视为朋友，分别保持联系。这回知道我们一起赴法，行健和慧慧分别热情地邀请我们去其家里住。后来我们选择了慧慧那里。从她家步行五分钟即到蓬皮杜文化中心，步行十多分钟可达巴黎市政厅，步行二十分钟便是巴黎圣母院，就是步行到卢浮宫，也不过半个多钟头，实在利于每日外出参观游览。去巴黎前，我们通知了行健住慧慧家的决定，他表示理解。我们抵巴黎后，行健几次提出还是到他那里小住几日，或者我一个人去，我理解他的心情，是想多跟我聊天。

行健在法国定居后，埋头弄文学艺术。他从来不搞政治。他没有主义，没有政治纲领，没有参加过任何政治组织，更没有参与过任何政治活动。我以为，从法律角度来说，不能称他为流亡作家，因为他是 1987 年得到法国文化部正式邀请，办理了完备的合法手续来到法国的。当然，他对政治有非常敏锐的个人感应，并且在作品里表现着他这方面的生命体验，升华着心灵的憬悟，这也应是所有作家的天赋权利；但他的写作从来没有政治目的，他的单一目的只是创造出纯粹的文学精品。他到法国后把人际关系减化到最精当的程度，不敷衍任何人，不在人际交往上浪费生命。他内心充实，不会有一般人的所谓寂寞感，但他渴望能够经常和真正能撞击出心灵火花的谈伴相聚，在这方面他可能尚未得到充分满足，难怪见到我这个老朋友，他想抓住不放。其实，暌别八年了，而且是各自在不同的空间里，以不同的状态消费掉了许多生命，我觉得自己面对着越来越博闻多识、意态怡然的的他，恐怕已经算不得是个旗鼓相当的谈伴了。

我们约定在蓬皮杜文化中心前庭会面。这回晓歌没跟我同往，也是任由我和行健俩人海阔天空纵性开聊，不让我们因她分神的意思。

蓬皮杜文化中心当时正结束了一个以《时间》为题的观念艺术展览，开始了一个毕加索小型雕塑展。行健说这类空间的艺术不忙去看，倒是巴黎每日大量时间的艺术，即各类演出，不可赶紧挑些来看。他打了问询电话，眼下 OPERA 整修未完，夏特莱广场两侧的剧场所演出的现代舞剧票已售罄，只有巴士底歌剧院的演出还有少数余票，得赶快坐地铁去买。我随他去了那里，售票处果然在售余票，有二三十个人在排队，行健赶紧排进去，让我暂去看墙上的剧照和小卖部的纪念品。后来他买到三张 6 月 14 日的古典歌剧《诺尔玛》的票，这部由意大利十九世纪作曲家贝利尼创作的歌剧我以前没听说过。他说到那天会陪我和晓歌看。又说对不起，只买到这样的加座。他递我两张票，我看出那票价，330 法郎一张，够贵的。

行健要在巴士底广场西南角的一家最著名餐馆请我吃牡蛎，结果那里的生意好到需要排队等候的地步，我说算了，随便换个地方吃吧，但行健还是把我带到了附近一家装潢相当贵族气的 BOFINGER 餐厅去叫了牡蛎请我。我说这太破费了。他说，为朋友，高兴，就算不得破费。我说你现在经济上颇强大。他说其实也有隐忧。他的收入并不稳定，且每笔都要依法缴税，但分期付款购房的月供，还有医疗和养老保险的月供，却是固定并不得拖欠的，加起来是很不小的数字。他入的是艺术家保险，一旦老了，画不动写不动更导不动了，也只是无冻饿之虞罢了。他说法国人大都被供房、供医疗与养老保险这三桩大事，跟银行构成了长期合作的关系，双方都不愿这个合作无端中断，政府、法律、普遍的道德意识，各方面都维护这东西，所以形成一种稳定的社会秩序。但人生也因这份稳定——其实是彼此大间架雷同——而乏味。他问我 1983 年、1988 年和这回第三次来巴黎，觉得巴黎变化大不大？我说没觉得有什么变化，他说这说明巴黎的城市发展和社会生活面临的危机，就是这个不知该怎么再往前发展变化的问题。文化艺术也是这样。他说蓬皮杜文化中心的那个题为《时间》的观念艺术展览，在他看来只是现代派艺术和后现代派艺术观念的大堆砌，走到了尽头，虚张声势，煞有介事，其实已经很孱弱，贫血，亟需一次文艺复兴，回归到真实、质朴。他的议论很令我吃惊。

午餐后，我们乘地铁到老巴黎城外东北部的拉·德方斯新区一游。那里分布着二十世纪八十年代后期陆续建起的新派建筑，其中最有名的是与巴黎城内凯旋门遥相呼应的拉·德芳斯巨型方拱门。我告诉行健，近些年我对建筑评论产生兴趣，而且已经出版了一册《我眼中的建筑与环境》，还是由国内的专业出版社——中国建筑工业出版社出版的。行健鼓励我把这样的兴趣保持下去，陪我在那个新区里转悠、拍照。一栋摩天楼前竖起一根青铜铸的大拇指，指甲、皮纹栩栩如生，总有二十几米高，那是法国著名雕塑家布郎西的超级现实主义作品，我拍了空镜头，行健又给我和那巨型拇指合影。转悠中我们的话题集中到当代美术发展的趋势上。

　　后来我们到广场一侧的露天咖啡座喝咖啡，继续聊。行健说，当前法国的文化无主潮，总的来说，比较沉闷。以造型艺术而言，现代派、后现代派的手法似乎已经要尽，观念艺术、装置艺术、行为艺术、人体艺术虽然不断地花样翻新，却越来越缺乏内涵，不能唤起观赏者真实的审美情绪，在这种情况下，有人提出来"重新回到架上"，也就是回到"架上画"、回到二维表达的绘画本身。显然，他赞同"回到绘画"的主张。他说："现在的问题是，回到绘画，画什么？"我理解，所谓"回到"当然不是走回头路，不是幡然复旧，而是在摒弃花拳绣腿的前提下，为造型艺术展拓出新的空间。

　　我跟他谈到国内一般年轻知识分子对西方文化的关注，萨特算是热过去了，波伏瓦还有余温，杜拉斯仍在热，但最热的恐怕是米歇尔·福柯，这也是因为他那些比颇艰深的著作的中译本近年来在中国大陆陆续地推了出来。行健说，其实福柯在法国已经相当地古典，人们耳熟能详却并不热衷了。他讲到法国最有名的思想文化杂志《精神》出了两期题为"法国思想检讨"的专号，其中的文章肯定了法国知识界一度的辉煌，但主要是尖锐地指出当今的思想贫困。又讲到《新观察家》杂志也惊呼"当今法国思想家在哪里？"近期的文章集中否定了福柯、德里达的理论，至于尼采、萨特更遭受严厉质疑，总的来说，对极端性的思想理论持坚定的批评态度，认为动辄号称"彻底"是可笑的，主张寻求调节、妥协；有的论者倡导"新康德主义"，认为还要承认传统价值，回到传统哲学；反传统的现象学、符号学、解构主义都已经热过去了；但传统的批评方法也已过时，当务之急是创建出新的思想批评方法。除了杂志上的讨论文章，有关的专著也很不少。行健的介绍我听来非常新鲜。听了他的叙说，我深感现在的文化多元，好处是可取用的资源多了，但弊病也就随之而来——不知究竟那"弱水三千"中，该取哪一瓢饮才好？他说往往真正的好东西，会被长期遮蔽住，但就有那样的人，不怕误解，不怕遮蔽，不怕冷落，不怕穷困潦倒，坚持创造自己的好东西；有的，到死也还是不为世人所知所容，直到死后，才被有的慧眼所识，予以弘扬，而世人也才恍然知贵。他举出了三个法国近期的例子，一位小说家，一位剧作家，一位小说家兼剧作家，其中一位是女士，就都属于这种情况，可惜当时我没用纸笔把他所说的三位人士的名字与作品名称用中文记录下来。

我跟行健提到，现在中国大陆有些女作家也在从事女性写作。他说法国的女性艺术也许是世界上最活跃的，新近有若干女性电影在放映，引出争议，很有意思。一位名叫卡特琳娜·布莱亚的女电影导，演拿了一部《性浪漫曲》到戛纳电影节上参展，虽没得奖，却引起评论界关注，片商因此也就购下拷贝到院线中作商业放映，没想到票房颇佳，于是，这位女导演旧事重提，她1975年曾拍过一部《一个真实的少女》，探索少女青春发育期性萌动的心理，因为被认为太超前，被发行商所拒绝，没正式放映成，她一直耿耿于怀，现在既然许多人觉得她的新片子有创意，她就把那旧片子拿出来，说我二十五年前早有这种创意了！现在的发行商们看了，觉得果然不错，于是旧片搭新片的车，一起在院线里放映。他说我们最好一起去看这两部电影。行健为了让我尽可能地接触到法国文化中的前沿热点，一腔热心，细致安排，令我感动。

但是那天我们没时间去看电影，因为早已说好，晚上要去蒙马特高地附近的一个小剧场去观看日本现代舞演出。

去往蒙马特地区的路上，行健告诉我，巴黎每天晚上大约有一千余处的场所在进行舞台演出，有的场所巨大，如巴黎铁塔前的万人聚观的露天演出；有的厅堂豪华富丽，如OPERA里的古典歌剧与芭蕾舞；有的则是小剧场、咖啡厅的演出，举凡歌剧、舞剧、话剧、哑剧……形式繁多，无所不有；就舞蹈而言，则芭蕾舞、古典舞、土风舞、现代舞……想看什么都有，这还不包括"红磨房"、"丽多"那样的夜总会里的那种套路化的纯消遣演出。到达蒙马特地区后，行健带我弯来弯去，所经过的街道越来越冷清，我暗忖：他今晚究竟要领我看什么呢？

在一家中式快餐店吃过晚饭，行健终于带我抵达一个门面极不起眼的小剧场。那小剧场可谓"麻雀虽小，五脏俱全"，进得门去，有贴满各色海报的前堂，休息区里有饮料台、几付桌椅，布置得简朴雅气。进到里面，坡状观众席一共没有几排，但舞台却豪不含糊，台面并不小，灯光、音响设备相当齐全。演出准时开始，灯光暗下来以前，我数了一下观众数目，连我和行健通共才十个人。那现代舞一气呵成，演出时间约七十分钟。舞台不设幕布，舞台深处裸露后墙，其间吊挂、摆置了若干象征性的布景。两个演员，一男一女，在事先录制好的伴音中表演。我的心得，是发现现代舞总是刻意地调动四肢以外的躯体，特别是利用胸、腰、背、腹、颈这几个部位，营造出崭新的舞蹈语汇与句式，这对表演者来说，其实比跳传统的古典舞更难更累。这种现代舞是归纳不出"主题"的，那舞蹈语汇给予观众的审美刺激，只可心领神会而不可言说阐释。演出结束后，观众都真诚地鼓掌。一位法国妇女，年纪应在中龄以上，是从老远自费购票来观看的，其诚挚的欣赏取向令我称奇。后来我与行健到外面休息区，剧院经理与该舞剧的日本编导池宫中央先生请我们喝红葡萄酒，两位舞者卸妆后也来聚谈，我问他们这样地演出，经费如何筹措？不远万里地跑到法国，图个什么？行健与他们交谈后，概括他们的意思说，这样的剧院属于区级剧院，区里拨文化经费支持这类绝不能赢利，但属于严肃的艺术追求的舞台演出；不怕一时观众少，只怕艺术家的大胆探索没有见天日的空间；至于那编导和舞者，都是在日本现代舞一行里相当有名气的，他们到法国来演出纯粹是为了大过其瘾，就对这类文化探索的支持而言，毕竟法国的土壤比日本厚沃。

　　行健送我回慧慧的住处。夜气微凉，行健见我穿得少，脱下他身上一件麻绿色的长卷领毛线衣，非要我添到身上，我见他身上还有一件毛线衣，况且还穿着皮茄克，也就接过。一段路上我们没再说话。他一直把我送拢那个院落厚重的绿色大门，等我按完一旁的密码键，门锁开启，才朝我挥挥手说："你有空随时来电话，我可以随时出来会你！"

2000 年 6 月 14 日　星期三　晴

巴黎老城区把路易三五至拿破伦称帝时期成型的街道建筑基本上都保存了下来，外表即使刷新也尽量不动其古典风貌，里面则都实现了现代化，百多年来突破原有天际轮廓线的大体量建筑很少，成功的是巴黎铁搭，失败的蒙巴那斯摩天大厦；有些刻意创新的公共建筑，如"无皮肤露血管"的蓬皮杜文化中心、卢浮宫庭院里的玻璃金字塔等，虽然批评者认为是败坏巴黎古典风貌的丑陋之作，但毕竟都没有窜出城市建筑的平均高度，不影响总的天际轮廓线。位于巴士底广场北面的巴士底歌剧院，高度也不明显，只是横向体量破硕大，就外观而言，使用的建筑语汇比较平庸，无非是玻璃幕墙和润泽石材的交错组合，弧线缺乏浪漫气息，色彩也比较沉闷。

我和晓歌游完意大利，又去了趟瑞士，在旅游中我们都没有忘记，6 月 14 日晚上行健要请我们到巴士底歌剧院看戏。当那天下午我们和行健在巴士底歌剧院一侧的咖啡厅里聚合时，我首先对那歌剧院建筑的外观表示了"乏善可陈"的看法，他说有同感。他问起我们意大利之游的印象，我们都说最倾心威尼斯。闲谈中我们提起还游到了圣玛力诺，很独特，很美，他说没去过，我本来以为十几年里他把欧洲各国都已"十二栏杆拍遍"，原来也还有若干空白。

请我们吃过饭，一起去观剧。那歌剧院外观虽不尽人意，里面演出区域的功能性却绝对超一流；行健只买到正堂后面的加座，那需要侧翻打开的靠背椅坐上去居然非常舒适，而且前面位子上的观众无论个头多么高，都不至于挡住我们视线；乐队的演奏和演员的演唱，浑然一体地拢在了整个场子里，绝无回响，也绝不闷涩。

VINCENZO·BELLINI 的这出《NORMA》，当代似乎很少有剧团排演。几个主要角色，两位女高音，其中一位是花腔的；一位男高音和一位男低音，都有繁长的咏叹调，需要有极好的素质与技巧才能驾驭；而由合唱队扮演的各类角色，同时出现在舞台上时多达七八十个，合唱部分的混音效果极佳；布景气派豪迈，造型简约；灯光层次细腻，变幻多端；确实是大手笔、大制作。剧情发生在罗马帝国时期，征服者与被征服者之间的紧张关系，导致了情爱的破灭与生命的陨落，全剧从音乐到舞台面的变化，弥漫着一种对群体冲撞里个体生存备极艰难的大悲悯情怀。演员用意大利语演唱，字幕是法文的，我怎能说真正懂得了这歌剧的内容？但在乐音里浮想联翩，耳中眼里收入的信息由灵魂中的悟性加以烹制，你又怎能说我尝到的不是原汁正味？

观完歌剧出得剧院，巴士底广场周边的街巷闪动着霓虹灯的光芒，夜生活才刚刚开始。行健带领我们朝一条斜街走去，说我们应该看看一般巴黎人的夜生活。我们路过了很多个餐馆酒吧，行健指点给我们，有时驻足给我们加以说明，这家的阿拉伯风味的，这家是年轻人最喜欢的有躁动的摇滚乐和霹雳镭射光的，这家点满蜡烛属于北欧风情，这家绿萝低垂如帘里面会比较幽静，这家酒吧是同性恋性质的因为门上挂着六色条纹旗……最后他把我们带进一家空座比较好找、音响比较柔的美式酒吧，坐下来点了些蔬菜色拉、三明治和啤酒橙汁，边吃边聊。他说他并不怎么常来这类地方。他的生存方式这些年来已经形成了比较稳定的格局，他写所欲写，画所欲画，充分地享受创作自由，这是他消费生命的主要手段，一般都在白天，特别是上午；傍晚他常外出，多半是参加从若干邀请里挑出来的，认为是有意义的文化活动，或参加由谈得来的朋友组织的小型派对；他主要呆在巴黎，但每隔一段时间就会飞往别处，多半是去导戏，或出席画展、图书节一类的活动；一般法国人最看重的旅游休假，他却抽不出工夫加以安排。原来如此，怪不得他去过贝宁而没去过圣玛力诺。我觉得他把自己搞得很累。但由着自己性子消费自己的生命，虽然是一次性的消费，那生命的快感应该就是幸福。想到我自己，有时候毕竟还只能在外在因素的干涉下消费生命，那即使表面上不那么紧张劳累，甚至颇为悠闲，但哪儿能有如他现在这样平和和沉静的气度？酒吧菊色灯光下，坐在我对面的高行健是一个没有了牢骚，在冷静的观察中审视世界、他人和自己，获得了大解脱的智者。

5月25日那天，到他家去时，我给了他一册我1999年出版的，把174幅照片、图画与文字混合为叙述文本的非虚构小说《树与林同在》，我因为他或者没时间，或者暂时没心情看，可是他主动提起，说："正在看，唔，叙述得很冷静，很有意思。"冷静是他一贯的主张。我以前总不能真正作到冷静。当然，各人性格气质不同，文本之间的差异未必就是妍媸的分野，可是我越来越赞同他的"冷静说"，唯有冷静，才能把最痛苦的记忆、最刻骨的蒙羞、最隐秘的罪孽，都一一化为诗意的憬悟。5月25日那天他送了我一本《一个人的圣经》，我还没有工夫读。记得是1998年初夏，在美国科罗拉多博德尔，再复家里，行健从巴黎给我打来一个很长的电话，那是决心"煲电话粥"不计费用的行为，他渴望跟谈伴聊个尽兴，享受此时此刻心灵互相确证生命正常存在的快乐。他在电话里告诉我正在写这部小说，那时候还没有确定书名，但内容肯定要涉及到"文化大革命"，他自问自答地说："'文化大革命'是什么？是狗屎。"交谈间起码重复过两回。那口气不是控诉，不是痛斥，甚至不是谴责，更不是揶揄或忏悔。我习惯他那种略带嘶哑的嗓音，是一种平静陈述的语调："是狗屎。"给我很深的印象。行健是一个很少说粗话秽词的人，不像有的艺术家，爱以"雅人痞语"来惊世骇俗，所以他的这句陈述令我过耳难忘。我不知道他在写成的书里有没有"狗屎"这个字眼出现，但在等待看到他这本书的时间里，我常常思忖他的这个陈述式的判断句。"文化大革命"本身是狗屎倒还在其次，问题是这滩狗屎凡当时在中国大陆的个体生命无一能逃过它的喷溅涂抹熏蒸渗透。1968年中国"文化大革命"影响到法国一些年轻人和中老年知识分子，出现过法国"红卫兵"，有过"红五月"的学潮，从校园闹到街头，可谓轰轰烈烈，但毕竟投入者是自愿的，而不想投入的人，无论作旁观者或者根本不去理睬，都绝无被打成"反革命"被专政的可能，这就与中国大陆的"文化大革命"完全是两回事儿了。没有在中国大陆亲历过"文化大革命"的人，无论如何总难铭心刻骨地理解到那是"狗屎"，而亲历者正随着自然规律渐渐消失，以后的人类成员，且不说中国以外的，就是中国大陆的年轻一代，他们究竟还能不能懂得，那是"狗屎"？或至少能理解，为什么像行健这样的叙述者，要把它说成是"狗屎"？在那美式酒吧里，我本以为行健会跟我说说《一个人的圣经》，但他没说。

我提到近些年，中国大陆出去的，用西方语言写作，如在英国的张戎写了《鸿》，在美国的哈金写了《等待》，这是用英文的；在法国的亚丁写了《高粱红了》，戴思杰写了《巴尔扎克和他的小女裁缝》，是用法文的；这些书都是由有名的大出版社出版，很得好评，有的得了西方重要的文学奖项，有的畅销，或者既叫好也叫座；这样的写法和这样地让西方人了解中国社会和中国心灵的趋势，会不会越演越烈？行健没有回答我的问题，只是说，他个人还不打算用法文写小说，中文的表达力实在是非常之强，而且还有开拓的空间；他庆幸有很好的法文译者跟他合作，他的两部长篇小说都是中、法文版本前后脚出版，而且英文、瑞典文的版本也推出得很快，不过，他强调，他的法文版不是由大出版社出版的。他说暂时还没有写新的长篇小说的计划。至于剧本，他已经用法文写了两个，现在进行的是第三个。我说剧本一般来说主要由对话构成，叙述性文字很少，不用描写，这跟小说特别是长篇小说有很大区别，他点头。

午夜过后，行健才把我们送回住处大门前。一路上我和晓歌一再说别送了，我们已经很熟悉回去的路径了，他还是坚持送到底。

7月14日 星期五 阴转晴

这天是法国国庆，头天晚上行健来电话，希望抓紧时间再聚谈，因为他很快要去澳大利亚宣传《灵山》的英译本，而我，要应英中协会和伦敦大学亚非学院邀请去趟伦敦讲《红楼梦》，等我们各自回到巴黎，没几天我和晓歌就要回北京了，人生苦短，分易聚难，必须

珍视欢谈的机会。但法国国庆的热闹不能不看，我就跟他讲定，中午以前和晓歌上街逛逛，下午我们俩在"老地方"——蓬皮杜文化中心坡状前庭会齐。

这天上午有盛大的阅兵式，而且所检阅的不仅是法国军队，还有欧盟各国的武装，我和晓歌在慧慧家看了一会儿电视，荧屏上一个个军队方阵穿过凯旋门，

通过香榭丽舍大街，到达协和广场的检阅台前，然后呈"人"字形分列而去。队伍诚然走得精神抖擞，但受阅官兵高矮不齐，不像中国大陆阅兵，个个都是一个高度，更像齿轮和螺丝钉。接近协和广场的街边有些事先搭好的临时观礼台，那是凭请柬进入的；香榭丽舍大街两边则可以随便站着观看，有些是观光客，不住地录象、拍照，有些则是法国人，我问慧慧，这些法国人是否为阅兵式的壮观而骄傲？她笑说："那样的人大概不多，多的是边看边想：拿我们纳税人的钱干这个，值得吗？"说完催我和晓歌快去逛街，又笑："你那哥儿们还等着你找他臭聊呢！"这回因为我和晓歌的来到巴黎，行健与慧慧通了不少次电话，双方以礼相待，行健急于与我聚谈的心情，慧慧很是理解，还说如果我乐意，无妨把行健请到她家吃晚饭，还可以喝餐后酒，爽性聊个痛快；晓歌则笑说："他们聊的那些，我可没兴趣！下午还是他们外头聊他们的，慧慧你还是带我逛商场去！"那期间巴黎各商场正在打折，她们也确实不能放过采购的乐趣。

我和晓歌外出游逛，在塞纳河的艺术桥上，看到了一个奇观。巴黎塞纳河上有三十多座桥，这座艺术桥最独特，它北面是法兰西文学院，南面是卢浮宫中庭的院门，桥面由木板镶嵌，当心有供行人歇息的长椅，不许车辆通行，是座步行桥。那天这艺术桥两侧的桥栏边全铺着有法国国旗红、蓝、白三色的特制桌布，一组组的法国人，男女老少都有，或坐或跪，在那长长的桌布上聚餐，还有些人在桥当中唱歌跳舞，好不热闹！后来我们走进卢浮宫中庭，发现那里面也在大聚餐，不过是坐在铺着那样的桌布的长条桌的两边。后来我们才知道，那一天里，在穿过法国中轴线的经线上，不管是城市、乡村，都一字竖排举行野餐，以欢渡国庆日，而巴黎的艺术桥以及前后方向，正处在那中轴线上。真有趣！

下午与行健相会，我就跟他从这法兰西国庆的千里浪漫餐聊起。他说已经从电视上看到现场报导，有的地方下小雨，但人们仍然兴致勃勃地在那中轴线上野餐，其实他们吃的无非是些生菜色拉、各种奶酪、三明治、火腿肉，讲究点的也许有烤火鸡、烧鹅肝、炖小羊腿；喝的无非是红白葡萄酒，讲究点的或者还有香槟、科涅克；总之，野餐之意，不全在吃，而是通过这样的浪漫行为，享受生命的"当下"，并且通过这样的活动，使人们亲和、友善。这一创意不知是谁提出来的，大家竟不当它是玩笑，认真地实践起来，而实践的过程，也真的成了一番玩闹，这样庆祝国庆，恐怕也只有法国人才想得出做得出。

法国式的浪漫里，浸透着自由精神，而法国人所崇尚的自由，也离不开浪漫的因素。行健大学学的法文专业，定居法国语言无障碍固然是一个因素，喜欢法国的自由浪漫空气不消说是更重要的缘由。

蓬皮杜文化中心一侧有一家有名的电影院，看那海报，正在上映的几部片子里，有两部都是韩国导演的作品，而且都是以性为题材的。一部叫《性幻想》，另一部叫《女人夜出》，那片名在我看来，都够"黄"的。行健告诉我，法国《世界报》上有评论，对这两部韩国导演的作品，尤其是《性幻想》，给予了相当高的评价。《世界报》是严肃的知识分子报纸，其文化评论是不涉及低级作品的。于是我们决定到那电影院看《性幻想》，我对行健说，影片放映期间，无论是韩语对白还是法语字幕我都不能懂，但他完全用不着翻译给我，我要看看那韩国导演的电影语言究竟达到怎样的水平，倘若水平高，则像我这样的观众不用非弄懂对白，也能嚼出其七、八分味道来。待看完电影，不懂的地方再问他，我们再进行一番讨论。行健也认为这样很好。

行健的作品，尤其是他的两部长篇小说里，性描写不算少，有些片断，用"大胆"两字评注绝不冤枉。文学艺术与性的关系，是我们以往就私下讨论过的问题，现在有了韩国导演的新作品为由头，讨论起来自然更加方便有趣。看完电影，我们到附近一家餐馆里去，边喝酒吃餐边畅谈起来。

其实中国本土的文学艺术里，从来就有对性题材、性描写的相当成熟的表现，《诗经》开篇的"关关雎鸠，在河之洲"，以及唐诗宋词里诸如李商隐的《无题》诗、柳永的艳词丽句等等，都还比较含蓄，到明清白话小说，《金瓶梅》的性描写分析起来歧见较多，暂不评价吧，《红楼梦》里的性描写，以贾宝玉为载体，无论是对异性的"意淫",还是对同性如秦钟、柳香莲、蒋玉菡的爱恋,人们基本上形成了共识——都绝不是诲淫的色情展览,而属于有内涵的情色文字。这传统甚至一直延续到二十世纪前三十几年的"左翼文学"里,像茅盾的《蚀》《子夜》,就有意设置情色文字,用作丰富人物形象及深化主题的手段。但后来中国大陆的文学艺术形成了性禁忌,到"文化大革命"中更连"爱情"这个字眼也被禁绝了。我在1978年发表了一篇《爱情的位置》,算是"冲破禁区"的勇敢行为,竟引出轰动,得到过七千封读者来信,那究竟是中国文学发展途程中的喜剧,还是悲剧?

二十世纪八十年代以降,中国大陆发生了很多变化,爱情当然不再是问题,问题是婚外恋究竟应该怎么看待?九十年代这类的文学艺术作品蓬勃生长,人们渐渐对婚外恋也"见怪不怪"了,但对于比较大胆的性题材、性描写,则仍有争议,争议很正常,可是出现了复杂的情况,其症结在于,不能像法国一样,对什么是文学艺术的性表现,什么是市场中的色情消费,大体上分清,于是,有的严肃的性题材作品,富有艺术性的情色描写,被斥责,被禁制,而有的滑落到低级趣味的色情作品,却又被有身份的评论家肯定为创新之作。

行健静静地听完我的陈述。他说,其实,法国现在也遇到一个如何划分界限的问题。法国可能是最保障文学艺术家创作自由的地方,拿电影来说,以往从来没有动用过行政手段来禁映一部片子,但最近有位叫柯拉莉的女导演,拍了一部《来上我》,那片名触目惊心,里面不禁充满了性器官的直接展示,还有大量暴力镜头,这部影片在电影院上映后,引出了不少人的反对,他们向法国行政法院递了状子,要求禁止其在电影院里公演,法国行政法院经过慎重审理,破天荒地作出了禁止其在电影院里公映的裁决。当然,法国的情况是,这样的电影片子不是绝对不能放映,但只能作为性商店里的"小电影",放映给单纯为了解决性饥渴的消费者看,行政法院的裁决就是这个意思,即将它裁决为非艺术的色情消费品。原来放映这部影片的电影院除了一家以外,在裁决出来以后全都停映了,因为根据那裁决,再放映要罚重金;但法国毕竟是个能自由表达个人意志的地方,就有那么一家电影院老板声称，他个人认为这部影片是严肃的艺术，而非供人泄欲的色情消费品，他不怕罚款，将继续放映下去；与此同时，一些支持柯拉莉的人士聚集到行政法院门前，抗议其"荒谬的裁决"，其中就有 1975 年便拍摄过女性电影《一个真实的少女》的那位卡特琳娜·布莱亚，她还当众烧毁一条女性内裤——这"行为艺术"的含义相当丰富。

　　我和行健在讨论中都意识到，像上述这个例子，是事情处在了"边际"上，人类其实经常会遇到"边际难题"，犹如鸭嘴兽，它卵生，幼兽破壳而出后却又哺乳生长，怎么归类煞费神思，硬归到一类，不同意的人也还可以继续争辩。文学艺术里的"边际问题"更多，且远比鸭嘴兽的归类复杂。行健说他一直没工夫去看《来上我》，听说那片子确实还是有探索性心理的深度的，特别是从女性角度来探索男女的性存在，人物塑造得还是比较丰满的，但又确实太"露骨"太暴力，对血腥暴力这一点，一般法国民众的平均接受度是最低的，平均排拒度当然就是最高的。但即使是围绕这部电影争议，各方都有一个前提，就是别人可以有完全不同的看法，比如电影的创作者和拥护者，他们会认为某些反对者是保守的卫道士，但他们也会觉得这社会应该有保守的卫道士的言论空间；而保守的卫道士也不是要消灭那影片的创作者和那部影片，他们的只是觉得那部影片不该膨胀到他们守卫的公众空间，他们要求那部影片"回到应该待的地方去"；行政法院作出裁决后，影片创作者和支持者抗议的是那裁决，而不是要反对者"闭嘴"，而反对那影片的人士，则又认为影片创作者和支持者当然有去行政法院门前抗议的权利，倘若他们的抗议行为遭到镇压，他们很可能还会为此而抗议镇压者——但他们反对影片的态度却又绝不会改变。这样，在各种意见与诉求都可以存在，并得到人格尊重的情况下，一个社会上的"边际难题"就不可能酿成一场压制歧见的灾难。我感叹道，法国人是怎么磨合成这样的一种社会文化格局，形成这样一种健康的文化心理的？

　　至于刚看完的韩国导演拍摄的《性幻想》，我和行健都认为并非"边际电影"，相信绝大多数跟我们一起看这电影的观众也都不会把它视为"边际难题"，看完，你可能不喜欢，却不会怀疑它是一部制作严肃的艺术影片。这部影片讲述了一位侨居巴黎的韩国艺术家，回韩国度假期间，邂逅了一个女学生，俩人相悦并多次做爱，故事最后结束在巴黎，那女学生也到法国来了。影片毫不涉及韩国的政治社会问题，就是直截了当地以男女性事为题材，探讨男女各异的性心理。影片里不直接显示性器官，不是色情消费的"小电影"那种拍法，镜头很讲究艺术性，演员的表演有相当深度，整个片子笼罩着轻喜剧的色彩，不用把对白听明白也能体味到镜头里的内涵，导演运用电影语言娴熟并有自己的个人风格。行健盛赞这部电影拍得真实，以逼真取胜。有人可能会以为，逼真有何难？把镜头对着真实的东西一路拍下去，岂不就大功告成？但你试一试就懂得，即使拍记录片，如何使镜头前的景象在胶片上留下最恰当的印记，如何剪接处理这些素材，如何在放映出来后令观众产生信服感，已洵非易事，何况是拍由演员串演的故事片。行健近年来宣布，他的艺术实践"没有主义"，这部《性幻想》似乎也"没有主义"，不设置"反封建保守意识"的主题，不宣扬"性解放"的激进主张，也不是"为性而性"；它"没有主义"，却并非没有内涵，那内涵就是逼真地再现了人物的生命体验，以极有力度的心理剖析，引出观众的扪心自问，至于每个观众问什么、如何问，那就只能是仁者问仁、智者问智了。我联系到我们的古典小说《红楼梦》，其实《红楼梦》的妙处也正是"没有主义"，你说曹雪芹那写法是现实主义，可是光贾宝玉衔通灵宝玉而生，以及木石姻缘，太虚幻境等等情节，就很不现实主义；你说那写法是浪漫主义吧，却又有太多现实得惊人的细节；你说他写这书是反封建，却又有很多描写分明地美化着封建贵族；你说薛宝钗是个伪君子，却又有不少情节展示着她的真诚；你说晴雯是反抗的奴隶，却又有重要的情节表现着她的舍不得失掉那奴隶的位置，又凶狠地用"一丈青"狠戳比她弱小的奴隶坠儿的手；你说凤姐儿究竟是可爱还是可恨？贾母是真慈祥还是假慈祥？……不同的主义者都可以从《红楼梦》里找到支持自己那一主义的例证，然而《红楼梦》本身并不从属于某一主义，曹雪芹写作时没有主义指导，自己也不想树起一个什么主义，他就是要写出从心底流溢出的美文，陈述他独特的观察，抒发他的生命体验，逼真再现他心灵中的真实图象。

行健是中国大陆首先引进西方现代派写作技巧的小说家和剧作家，他的长篇小说《灵山》，主人公以我、你、他三种人称呈现，剧本《彼岸》里的几个人物在同一时间里各自说自己的话，构成"多声部"效应，诸如此类，不胜枚举，于是有人因为他是玩技巧，以形式的奇突取胜，这是对行健艺术追求的大误会。跟行健深谈，再细读他的作品，我发现他对玩技巧，搞形式主义，尤其是追踪所谓的西方新潮，一会儿结构主义呀，一会儿解构主义呀，一会儿又女权主义呀，后殖民主义呀，语言哲学呀，新左派呀，等等名堂风气，很不以为然，他是取各家营养，壮自己身体，健自己精神，他的技巧，他的花样，包括他的性描写，性心理刻画，两性关系探索，对生命本体中的性存在所做的揭示，全都是有目的的，那目的就是自由地，逼真地，写出他的生命体验，他的宇宙想象，他的当下感觉，他灵魂中的诗意与顿悟。

那一晚巴黎放了焰火，铁塔在焰火映衬下仿佛要耸身高飞，光影跌映到塞纳河里，金蛇狂舞，万萤飞蹿，晓歌慧慧他们牵着小狗米噜去圣母院旁的老桥上尽兴观赏，不亦乐乎。我和行健却在畅谈中忘记了还有这么回事。我回到住处时又是午夜时分了，晓歌还没有睡着，问起我和行健看没看焰火，我说忘了去看，她笑道："我就知道你们两个，说起那些个话来，比看焰火还来劲儿！"

7月25日　星期二　晴转阴

行健的澳大利亚之行非常辛苦，巴黎与悉尼天各一方，来回都要在米兰、曼谷、香港转机，时间拖得很长，机舱里又难以入睡，我以为他回到巴黎怎么也得大睡两天再跟我联系，没想到他回来的第二天就来了电话，希望再会面畅谈。倒是我，一周的伦敦之行，按说走得并不远，乘"欧洲之星"高速火车穿越海底隧道，巴黎伦敦之间不过三小时的行程，两场关于《红楼梦》的演讲都集中在一天里，其余时间无非是观光游览，跟行健的远行相比实在算不得什么辛苦事，可是回到巴黎却觉得疲惫不堪。接到行健电话，我们约定下午仍在"老地方"汇合。

晓歌那天头疼，但她坚持要跟我一起会行健，因为我们订的 28 日返回北京的机票，这可能是我们这回在法国与行健的最后一面了，以后什么时候，在什么地方，还可以跟他会面，很难说。

跟行健汇合后，我们找了个咖啡馆，先喝饮料。行健和晓歌闲聊起来。晓歌对行健，很早就有一种直觉，断定他能有大成就。她是读人甚于读作品。二十几年来，跟我交往的文化人不少，在家里留过饭，跟她也熟的，怎么也在一打以上，比较起来，行健表面上的光彩，是最不刺目的，最后一次离开中国大陆以前，在所谓文坛的伦理秩序里，说是处于边缘都有点勉强，简直就没有"入局"，或者说是刚刚"入局"很快也就被"淘汰"，可是晓歌心目里，行健才算得真才子，前途无限。这回来法国，晓歌给行健带了件椰子壳的工艺品，剪裁过的椰壳保持本色，用麻绳相连缀，叫"星月符"；我说行健眼光很高的，自己便是造型艺术家，这东西给了他恐怕也只是收入柜厨，挂不出来的；晓歌说哪个要他一定挂起来？收起来就好，"星月符"能保佑他健康、成功！行健问起晓歌对伦敦的印象，又问起我们共同的在伦敦定居的朋友的情况，言谈很是愉快。

我跟行健提起，上回看完《性幻想》，讨论了文学艺术中的性题材问题，觉得很有启发；看来韩国艺术家在这方面的探索已经比较深入，韩国与中国属于一个文化圈，他们艺术家的探索比法国艺术家的探索似乎更有参考借鉴的价值，那部也是韩国导演拍摄的《女人夜出》如果仍在放映，何不也去看一下，然后我们再深入地讨论一番呢？行健说好，于是喝完饮料，我们就去电影院。

蓬皮杜文化中心旁边的那家电影院，恰好有场八点多的《女人夜出》，行健要去买票，晓歌说别买她的了，她头疼，那放电影的小厅里空气不好，坐在里面她会更难受的，她要一个人去塞纳河边散步，透透气，就要告别巴黎了，她也想抓紧时间再沿塞纳河留连一番巴黎美景。行健不放心她一个人行动，劝她还是一起看电影，说看完电影一起吃晚餐，然后陪我们到塞纳河边散步，遛个够！我也不放心，但晓歌执意要一个人走走，我们到头来也就同意了，约定了电影十点多散场后，她一定要到电影院门口跟我们汇合，又都嘱咐她一定别走远了，要记牢回汇合地点的路径。

《女人夜出》表现了三位汉城单身女子的性苦闷与性遭遇，她们都竭力想把握自己的性冲动与性满足，但在男权嚣张的社会生活里，她们不是被男人当作玩物，就是被自己的虚妄所颠簸，只有其中一位，通过个性的自由舒张，才终于获得了正当而酣畅的性爱。与《性幻想》相比较，这部影片稍嫌做作。行健看过资料，告诉我这两位韩国导演都是长期侨居法国的，他们的影片很显然受到了法国文化的影响，如此坦率地以性为题材，在目前的韩国还是很难被公众接受的，所以这两部影片都还没有在韩国上映。《女人夜出》还借一位角色之口，抨击韩国有关机构对两相情愿的婚外性关系进行调查，说干涉个人隐私到了如此地步，难以忍受，还是到法国去住吧！行健个人虽然也端赖法国社会的开放性而获得了自由创作的开阔空间，却对《女人夜出》这样地"点题"颇不以为然，他说法国也有法国的问题，世上并没有天堂，没有乌托邦，文学艺术作品还是不要"点出主题"为好。我们又把法国女导演布莱亚1975年拍的那部《一个真实的女孩》一并加以讨论，都觉得也有生硬"点题"的毛病，影片最后表现女性内服避孕药的上市，似乎科学的进步在保证女性的性权利不再被生育所牵累，这在1975年可能算是神来之笔，但现在看去就有点幼稚，对生命冲动的探索不能搁浅在简单解释的礁石上。

但以上关于影片的讨论都并不是看完电影以后立即展开的。看完电影出了电影院，我们便一起张望，看晓歌来了没有。散场后的观众已经走净，还没见她的身影。开头我们也还不甚着急，在电影院附近游动着迎她，但眼看快十一点了，她还没有出现，于是到公用电话亭给慧慧打电话，慧慧吃了一惊，说你们怎么没在一起？她迷了路回不来怎么办？我想到晓歌身上没带护照，又有语言障碍，虽然有张打电话的卡，但还没有独立使用的经验，独立乘地铁、公共汽车和叫出租车的能力也有限，现在夜色愈深，巴黎的夜生活虽然活跃，却只集中在某些地段，其余的地方还是人少车稀的，倘若她只是迷路倒还罢了，遇上坏人可怎么得了？有的坏人专门抢劫中国大陆的旅客，因为知道大都还不使用信用卡而带着现金，1987年行健大白天在利沃里那样的通衢大道上，就遭到过偷窃，把法国邀请机构刚发给他的7000法郎全部损失掉，狼狈不堪。我脑海里顿时叠印翻腾着种种不祥景象，着起急来，行健也很紧张，我们朝塞纳河方向搜寻，走了一段又觉得这样未必妥当，因为有许多条路都通往河边，巴黎的街巷又绝非棋盘格子形状，随时呈放射形展开，其间又变出许多花样，这倒很符合法国人的浪漫情怀，但对外国短期旅游者来说，实在不啻迷宫；行健说咱们别这么往前头去了，还是回到电影院附近稳妥些，又去打公用电话，慧慧说也出门张望了两回，但不敢离开家，怕晓歌找回来进不了屋，再说随时也可能有电话打回来；慧慧知道晓歌出门时就头疼，她说万一晕倒在塞纳河边了怎么办？这话让我和行健更加心焦。

巴黎之夜，蒙蒙细雨里，离返回北京只剩两天，却出了这么档事儿。行健劝我冷静。他作出了到警察局报告的决定，说现在只能是由警察局派车子，我们坐上去，沿街慢驶搜索。我随他到了莱阿商场附近的警察局，我不会法语，行健交涉一切，警察局听说是一位中国女士失踪，便由一位女警察接待，她很细致地询问情况，作着笔录，我特别记得她问道："该女士有没有外出晕倒的病史？如果她晕倒街上河边，身上有没有能说明她身份的东西？有没有随身带着的急救药？"后来她开了一张条子，让我们到另一处警察机构去，那里能出车沿街寻找。我和行健出了那警察局，转往另一处前，又往慧慧家打电话，接电话的竟是晓歌本人，她若无其事地说："你们急个什么啊？我沿着塞纳河散步，好舒服，头也不疼了……我怕你们着急，去电话亭里打插卡电话，可是插进去播不通，显示的法语提示我看不懂……行啦行啦，你们别担心啦，我要洗个澡睡觉了！"那时候，已经是午夜一点了。唉，你说是她荒唐还是我们荒唐？

心里石头落了地，我和行健浑身舒坦，他带我去一家餐馆吃生牛肉片宵夜。

那家餐馆里挂满了怀旧照片，情调清幽，坐在餐桌边仿佛成了印象派绘画里的人物。那种生牛肉片薄得像字典纸，透明鲜嫩，蘸着特殊的调料，就着红酒品尝，别有风味。我们讨论了韩国导演的电影，又跳跃式地谈及文学、戏剧、舞蹈、绘画……我告诉行健，虽然就住在蓬皮杜文化中心附近，每天出游总要路过它，我和晓歌却仍没有进去看展览，打算明天再去；这一方面是因为事先设定了一个"先远后近、先难后易"的游览方针，另一方面，按卢浮宫——奥赛美术馆——蓬皮杜文化中心的顺序参观，也恰好与美术史的叙述吻合，我提到在奥赛博物馆参观的感受，那里重点展出1870前后，古典主义美术朝早期印象派等现代主义艺术转换期的代表性作品，把一个时代的审美时尚如何嬗递梳理得线条分明，是活生生的美术史；我又说明天进蓬皮杜文化中心，那些从现代主义往前拱进的前卫作品一定能给我更强烈的审美冲击。行健听了却道，艺术的发展从时间角度考察是线性的，从审美角度观察却未必非依照一般美术史的线性叙述，不能用进化论来套艺术的发展历程；他啜口酒，沉吟了片刻，笑笑说，我们是至好，所以今天跟你说，千万别迷信蓬皮杜文化中心里面摆出的那些前卫作品，一般法国人也都以为，只能欣赏卢浮宫、奥赛美术馆展品而接受不了前卫作品的人，是没水平的表现，惟有能在蓬皮杜文化中心的前卫作品面前留连忘返的，才算得是品位高，其实，前卫作品里固然有好的，他们在形式革新方面起到的作用确实功不可没，但是，其中大部分，我以为是纯粹地玩形式，没有什么内涵，甚至是故意唬人，一些热心的欣赏者，是否真地进入了审美愉悦，很难说，多半是赶时髦罢了。我听了很吃惊，对他说，你在中国大陆的时候，1981年出版了《现代小说技巧初探》，随后你的几个形式上相当有突破性的剧本被排演，记得北京人民艺术剧院的小剧场演出，就是从推出你那寓言式的荒诞剧《车站》起首的，后来你写了长篇小说《灵山》，原稿给了一家出版社，编辑看不上，倒并非内容方面的原因，而是不能理解你那主人公我、你、他三种人称交叉使用的做法，退回了；这些事情，都让人们把你看成是一个技巧至上的创作者，甚至说你是搞西方现代派、前卫艺术那一套，玩技巧的代表性人物；

怎么现在你却反对起前卫，反对起玩技巧来了呢？行健仍淡淡地微笑着，说他并不是简单地反前卫，他自己就很前卫，文学艺术总要往前发展，前卫应是一种常态，至于技巧，那更是万万不能不讲究的，但前卫也好，技巧也好，一定要用来承载内容，就是作者的生命体验，没有这个是不行的。他又说，正写着一篇论文，把这些年来逐渐成型的美学思考，梳理出来，提出自己独特的审美主张，那将是对古典与现代主流审美标准的双重挑战，如能发表，也许会引出激烈的反弹，但他箭既然已在弦上，已是不能不发之势。我凝视着餐桌上玻璃盅里的蜡烛荧荧闪动，心中憬然。

细细想来，我接交行健的二十二年，可以说也是他被许多人误解的二十二年，而我与他之所以能维系二十二年的友谊，正在于我总能理解他，即使有时不太理解了，通过一番交谈，又总能更深入地了解他；同样，我被一般人认为是个脾气比较怪异的人，甚至觉得我很难接近，但行健始终理解我；我们之间无论在生活历程、性格气质、理性取向、情感寄托等方面都存在明显差异，但能真诚沟通，困境中相濡以沫，顺遂时切磋以进，人生中有这样的友情在，也不枉落生世上历劫一番了。

有人误解行健，以为他是个政治人物，其实几乎从我认识他起，他就有远离政治之心，如果说他逃避，那他逃避的首先是政治，他自己不搞政治，更不想让政治搞他；政治不只一种，近十年来想拉扯他的政治恐怕是与十多年前不同的另一种，他却与之绝不发生关系；他只想在世界的一角，静下心来弄他钟爱的文学艺术，他企盼在任何时候任何地方，任何一种情况下，都不被充当政治工具。又有人误解行健，以为他是个不食人间烟火的唯美主义者，其实你读了他的文字就会发现，他不仅食人间烟火，而且对人间烟火充满了眷恋，他对社会的关心，包括对政治的关注，特别是政治、社会、群体、他人对他那个体生命的触动，他都非常敏感，作为独特的生命体验，他写入文字，留下痕迹，但这只是为了自慰、娱人，顶多希望能留给后人作为一份生命档案，以作参考；他不把自己设定为人间烟火的权威诠释者，更不想充当生活的指导者，他自觉疏离所谓的使命感，不想为谁牺牲也不期盼别人为他牺牲。至于那些把他视为西方现代派的膜拜者、推广者，以为他只是个玩弄技巧的创作者的人，看了我上面的文字，更应该消除误解了。

那一晚我们消磨到餐厅里只剩下我们两个人，蜡烛盅里的荧光熄灭良久，才起身离开。夜巴黎氤氲着润泽的香气。雨后的街道在路灯光下仿佛巨鳌的脊背，我们轻移脚步，往我住处走去。一路上行健说着他打算把自己的画作精品印制画册的事，正与一家非常著名的出版社交涉，但要真正出成也非易事；我祝他有志者事必成。走拢我住处大门，我们先是默默对望，后来我让他多多保重，他说恐怕弄文学艺术顶多也就只有十年的工夫了，生命流逝得多快呀，得抓紧享受余下的岁月；他也让我和晓歌保重，又特别嘱咐我说："你不要卷入政治，要写真正的文学作品！"我心里很感动，只是抑制着不让心里的涟漪涌到脸上。我跟他握别说，不知道什么时候再见了，他说为什么这样说？你们不是28号才走吗？我们明后天要再见的呀！

是的，我们明后天为什么不见？

7月27日　星期四　晴

下午接到行健电话，我赶忙跟他解释，心里一直惦着跟他再约出去畅谈，可是一大堆事情堵在了一起，特别是关于我那本《树与林同在》出法文本的事情，要跟出版商、译者一起作最后的洽商，弄得这两天都不得空闲，而明天中午就得出发去戴高乐机场……行健说那就在电话里再聊聊吧。

我们这回通话时间很长。但是我竟不大记得究竟都说了些什么。只记得他说了几句，我停顿一阵，才给予回应，他呢，后来也是我说了几句什么，停顿一阵才再蹦出几句。

只觉得，我们通电话的工夫里，"良时不再至，离别在须臾""知有前期在，难分此夜中"……种种千古即有的的生命话语，漾满心中，到头来还是我向他告别，主动截止了电话，"明日隔山岳，世事两茫茫"，我们的生命，都还要经历许多难以预料的事情，咀嚼生命赐予的宝贵体验吧，对行健，对自己，都道一声：珍重！

2000 年 10 月 29 日写毕绿叶居·温榆斋

一张照片的故事

一个"80后"，大本毕业已经工作两年；一个"90后"，明年就要考大学；他们二位在帮助我收拾书房的过程里，发现了一张三人合影，觉得很古老，问我什么时候、为什么会拍那样一张照片？

其实在我来说，拍那张照片的情形，似乎就在昨天。细算一下，不禁有"流光容易把人抛，红了樱桃，绿了芭蕉"之叹，怎么转眼就过去二十九年了？

到今年年底，我们进入改革、开放的历史新时期就满三十周年了。"80后"那位叫我伯伯听来还顺耳，"90后"那位竟叫我爷爷，他觉得很自然，却让我心绪复杂起来，怎么不知不觉地，我的人生就已经进入需要跟年轻人"说古"的"夕阳红"阶段了？

有首老歌《听妈妈讲那过去的故事》，我系红领巾的时候，学校就常组织"革命老妈妈"来给我们讲过去的故事，记得1955年，请来一位参加过红军长征的老妈妈，她讲得很生动，我们听得好兴奋。仔细回想，那时的那位"革命老妈妈"，其实才四十出头，1935年工农红军正处于"生存，还是死亡"的严峻关头，经过遵义会议，确定了正确方针，才在1936年取得了长征的成功，你算一算，到1949年天安门广场升起五星红旗，只不过十三四年。那十三四年里，中国发生了多少惊心动魄的事情啊，故事真是讲也讲不完。

但是被称为新长征的改革开放进程，一晃却已经三十年了。这三十年里，也有许多故事，作为老一辈，应该讲给年轻人听。帮我收拾书房的"80后"和"90后"，不交谈不知道，一交谈令我吃惊，特别是"90后"那位，他记事以后，所有的岁月似乎都充满近似的平淡与欢快，可以说是完全没有历史感，而且，"甭跟我说历史"，"我最烦什么回忆童年之类的话题了"，竟成了他们的口头禅，他们善于精致地享受当下的幸福我怎会反对？但我要提醒他们，一个对历史完全缺乏了解，对自己从哪里来、打算和应该往哪里去完全无所谓的生命，是有缺陷的生命，人生的支点之一，应该是对以往、对先人、对父辈的知晓与理解。

我告诉他们，那张照片，是1979年春天拍的，当中是我，左边是卢新华，右边是王亚平，我们算是那时候"伤痕文学"的三个重要的代表人物。"80后"就说："咳，知道。'伤痕文学'嘛，那时侯'四人帮'抓起来了，你们遵命写作嘛，就写些伤痕什么的。"我就讲给他们听，不是那么回事。1976年10月虽然抓起了"四人帮"，但情况还很复杂。抓"四人帮"的好人里，有的思想保守，心愿是把国家调整好，但是自己给自己，更给全党和全国人民，设置了"两个凡是"的羁绊，如果按那"两个凡是"去做，那比如说"六十一个叛徒集团"就绝不能平反，更不要说为刘少奇翻案了——至于什么是"两个凡是"，什么是"六十一个叛徒集团"等等，我书房里都有现成的书，他们可以借看——因此，1976年底到1978年底之间的两年，就有许多的故事，当时爱好文学的年轻人，比如我们照片上的三个，就总想通过小说写作，来参与社会诉求，希望能突破"两个凡是"，出现一种良性的变化。那时我们写那样的文章，设法把它公开发表出来，完全不是"遵命"，而是冒着风险的。我1977年11月发表在《人民文学》杂志的《班主任》和卢新华1978年8月11日发表在《文汇报》的《伤痕》，我们分别写过文章，有关报导也较多，就不多讲了。现在重点讲讲王亚平1978年9月在《人民文学》发表出《神圣的使命》的故事。真是一波三折。他写了一个公安系统的老干部为一个蒙冤的知识分子平反的故事——"90后"听到这里说:"那有什么稀奇呢?"——1978年王亚平写那篇小说的时候,选取那样一个题材,却被认为极其敏感,因为在十年动乱里,公安部因为原部长罗瑞卿被定为"彭、罗、陆、杨反党集团"中的"黑帮"之一,整个公安部被"砸烂",若按"两个凡是"的逻辑,被"砸烂"的公安系统的老干部里,哪里还有好人呢?而王亚平小说里阻挠正义的角色,却是一个"革命委员会主任"(发表时为了"慎重"改成了"副主任"),所谓"革委会"是动乱期间的权利机构,如以"两个凡是"圭臬,又岂能对"革委会"质疑呢?但王亚平从真实的生活感受出发,却觉得不把自己构思的故事写出来胸臆不舒,他两次投稿,两次被退,他也一再修改,但不将其公开发表,气何能平?最后,是老作家冯至助了他一臂之力,亲自出面向《人民文学》杂志推荐,再几经打磨,才终于刊出,一刊出,就获得了读者欢迎,反响十分强烈。

我一时觉得,真有无数的故事要给"80后"和"90后"讲。我不是要教诲他们什么。他们完全不必跟我观念一致,但是他们应该知道一些故事。比如,关于冯至的故事。冯至(1905—1993)早年写小说,后来写诗,再后来主要致力于翻译研究德语文学。那时候他挺身而出,帮助一个才二十岁出头的毛头小伙子发表出《神圣的使命》,完全没有狭隘的功利目的,甚至连"文学老前辈扶植文学新人以传为美谈"的想法似乎也没有,他就是觉得这篇小说在那个历史时期能促进社会的良性变革,应该予以发表。1978年在动乱中被犁庭扫院的中国作家协会恢复工作,其负责人当中也有位姓冯的,就是冯牧(1919—1995),他为那时期文学的复苏贡献很大,当"伤痕文学"遭到攻击阻挠时,他做了大量的"排雷"工作,《神圣的使命》到头来还是他促进编辑部下决心刊出的——"那时候写那样的作品、支持那样的作品真地会有冒风险的感觉吗?"两位晚辈一起问——我告诉他们,冯牧那时候有一次亲自对我说,一位自己在动乱中也饱受批斗被关进监狱多年的老干部,因为不理解冯牧的所作所为,甚至于发出了这样的声音:"怎么还不把冯牧抓起来啊?"——"伤痕文学"就是在那样的情况下出现并产生出巨大的社会影响来的。

当然，"伤痕文学"是个特殊历史时期特殊情况下持续时间不过一年的写作潮流，潮流中所出现的那些作品，如今看来都并不具有长远的审美价值，它们的价值不是体现在文学上，而是成为中国历史奇诡发展轨迹中的可长期保存参考的资料。

1978 年底，中共十一届三中全会召开并通过决议，启动了中国正式进入了改革、开放的新长征。1979 年春，中国作家协会举办了第一届优秀短篇小说评奖活动，我的《班主任》获第一名，王亚平的《神圣的使命》获第二名，卢新华的《伤痕》等多篇"伤痕文学"作品同时获奖，卢新华的作品使那股文学潮流获得了一个最恰切的符码。在参加颁奖活动的过程中，我和卢新华、王亚平一见如故，相谈甚欢，那时候我们还都没有自己的照相机，就一起走到崇文门外一家照像馆拍下了那张照片。那次获奖的作者从年岁上说包括好几茬，陆文夫是"20 后"的，王蒙等是"30 后"的，我是"40 后"的已经不算太年轻，卢新华和王亚平则是"50 后"，其实，在这些获奖作者背后，还有若干"20 前"的老作家在发挥作用，除了上面举出的例子，还可以举出骆宾基（1017—1999），经他推荐，经过一番周折，张洁的《从森林里来的孩子》得以在《北京文学》刊出并获奖

——帮我收拾书房的"90 后"原来以为"'伤痕文学'大概全是些遵命写出的哭哭啼啼的文章"，我找出张洁的这篇作品，他读了后才知道其实"伤痕文学"在取材、写法、情调上，其实也各式各样，并非只有沉痛，也有乐观、清丽、幽默——随着整个社会的全方位迈步"从头越"，文学也从这个起点上迅速地朝前发展，直到三十年后我们现在所面临的乱花迷眼的局面。

端详着照片，我感慨丛生。常有人说，写文学作品应该追求久远的审美价值，应该写出经典来。我很惭愧，从小喜欢文学，可以说是笔耕不辍，虽然发出来在作品也老多的了，可是，还没有哪篇哪部敢说是具有久远审美价值的，更罔论经典。"伤痕文学"时期的文友，有的如卢新华，断续地有作品发表，但主业已并非写作；有的如王亚平，他从部队退役后，出国经商，更在别一番天地里。我钦慕那些立

志要写出甚至已经写出纯文学经典的人士，但作为写作爱好者，我珍惜当年写作《班主任》的情怀和所产生的社会影响，相信卢、王二位久未谋面的老弟也会这样想。

我对"80后""90后"的晚辈说，我对改革的认识是：以理性的、平和的态度不懈地推动社会的良性变化。我对开放的认识是：无论如何不能民族自我封闭，一定要融入世界，融入整个人类大家庭。尽管我这三十年来也越来越重视文学本身的独立性，写作上也力求个人化、个性化，独创性，但是，以自己的文字承载对继续改革、开放的诉求，这一情怀不想也不能放弃。

"80后""90后"的小朋友，从他们表情上看，并不是想听我讲所有的故事，更不一定把我的观念当作必要的参考，但他们至少对那张照片还是真地感兴趣，甚至说，我们一老二小三个，是否也模仿那姿势拍一张照片，以留给他们向三十年后更新的生命"讲那照片的故事"？人能超越种种差异包括代间差异，体现出一种沟通、商量的善意，并能以幽默为润滑剂，人世间，还有什么比这更具久远价值的呢？

2008 年 4 月 9 日于绿叶居

雷加擂了我一拳

雷加在他那一辈作家里，始终不算风头最劲的，但我却很早就特别关注他。这里面有一个特殊的原因，就是我二哥刘心人，是学造纸的，新中国一成立，他就被分配到吉林中朝边境的开山屯造纸厂工作，从技术员一直升任到工程师，还担任过车间主任，他在工作之余，热爱文学艺术，1952 年，他读到一本以造纸厂为故事背景的长篇小说《我们的节日》，那本小说的作者，就是雷加。后来二哥休假到北京探亲，和我聊起来，我也就找了本《我们的节日》来看。说实在的，我那时年龄太小，对小说里所写的那些人物和故事不太感兴趣，但二哥跟我说，雷加是个笔名，他担任过东北另一大造纸厂——辽宁丹东造纸厂的厂长，他当厂长用的真名是刘天达，二哥说雷加写的那些造纸厂里的人物和故事，肯定都是有根有据的，生活气息十分浓郁，许多细节生动自然，没有经历过那样生活的人是绝对写不出这本书来的。

后来知道，雷加是延安老干部，东北先解放，党派他去接收了丹东造纸厂，他担任厂长后，团结广大工人和技术人员，把一个被敌伪破坏得千疮百孔的烂摊子，迅速修复、发展为一个生产能力很高的的厂子，为解放战争和新中国建立及时提供了大量的纸张。抗美援朝期间，丹东常被美军飞机轰炸，丹东造纸厂的大量设备和人员就往开山屯转移。那时刘天达已经被调到北京，担任中央轻工业部造纸工业管理处处长，但从丹东厂转往开山屯的职工里，有的跟二哥混熟了，知道我们父亲叫刘天演，我们家的男子脸都比较长（四川人叫做"雷公脸"），觉得二哥跟刘天达脸相相似，就开玩笑："刘天达是不是你叔叔啊？"二哥开头也不在意，后来有人拿出在丹东的合影，指着照片上的刘天达让他细看，他才不禁莞尔。二哥后来跟我说起这些事，也就无形加深了我对这位原名刘天达的作家的特殊注意。

我的人际关系中，巧事真多。我父亲的一位老朋友陈晓岚，是留德归国的造纸界技术权威，解放后被任命为中央轻工业部设计院副院长兼总工程师，他分到的宿舍，在右安门，那宿舍里有一栋单元格局比较大的干部楼，父亲曾带我去看望陈伯伯，后来我自己也去拜访，那时就听陈伯伯偶然提起，他们楼里住着一位叫雷加的作家，其实这位同志如果不搞写作，早升副部长了，但他就是热爱写作，为了写作，宁愿放弃现成的仕途。我那些年里，并没有在轻工部的宿舍院里遇到过雷加，但我敢说自己恐怕是在同辈人里，极少数见到雷加著作就会好奇地阅读的一位。雷加后来写了长篇小说《潜流》三部曲：《春天来到鸭绿江》《站在最前列》《蓝色的青椆林》，以及《从水斗到大川》等散文随笔。

1978 年，我作为《十月》杂志的编辑，终于有机会找雷加约稿。进了他住的那栋楼，想到陈晓岚伯伯已经去世，他家也早搬往白家庄，心头旋出沧桑之感。敲开雷加家门，他家的人把我引到他面前，留下的印象是，他周围全是书柜，书柜上还摆放着一些显然是出访苏联或东欧带回来的小摆设，相当惹眼。雷加本人盘腿坐在一个大沙发上，那姿势让人觉得是一位东北老造纸工人呆在炕上。啊呀，果然一张"雷公脸"！他招呼我坐到他对面，离他很近的一张椅子上。我跟他说《十月》创刊了请他赐稿什么的，他微笑着说一定写稿。然后我告诉他自己叫什么名字，并且说头年 11 月《人民文学》杂志上发表的《班主任》是我写的。听清《班主任》是我写的以后，雷加忽然伸出胳膊往我右肩上擂了一拳，大声说："好小子！是你呀！"

1980 年我有幸成为北京市文联专业作家，雷加担任了一届北京作协的秘书长。跟他接触多了，我觉得他确实是一个愿意将生命燃烧为文学作品的痴迷者。他一再跟我强调"要下生活",自己身体力行,一年里不知跑了多少地方。有的老作家也强调"下生活",但多少有些只看重"行万里路",而轻视"读万卷书",雷加不然,我印象很深刻的是,一次我提到英国作家萨克雷不仅《名利场》写的好,另一部《亨利·艾斯芒德的历史》其实也很好看,他听了,就让我重复两遍,拿笔把那书名记下来,后来有一天告诉我,他找到了,正准备读。后来我见到雷加出版了《世界文学佳作八十篇》,原来他不仅阅读量大,还潜心研究,从中汲取写作营养。

作为老革命,雷加的政治修养不消说是很高的。有一次,我发现他巧妙地摆脱了拉他参与的"政治表态秀",心中很是佩服。他生于 1915 年,2009 年 3 月 10 日逝世,享年 95 岁。我会永远记住,中国有过这样一位不爱仕途爱文学的老作家。

清荷下面有硕藕——悼孙犁先生

事有凑巧，7月10日一位喜爱文学的高中学生来找我，要我推荐一点经典作品以供暑期阅读，前提是不要篇幅太浩繁，也不要跟有关部门机构成批推荐印行的那些重复，于是我郑重推荐了中外古今的五部中篇小说，其中有一部是孙犁的《铁木前传》。孙犁的作品早就稳定地进入了中学语文课本，这个作家他是知道的，但是为什么我要把《铁木前传》跟陀思妥也夫斯基的《白夜》那样的经典并列，他很不理解，特别是《铁木前传》这个题目，难以望文生意，似颇枯燥，特别是当他问我："是写什么的？"我漫应曰："写农业合作化初期的事情。"他睁圆了眼睛，不吱声，我就知道他心存狐疑，于是跟他说："你且找来读，读了多半会喜欢。"

没想到第二天，7月11日中午，就获悉孙犁先生仙逝的消息，而当晚那位高中生也来了电话，说一口气读完了《铁木前传》，埋怨我说："您干嘛跟我说是写合作化的，我差点就没想摸它，亏得我偶然翻了翻，那文字像有磁性，一下子把我吸住甩不开了……这是篇写人性的佳作啊！"他还不知道孙犁刚刚谢世，我把消息告诉他，并说："他那在天之灵一定很高兴，因为多了一个新一代的知音。"

一般人提起孙犁，多半会马上想到"荷花淀派"，会说他的文笔是清秀飘逸的，有独特风格，这也确实是他的文学创作迄今为止所获得的一个普及性的评价。其实孙犁本人是一贯不承认有个什么以他为派主的"荷花淀派"的，把他的创作风格喻为荷花蒲柳枫叶芦荻固然并不错，却只是皮相之见。人们一般都会强调孙犁的独特，尤其是，他前期创作属于现代文学史上的抗日根据地和解放区文学系列，和比如说张爱玲那样的"孤岛"作家、沈从文那样的"国统区作家"在写作身份、创作激情等方面有根本性的不同，但他的审美趣味，却跳脱于根据地与解放区其他作家作品之外，在处理激烈的抗日题材与阶级斗争题材时，却饱蓄人情味，大舒人道怀，这样的写法，在那时真有点铤而走险的意味。实际上他坚持这样的美学趣味也很遭到过些严厉的批评，遇到了很大的困难。翻翻上世纪五十年代初的《文艺报》合订本，不难找到以读者投书形式刊出的，尖锐批评《荷花淀》的文章，认为以那样的儿女情来表现抗日斗争是一种歪曲和亵渎。孙犁在"文革"前的写作已经可以是在夹缝中求生存，其作品大体上属于主流话语尚可容忍的一种边缘吟唱。他的长篇小说《风云初记》，可以概括为"写抗日斗争"，却没有多少刀光剑影，而且竟用了好几百字，细致入微地描写那样的时空里，一朵瓜蔓上的稚花如何静静地开放自己；他在《铁木前传》里用重墨塑造了一个小满儿的形象，那竟是一个用当时的文艺理论说不清道不明的暧昧角色，就是现在，有了许多的新理论可以拿来使用，想把小满儿这个血肉丰满生命阐释清楚也非易事；正是遭遇写作困境而又不想妥协敷衍，他就一直没有接着拿出《风云后记》与《铁木后传》。

　　我以为对孙犁先生的最好忆念，就是把他创作中那些尚未被大多数人认知的美学价值实事求是地开掘出来。不要望见他这朵荷花，就以为领略到了他文字的真味。建议望荷寻藕，就是要寻觅到更硕实而深刻的东西。说孙犁独特，是把他放在同时代在同一处境下写作的作家群里考察，应有的观感。如果把他放到更宏大的世界、人类背景上细观，则会发现他的创作其实又有普适的一面，也就是说他跟张爱玲、沈从文乃至海明威、川端康成一样，因为能透过所处理的题材，所写的故事与人物，进入到人情、人道、人性的层面，所以也就进入了文学的本质，其独特性也就融汇于世界文学经典的"公约数"中。记得很早的时候读过他一篇《秋千》，要概括内容，一样可以用这样的句式："是写土改的。"具体到那写作背景，是土地改革进程里纠正"左"倾的阶段，写一个姑娘，因为她家在是应划为富农还是可不划为富农的命运转戾点上，终于还是划归了人民一边，于是她满心高兴地跟铁定是好成分家庭的女伴荡起了秋千；这篇看似平淡的作品其实浸透着人性的呼唤，可与美国作家房龙的《宽容》一书合看，在那时候能以写出发表真是个小小的奇迹，可惜作家那在阶级斗争日益尖锐化的进程中发出的尽量给活的生命以宽容的声音实在是太微弱了，不过，作为写作者，以这种作品在人类文学年轮上留下痕迹，是难能可贵的。明乎我的这个思路，那么，对我把孙犁的《铁木前传》与萧红的《呼兰河传》、沈从文的《边城》、张爱玲的《金锁记》、海明威的《老人与海》、川端康成的《伊豆的舞女》、杜拉斯的《情人》等并列，也就应该理解，那绝不是因他仙逝我才借机呈谀，实在是自己长期阅读思考的瓜熟蒂落。

对于孙犁先生，我只是他的一个长期而稳定的读者。开掘他的文学金矿，顺秀美的荷花摸索到那深植于沃泥中的人性藕根，寄希望于真正下扎实功夫的文学史家、文学理论家、评论家与文学教授、文学博士、硕士们。这希望一定不会落空。

2002 年 7 月 18 日绿叶居

烟霞闲骨格　泉石野生涯——悼念孙犁

　　"荷花淀派"、独特风格、远离文坛而拥抱文学……孙犁大师去世后，悼念文字里一般都会提到这些，这些也确实是他在世时给人们以深刻印象的专业成就与人格品质。

　　中国人似乎特别善于在人辞世后密集地说些好话，然后就多半将其遗忘或冷落。这也未必是糟糕的风习，就文学界而言，几乎每年都会有一些作家谢世，如果对每一位都不仅是应景地悼念而将其沉甸甸浓酽酽地存在心上，报刊不惮烦地持续发表关于其人的文字，那么，活着的人们未免被逝者的遗产拖累，还能剩下多少时间做自己的事情呢？坦率地说，大多数的人士，包括作家，谢世后除了其至亲挚友会久远地忆念他外，是很难享有广泛久远的社会性忆念的，所谓人类的群体记忆，是一面筛眼颇大的筛子，这是规律。一个作家去世后，能在文学史书上被提及，在辞书上有个辞条，其在天之灵（或地下有知）就该知足快乐；倘若在后人编的选本里还能陆续地出现，那就很不错了；只有很少数的作家在时过境迁以后仍能保持很高的社会认知度，其作品成为经典，流传久远。当然，有的作家在一段时间里，生前逝后都如烈火烹油、鲜花着锦般蹿红，但最终却会被时间和后人淡忘；有的作家生时寂寞，特别是不能见容于主流或潮流，却可能在逝后被开掘出巨大的美学价值，进入稳定的经典行列。

有记者在孙犁去世后来电话采访我，问我能不能用一句话概括，我说"文学巨星陨落"，他重复我的话，却本能地说成"文坛巨星陨落"，我不得不郑重地纠正那一字之差。文坛是个坛，是有其座次的，也就是有一个固有的秩序，我们熟悉的顺口溜"鲁郭茅、巴老曹、艾丁赵"就是中国现代文学史的一个主流版的排序，这个排序的形成是有其深刻的根源的，也可以说是约定俗成；顺这个"文坛八卦"推衍，把以上的三字经顺口溜再续上一大串，恐怕也还是轮不到孙犁入围，因此，他的去世当然也就不能说是"文坛巨星陨落"。但是，抛开座次，就文学论文学，那我是真切地认为，孙犁的文学成就是巨大的，只是，许多人，包括文学史家、文学评论家和理论家、文学教授们，似乎还没有能充分认知他的文学价值。

我呼吁充分开掘出孙犁文学创作的美学价值，却反对凑热闹的虚比浮词。比如就有一位文学批评家在孙犁去世后对记者说，孙犁跟鲁迅一样是伟大的思想家、革命家、文学家云云，听来不是耳目一新而是吓人一跳，这恐怕也未必是该人为了耸听而急不择言，我怀疑是该人有本什么关于孙犁的论著要借机推销，记得该人十多年前曾写有当代某作家的大厚本专论，却在墨迹未干时，只因为那位被论的作家一时处境不利，他便站到了批判该作家的营垒里去了。说孙犁是伟大的思想家、革命家，我听了只觉得是瞎起哄。以无限上纲的方式捧一个人和以无限上纲的方式批一个人同样让人觉得恶心。

"伟大"这个词不是不能用。夏志清的《中国现代小说史》在论张爱玲时就有这样的判断："《金锁记》长达五十页；据我看来，这是中国自古以来最伟大的中篇小说。"在这句话后面，夏志清以数千字详尽地阐述了他做出这一判断的理由，那完全不是些虚比浮词，而是绘制了一幅非常精致的审美地图，效果怎么样呢？尽管包括我这样读者在内的许多人未必同意他那"中国自古以来最伟大"的极端结论，却从他的阐释里获益匪浅，现在张爱玲及其《金锁记》的进入文学经典，已成为国人甚至人类的共识；同样的，夏志清对沈从文创作的美学价值的开掘，也已经很少再有争论，进入了常识范畴。夏志清自有其思想取向与政治立场，但他论张爱玲和沈从文时却并没有将他们捧为另类体系的思想家与政治家，因为他在学术上坚守实事求是原则。张、沈不是思想家，不搞政治，就是把文学伺弄好了的作家。我以为孙犁在这方面跟他们二位很接近。

孙犁大师活着时，可以用"烟霞闲骨格，泉石野生涯"十个字来概括。他自觉地选取了边缘生存的定位。但他呕心沥血地写下的文字，却并不会久久地徘徊在经典之外。他给我们留下了一个巨大的文学金矿，给有志于像夏志清那样把被一般人忽略乃至抹煞的伟大作家予以科学定位的研究者提供了巨大的学术可能性。像《铁木前传》这个中篇小说，就值得有人以夏志清评价《金锁记》那样的学术胆识，来一番细致入微而又鞭擗入理的阐释，将其人类普适性的美学意蕴加以弘扬，稳归于经典档案。泛泛的悼念涟漪平静后，谁来认真细致地绕泉抚石，独具只眼地从事关于孙犁的研究呢？愿这殷切的期待，尽快化为抢眼的现实。

人淡如菊文藏金

我大声呼唤："林大哥！心武看你来了！"他瞪圆眼睛望着我，稍许，现出一个非常强烈的笑容，笑完，我再呼唤，他再回应一个微笑，依然目不转睛地望着我。约四十分钟后，他仙去。这是 2009 年 4 月 11 日下午的事。三十年来林斤澜大哥一贯对我释放人性中至善至美的光辉，他甚至把生命最后的笑容赐予了我，这笑容丰富的含义将滋养我的余生。

在关于他仙去的报导里，出现了"近看像赵丹，远看像孙道临"的形象描绘，还有"怪味小说家"的提法，有"汪曾祺得到了充分评价，林斤澜没有"的喟叹，我很欣慰，因为这些形容、提法、感慨都是我曾公开表述过的，源头在我。

年年春节要给林大哥电话拜年。2006 年他接电话时呵呵大笑："心武你怎么又暴红起来！你把你那红运分给我点好不好？哈哈哈……"我的几次暴红林大哥都跟我开过玩笑。林大哥人淡如菊、与世无争，是口碑相传的。但他绝不装雅充圣，他跟记者说过也是俗人，对名对利并非一点也不在乎。我早在 1980 年 7 月就公开发表一篇文章，称他的短篇小说如"怪味鸡"、"怪味豆"，可称"怪味小说"，我跟他多次细聊过他的一些作品，如《姐妹》，素描一对姐妹在抗日救亡时代不同的生命流向，读后觉得"无主题"，"太朦胧"，却又"甚舒服"、"心被挠"，他很高兴，承认我算知音，但也呵呵自嘲："你那'怪味小说'的提法，煞费苦心，可是根本流传不开啊！"后来有黄子平写了很扎实的评论，用"老树的精灵"来浓缩对他的评价，可惜影响也很有限。现在尽管人们频频称道他的人品、文品，但究竟他在现当代汉文学短篇小说的美学贡献上达到了一个什么高度？还欠评论。

林斤澜和汪曾祺有"文坛双璧"之称。但起码到目前为止，还是汪响林谐的局面。我对汪非常尊重。但我必须说出自己的心里话：对他的评价似已到顶。依我看来，汪的第一贡献是执笔写出了现代京剧剧本《沙家浜》，把"三突出"的美学公式体现得天衣无缝。第二贡献是在上世纪八十年代，他等于是代其老师沈从文"继续写小说"，把中断了三十年的沈氏香火续上了。总体而言，汪的小说创作是前有师承、后有众多"私淑弟子"的。林斤澜却是绝对独家。前无师承，旁无流派，后无弟子。他非常孤独。而能乐乐呵呵在孤独的艺术追求中不懈地跋涉，这艺术骨气几人能比？

其实张爱玲原也孤独寂寞。谁知夏志清一本《中国现代文学史》，轰隆隆地把她和沈从文的价值呈现到金光眩目的程度。有人揭出夏写此书接纳了不洁的赞助，更指出他政治立场的问题，又说他那用英文写成的书沉寂了很久，到二十几年前才先在台湾后在大陆"引爆"，颇不以为然。我与夏先生有接触，觉得他是个性情中人，是位值得尊重的学者。我读他那本小说史的中译本，就他分析张爱玲《金锁记》一段而言，确好比从荒原里掘出黄金，那评论的功力不能不服。尽管现在嫌张厌张贬张斥张的言论也理所当然地出现，但喜张迷张赞张崇张的风潮并未过去。一本被张自己宣布永不要面世的《小团圆》最近竟在海峡两岸隆重推出开始热销，便是证明。

林斤澜人已去而作品尽在。他的短篇小说的美学价值并没有被充分揭示出来。那是一座富矿。而且可能还不是煤矿铁矿而是金矿钻石矿。期待有内地的"夏志清"出现，像把一度尘埋的沈从文、张爱玲及钱锺书的《围城》一书的价值开掘出来，先震动学界，继而推广到一般阅读者那样，让我们终于明白，林斤澜不是随便赞他几声人品或对他的小说讲几句"好话"就能搁到一边的。神州大地，或许某一时段会因有评论家将他作品的美学价值挖掘出来而出现"林热"。

　　有人或许会说，林的小说既然内涵朦胧风格怪异，恐怕不具商业价值，永难轰动流行。请问《尤里西斯》好懂吗？《围城》真那么好看吗？厉害的评论，会具有震撼力、穿透力，引导阅读，酿成潮流，而出版商和一般阅读者，都不会放弃机会，在一个时代的文化格局里大赚雅钱和附庸风雅，而我有一个很平实的看法：书商赚雅钱，读者逐雅潮，动机虽不够雅，却都有利于社会雅文化的养成。

　　呀！这算在悼念我敬爱的林大哥吗？他一定在天堂里呵呵地笑我。

2009 年 4 月 13 日

他们到哪里去了？

　　七年前，我搬到安定门新居不久，有一天张暖忻来访，她穿戴得很正规，落座在沙发上以后，姿势很典雅，却丝毫也不做作。我们在那以前已经交往十多年了。我和她跟李陀两口子认识时，我们都住着窄小的平房。那时李陀这个笔名也还没有问世，张暖忻也还没机会独立执导拍片。我去过他们小西天的家，颇羡慕，因为他们虽住平房，毕竟是两间；而且他们用上了煤气罐。他家窗外，种着香水月季，闻起来香得有点怪；记得李陀还因此获得灵感，写成了小说。

　　那天张暖忻来访，似乎并没有什么特别的事。她显然不仅把我当成一位文化圈里够品位的朋友，并且还把我视为贫贱之交。我跟她谈起她的《沙鸥》，说我注意到有几场戏的用光很特别，那以前许多国产片仿佛总怕观众觉得画面"不鲜艳"，而她却偏把画面处理得近乎令人"忘色"，低调中透出一种油画感。她听了兴奋异常，说那正是她的刻意追求。

　　后来李陀驾到。他一到，我们便"俩个巴掌拍得响"，互抢话茬，还咯咯咯笑，把暖忻"凉拌"起来了。而暖忻娴雅地倚在沙发上，微笑地望着我们，抿着嘴。李陀经常责怨我"不通人情世故"，而且所举事例无不令我赧然难辩，但那天我对正如日中天的女导演的怠慢，竟有他的一份"罪责"，不知他当时和过后，曾意识到否？

　　世事诡谲，人生多变，本不足奇；事过境迁，感情淡化，亦属自然；各有烦难，

命 中 相 遇

无以兼顾，则更不必自愧责人；却忽然得悉暖忻入医院不足一月而被癌魔摧折，年方五十五岁，这噩耗令我愕然良久。九十年代以来，我和暖忻一家几无联系，在他们在新朋旧雨之中，我其实已是一个"淡出"的角色。但七年前暖忻坐在我家沙发上的身容，却毫未褪色。

她到哪里去了呢？

两年前的一天，在电梯里遇见了王朝垠，对望中，他似乎淡淡地对我打了个招呼，我呢，那招呼可能更淡。我们都是去职人物，这座楼里有些本来是熟人，却很有道理或至少是可以理解地淡化或取消了对我等的招呼，这样挤在一个电梯里时，那景象很是有趣。我与朝垠还互相招呼，但绝无"同病相怜"感。我们的感情似乎从来就没有真正沟通过。

但我们却在一个小单位里共事了三年多。朝垠 1959 年毕业于武汉大学，一分配就到了那单位当编辑，一当就是三十多年，并且通过埋头苦干，从普通编辑一直当到了副主编。他当编辑的时候，我还只是一个文学青年，可我被派到那单位后，居然当了主编，成为他与另外一些资深编辑的领导，这对我和他们都不是一桩轻松的事。

我们毕竟有过合作。如果说也还有些成绩，那主要是他和别的同仁们因为热爱文学，出了大力。出了漏子，是我的责任。有一回，我问过朝垠："我伤害过你吗？"他很诚挚地说："你没伤害过我，没为难过我，你只是有时候让我觉得不愉快而已！"

那天在电梯里，我发觉原本就很瘦的朝垠，此刻竟瘦得脖子细得吓人。他脸上红得也很不自然，想必他又喝了大量的啤酒。他的神情有点恍惚。

我去职后，恢复到专心写作的状态。人情冷暖，世态微妙，正助我深悟人性之幽秘。倒也自得其乐。有人告诉我朝垠只是闭门喝酒，很少，甚至不写什么。我以为你不能要求好编辑都嗜写作。我不明白为什么不给朝垠安排编辑上的工作。他是正经编审。像他这样的资深编审是国家的人才。培养出这样的一个人才需要很多年。可是毁弃他却只需要一声"靠边"。朝垠显然需要安慰与鼓励，但却完全不需要来自我的这种感情。没有人明说,可我知道是我连累了他。朝垠不恨我,他对我的冷淡,昭示着我们各自好自为之;在这个不乏肖小的圈子里,他的此种态度,令我暗中很是感动。

就在那回电梯相会不久,传来消息——朝垠故乡的几个朋友,请他回去襄助一套书的编辑工作,而他却忽然撒手人间。

他去世后,几家报刊上都有他的老同学、老同事的悼念文章,对他一生的业绩和人品,予以盛赞。我读了只是发呆。既然如此难得的一个人才,为何正当盛年,却把他闲置起来呢?想到我曾不经意地让他不愉快过,心里深深地愧疚。

朝垠又到哪里去了呢?

我当主编的时候,未能免俗,上下班和办公事的时候,都乘坐单位的小轿车。开头的司机是老杨师傅。那时有人议论:坐老杨师傅车的领导,岁数是一茬比一茬小啊!确实,那时无论坐车的我,还是开车的他,心理上都有障碍。

我刚上任的时候,有回到了下班时,有人冲老杨说:"得,您该送他回府啦!"老杨面子上下不来,便说:"他呀……让他'咏叹调'去吧!"那之前,我有篇纪实小说《公共汽车咏叹调》很走了一通红。我听到了这个情况,便下决心要跟老杨师傅交成朋友。我成功了,后来另外几位司机都成了我的朋友。

我赋闲时,连续丢了两只猫,心绪极坏。有一天老杨师傅托人给我带来一个纸盒子,我打开纸盒,里面是一只可爱的狸猫。我摸挲着那猫,万感交集。当时老杨师傅已偏瘫病休,自顾不暇。这猫一直珍养到现在。我还据猫典考据出,这猫是挪威森林猫。

我总说要去看望老杨师傅。原来我去那儿是带好酒去。再去怕不能带酒了。也许该带好茶叶。可是我准备好茶叶,没顾得去,却传来了他过世的消息。

我坐小轿车总坐在司机边上。至今和握方向盘的老杨师傅并排闲聊的情景还历历在目。开车时总是西服革履体体面面的老杨师傅啊,你带着你那特有的微笑,究竟到哪里去了呢?

　　我有终极追求。其中很重要很固执的一点就是对"彼岸"的叩问。像张暖忻、王朝垠、杨学仪这样一些曾经在我身边坐过的人，他们现在究竟到哪里去了？是天堂、天国，还是依然在我们这个世界上，轮回为另一生命？抑或是穿过宇宙中的"黑洞"，到了另一个反物质的世界？我坚信此生的结束，只是另一种存在方式的起始。我以后要去的，跟他们是一个地方吗？我们还会相遇吗？有些事，我还来得及跟他们道"对不起"吗？我会有机会告诉他们，在他们走后，我仍留在这个人间时，我总是忙于自己的事，并不怎么忆念他们；可是一旦偶尔想起，便真是心里很不好受么？

　　写至此，我心如苦瓜。苦涩中旋出丝丝不息的探究。

1995 年 6 月 13 日绿叶居

元旦论灾为哪般?

1991 年，浙江温州永嘉县邀请一批书画家和作家去那里访问，我也在被邀之列。到了那里，见到一位满头白发的书法家孙轶青。他见到我，很亲切地打招呼。他和我之间，有这样一段对话：

孙：1977 年一读到《班主任》，见署名刘心武，我心里就说，这个刘心武，一定就是当年那个刘心武!

我：当年?

孙：是呀。你当年是不是写过一篇《水仙成灾》的文章呀?

我：是呀。好多年了啊! 大概是 1962 年吧。呀，快三十年了! 那时候我还没满二十岁。

孙：你发表在哪里的? 记得吗?

我：记得是《中国青年报》。刊发在 1962 年元旦那天的副刊上，登在左上角头题。

孙：是我签发的啊! 我那时候是《中国青年报》的总编辑。

我：呀! 是您呀!

孙：那时候，人们经过"三年困难时期"（1959 年至 1961 年），普遍觉得应该总结一下经验教训，不要把事情做过头啊。你这篇自发来稿，恰恰提出了这么一个意味深长的问题。底下编辑提交上来，我看了很高兴，就记住了作者的名字。当时还以为是个年纪比较大的同志写的哩。怪不得后来你能写出《班主任》，你从那时候就很能独立思考，发表出不同凡俗的见解啊！

我：我也走过弯路，写过随大流的东西。

孙：谁的道路是笔直的呢？汲取教训，发扬优点吧！

我：真高兴！二十九年后见到了您！

孙：我也是！

孙老提到的那篇文章，准确地说，题目为《水仙成灾之类》。大意是，非洲某港口引进了洋水仙（风信子），没想到水仙过度繁殖，造成了港口堵塞，损失惨重。可见好心也会造成恶果，凡事都应把握好尺度。

想想也是，这样一篇反"过头"的文章，竟然由一位小青年写出，作为一篇自发来稿，竟被《中国青年报》总编辑拍板刊于副刊头题，真是一桩值得忆念的事。可惜就在那一年，政治上又左起来，后来几年越来越左，终于引发出"文化大革命"。

其实我另一篇文章《从独木成林说起》，也刊发于《中国青年报》，而且时间更早一些，是1961年夏天。内容是谈辩证法的。我那时候自学恩格斯的《自然辩证法》，思考很多问题。那时只是觉得亲身经历的一些事情，可能是思想片面化所致，应该更全面地看问题才好，就写了这么篇文章。1991年在温州遇见孙轶青老前辈时，他没有提及这一篇，我想也应该是经他手签发的。

记得1962年春节，团中央在正义路本部举办了迎春晚会，我得到一张入场卷，很高兴地去了。楼里大厅摆放着梅花盆景，悬挂着传统宫灯。礼堂里先有歌舞演出，最后放映新拍成的电影《花儿朵朵》。不同的空间里，安排了花样繁多的有奖游戏。在其中一间大屋子里，则有《中国青年报》的种种展示，有项"我最喜欢的文章"的投票活动，备选的文章里，就有《水仙成灾之类》。我听见有参与投票的人互相议论，一个说："元旦怎么发表谈灾害的文章？"又一个说："我投这篇。唯物主义者没有忌讳……"我脸一热，赶紧走开了。

1961年到1963年，我在《中国青年报》上刊发的文章不止这两篇。那时候我觉得团中央很开明，《中国青年报》很有生气。二十九年后，我曾借到那几年的《中国青年报》合订本，翻阅中，仿佛又回到了青年时代。

与孙老温州邂逅，弹指又过去了十八年，距《水仙成灾之类》刊发，已四十七年了！昨天看《北京晚报》，在《五色土》副刊上见有书法家沈鹏的诗歌作品，细看标题，竟是《晓川兄告轶青翁噩耗泣就》！孙老晚年进入书法大家行列，沈鹏悼念的不可能是另一轶青。我读了沈鹏的诗，久久地凝望着窗外的天空，只觉得有白鹤朝高远处翩翩而去。

2009 年 3 月 24 日

读者是光

近来心情不好。原因是多方面的。在这种情况下，待人接物倘非事先预定、调节好心态，面临不速之客的造访或电话，便往往失态，至少是令对方大失所望：这人怎么会这个模样、这个调门？！

接到从山东打过来的一个电话，来电话的是一位素昧平生的女士，告诉我，她喜欢我的作品，不仅二十年来追踪阅读，还写就了一部评介我创作的书稿……她满怀激情地倾诉着，我却平静地，甚或可以说是冷冷地应答着，终于，那女士停住原有的叙说，直率地问我："您怎么……跟我想象的……完全不同？……您怎么……一点儿也不热情？……"我心头一震，是啊，我怎么了？我心中的热情，竟都耗散殆尽了么？

也许是，我老了？但以今年满56岁的年龄，实在还不具备"倚老卖老"的资格；也许是，在这转型期中，面对着纷繁诡谲的世道人心，过分地焦虑？其实关注现实的焦虑，只能是高扬起呐喊的激情，而不应是遍体清凉、静默无言；也许，是基于在文坛的边缘化，自觉地收敛了竞争之心，甘愿在寂寞中咀嚼自我灵魂，再不想弄潮逐浪？……

后来，我们又通了电话，她给我寄来了打印得工工整整的书稿——《穿越九十年代——刘心武新作述评》，翻阅中，我的心渐渐升温悸动。

我曾写过一篇随笔《边缘有光》，并以它命名过我的一部随笔集。是的，现在我在文坛中，确是越来越边缘了，但支持我的那些读者的星光，依然照耀着我，供给我我生活与写作的热能，王克安女士的这部书稿，还有比如说前些天我参加《北京晚报》的一次"文化热线值班"活动，那些接连打进来的读友电话，都使我心中荡漾出莫可名状的感动。

还有一天，闷闷地不知怎么才好，便跑到离我家不太远的人民文学出版社读者服务部去，意在挑几本外国小说，不想我正挑书，忽然有一位中年妇女带着她上中学的儿子，匆匆地走进书店，急切地问售货员："有《刘心武》吗？"售货员乍听莫名其妙，那妇女解释着，售货员尚未明白，我却心中已然有数——她是奔着人民文学出版社所出的"中国当代作家选集丛书"中，我那一本而来的；于是，我转过身，代售货员从书架上找到了那本用我名字作书名的书，拿给她，并告诉她："我就是刘心武，我给您签个名吧！"我签完名，没等她说完道谢的话，便逃跑似地出了书店，在霓虹灯闪烁的红尘中，脸有些个发烧……

我深知，在眼下文学走向多元化的局面中，我所站位的一元已非耀眼所在，追踪阅读我所在的这一元的创作的读者，在文学总读者中恐怕早非人数最多的群体了，而且，这个群体的平均年龄在与日俱增，基本上是一种隐形的存在，他们的爱好、意见往往不具卖点，不大容易为传媒重视，但不管怎么说，他们的光，照得我心暖，也照得我惭愧，照得我心慌——在今后，我和他们的人生道路上，那一份可贵的心灵联系，能持续多久呢？

于是忽然憬悟：我的心情之所以阴晴不定，所以苦闷，所以焦虑，所以烦躁，所以羞愧，所以不甘心，所以不罢休，大概其中有一个主要的因素，是我深知以往写得实在并不好，辜负了对我作品追踪阅读的读友们的厚爱，我是欲在苦闷中挣脱茧壳，作生命与创作的新一轮奋飞！但，到目前为止，我尚未找到突破口，尚未大彻大悟，当然也就一时还拿不出令关爱我的读者们眼目一新、心头一热的新作，甚或，我就永远淹滞在现状中了！

在这样的心境中，再翻阅王克安女士的书稿，感到实在是极难得的鞭策。愿如王克安般关爱我的读者，以鼓励与鞭策的星光，促我再次破茧而出！

1998 年 4 月 14 日绿叶居

艮

不是说八卦。八卦里的"艮"读去声,这里要读上声,是性子直的意思。加鼻音,有"耿"字,耿直也是那么个意思。可是,还是觉得"艮"字更有味道。

这味道,在从维熙身上很浓酽。

1978 年春天,我当时是北京出版社筹办中的《十月》丛刊的编辑,跑到一条小胡同的一个小院里的一间小屋子里去找他,他不在,接待我的是他面容刚毅的母亲,说他回山西了。我见那小屋里只有一张破旧的双人床,而且知道他母亲平时还带着已经上高中的孙子过日子,心里很是惊讶:维熙回来可怎么睡呢?我猜是打地铺。可是后来见到维熙,他告诉我,就是都挤在那张破床上睡。

没见到维熙,可是却找到了另几位 1957 年"犯过事"的主儿,就跟他们约稿。可是,维熙很快从山西给我来了信,说是得到他儿子小众的信,知道我去约过稿,其实我去的前一天他刚走,很为我们俩失之交臂而遗憾……

那时候维熙虽然已经出了"大墙",可那时候"右派"的问题还没有得到改正,而且,那时候虽然社会上求变革的吁求声日益高涨,报纸社论可还在强调"两个凡是",像我那样的编辑,费老大精神拐着弯儿找着个地址,兴冲冲地跑去找他那样的人约稿,多少还是冒着些风险吧,那时候,比较精明的人,什么事都讲究"一慢二看三通过"哩。

维熙给我回了封挺带感情的信,却似乎并没有给《十月》赐稿。紧跟着的政治形势急转直下，那一年年底召开了著名的十一届三中全会。过了年，到1979，我约过稿的1957年"犯过事"的主儿，全都获得了改正。维熙把他的中篇小说《大墙下的红玉兰》给了复刊的《收获》，一经发表，立即轰动，香港报纸称他为"中国大陆大墙文学之父"，他的文学创造力如趵突之泉汩汩喷涌。

后来我离开了《十月》。我始终未能当上维熙的责任编辑。可是，维熙一直记得我曾找到他母亲那间小屋去跟他约稿的事。他后来多次提及。

我承认，我有那样的虚荣心——我既然多少冒了点风险，或者说多少是"勇为人先"，或至少是"得风气之先"，去那样积极地约过稿，我总希望被约稿者能够记得，能在事过境迁后还能给我几句好话，至少，不至于在后来加害于我，更至少，不要害起我时下手那么狠……其实，我这样的心思，恐怕也不能以"虚荣"名之吧。人心虽偏左长，却毕竟应是肉做的吧！

这似乎扯远了。也不拟仔细往下撕掳。但维熙不仅不忘我在"两个凡是"时期去约稿的善意，还更进一步给予过我难得的忠告。前些时刚写过一篇关于维熙的"剪影"，有所涉及，现在录入此文：

平日与从维熙常通电话，言谈极欢，可是有时候在饭局碰上他，我却避之不及，那原因很简单——他总免不了一支一支地抽烟。我这人无"烟史"，不属于"烟民"，倒也并不是个热烈的"禁烟派"，我只是从报刊上看那样说法的文章多了：被动吸烟者患上肺癌的，往往比"烟民"的比例还要高；我这人生活中因被动而尴尬的情形已经不少，怎能再因被动吸烟而"英勇捐躯"？我不干预他人吸烟，也盼他人莫令我被动吸烟。

1999年3月，新加坡的"人与大自然——环境文学国际研讨会"，主办方也邀请了维熙，可是他想来想去，还是没有去。他在电话里告诉我，新加坡可是个禁烟甚厉的地方，而且峻法严刑，马虎不得的，以他那难以改变的吸烟习惯，如果去了一旦禁忍不住惹出麻烦，主客两方都会败兴，爽性放弃算了。我去出席了那个研讨会。不仅会场上绝对不能吸烟，会场外也不是任何空间里都可以吸烟，公众场所如飞机场候机厅、花园绿地等处更是难觅特许吸烟的小区域,维熙知难而退,也算主客两便罢。

读过维熙那些沉甸甸的作品,也就不难理解,他何以那般嗜烟如命。在那些艰难岁月里,往往肚皮都填不饱,更遑论水果零食,能有支劣质烟尽情地吮吸一阵,便是莫大的享受了。

但这似乎也并非"习惯成自然"就能解释得了的。维熙不但不以吸烟为陋习,反以其吸烟的风采为美。杂志的封面上刊出了他大幅特写,他很得意,打电话问我:"怎么样?有没有味道?"我故意气他:"满纸烟气,熏得慌!"又说:"我还能认出你,那些崇拜你却无缘见真佛的读者,这下更糊涂了——从维熙究竟什么模样儿啊?"他却极为自信地说:"他们喜欢的就是这模样!"倒也是,八十年代初,他随中国作家代表团出访澳大利亚,在一次露天派对中,几位澳洲美女,偏去围上了吸烟的他,赞他既阳刚又优雅,魅力十足。此事倒也非他自吹自擂,有当时在场的中国同行与记者为证。维熙出他的文集,自己设计封面,选用的也是一张吸烟的照片,是站在草地上吸烟,缕缕烟云从他右手飘出,仿佛助他回顾自己坎坷而刚直的一生。

八十年代初,维熙那一辈的文友,常不弃我"文龄"短促见少识浅,邀我一起聚会。我那时也就把他们每一位都视为兄长净友,言谈无忌,还爱听谀词浮语。记得有一回,聚后大家散去,维熙跟我同乘无轨电车回各自的家,车上虽不算挤,但我们也没座位,就站在了车后售票员的柜台前;车厢里光线很暗,我正倚在那儿回想聚会时的欢声笑语,忽然,维熙伸出他的右手,拉住我的右手,语气郑重地说:"心武,我得告诉你,×××是靠不住的……大家都好的时候,他对你能比谁都显得更好……我是吃过亏的……你要小心!"我吃了一大惊,莫是维熙喝醉了?但他两眼炯炯闪光,绝不朦胧;嘴里也没喷出酒气,只有一股香烟的气息,从他身上氤氲而出……

那晚电车上维熙的肺腑之言,令我心动一时,却并未令我时时牢记,结果,几年后,冷不防,不幸让维熙言中,我吃了一大亏!好在世道仍是改革、开放的大趋势，蛇咬一口，有药能解，我也还能活蹦乱跳。维熙那晚的忠言，我要感念一世，如非睿智戆直之士，焉能如此料事、那般待我。

现在细想，维熙的吸烟，于他实在有着更深的意义。他原来习惯于一手持烟一手执笔，如今他用电脑写作，间隙里也总要燃烟慢吸……他，真是一条烟后吐真言的汉子啊！

读者会问：你上面那段文章里的×××，究竟是谁啊？其实维熙在他那本《走向混沌》里，是点名点姓写得一清二楚的。他比我艮，凡属事实，他都敢于直言，从不拐弯抹角，不为贤者讳更不为不贤者讳；甚至于，有时连说话行文的必要"花枪"都免了，爽性地，"大刀向鬼子们的头上砍去"；当然，那"鬼子"，未必是具体的某人，可是却一定会是人性中最黑暗龌龊的东西。

维熙也写过别的题材，但近二十多年来，他所从事的创作，贯穿至今的，却始终是"大墙文学"。担风险时，他写；得大奖后，他写；被曲解时，他写；受欢迎时，他写；有人说"这样的题材写法落伍了"，他写；有人讥刺他是"原地踏步"，他写；有许多读者感动地给他写信，甚至辗转找到他家里，他写；评论界一时追逐新潮新浪无暇顾及他的新书巨著，他写；海外积极翻译出版，他写；电脑网络热情邀他上网，他写；风起风落，他写；云翻云涌，他写；昨天写今天写，明天保准还在写……艮。

这样艮的人，写这样艮的文，记录时代，丰富历史，化成人文，奉献后代，会有好报的吧！

有好报。维熙现在找到了自己最恰宜的位置，活得滋润。

幸福是什么？不是"大满贯"，是失掉不必可惜的，以及虽然有些可惜然而还是勇于失掉，只撷取那些最纯洁最美丽最芳菲的生命花朵的，得大自在的生命状态。是不必八面玲珑，不必左右应付，不苟求于人，不敷衍不将就。

维熙曾把深恶痛绝的某某，拒绝在自己家的防盗门外，隔栅严词相对。那时某某大权在握，损人牙眼，却还要人家承认他是个人物。或许有人以为维熙不必如此，活络点岂不好些？但维熙至今毫无悔意。事实证明，艮有艮福，维熙失去的只是虚伪的假面，获得的却是自我尊严的高扬与许多人的翘指赞叹。事实也证明，蝇蝇苟苟，行不正言不顺的人，到头来只落得身虽尚未败而名已臭，左右不逢源，向隅徒叹息。

像维熙这样资历的作家，有的，已经根本不把我这一茬的作家当回事儿，眼皮只望高处挑，对八十年代末九十年代里才出道的作家，更是肚皮里妒火中烧，颜面上却冷冷的，甚至"睁眼瞎"，简直不承认人家是作家，以至作出一些类似螳臂挡车的事情来，令人齿冷，贻笑大方。维熙却能打心眼里为新人新作连翩而出欢欣鼓舞，像陈染、刘震云等生活经历、美学趣味跟他相异处多多的青年作家，他都有所交往，平等相待，言谈极欢，对青年作家某些相当大胆的艺术尝试，他总是尽量去理解，去鉴赏，即使感到有认知与审美上的距离，也总是乐于为他们的创新勇气鼓掌欢呼，为他们的创作自由呐喊维护。

艮，在八卦里，是山。我祝福维熙把大山般的胸怀与大山般稳定的审美追求，坚持到底。看我，说是不谈八卦，到了还是绕回了八卦上。好，打住。

公元2000年，中国农历庚辰年，都刚开始时，写于温榆斋

弄不懂

在今年国庆节前，报纸上刊出了邵燕祥关于"祖国五十岁"的提法不妥的文章，其实那文章他并不是今年才写的，已经发表过好几年了，实在是因为"祖国五十岁"的提法仍颇流行，所以不得不"旧文新发"；好象也很有些报纸在"文摘"版摘登，并也有其他人著文呼应；可是临到国庆节，"明天是祖国的生日"之类的大标题仍在某些报纸上出现，电视里也有某些节目有类似的提法。为什么不能把话说准确呢？十月一日是中华人民共和国的生日，而并非"祖国生日"，话一定要这样说才对头，否则，且不去说几千年前的祖辈，就说孙中山吧，他早在七十多年前就去世了，倘那时祖国尚未诞生，他是哪国人？为什么天安门广场人民英雄纪念碑前，每到十月一日总要竖立他的画像？再有，现在五十岁以上的，比如我，出生时都一律成为没有祖国的人了，想想不仅荒谬，也很恐怖。

前数月，北约轰炸南联盟，若干传媒出于支持南联盟之意，立即安排播出前南斯拉夫影片《瓦尔特保卫萨拉热窝》，用意当然是好的，可是细想想，萨拉热窝在哪里？并不在现在的南联盟境内，那已是另一国的首府了，以此"支南"，似未必恰当；还有的安排播出《苏捷斯卡战役》，以抒"援南抗美"的激情，但那部影片却是当年南斯拉夫与西方国家关系好到极点的产物，是前南与西方合拍的"大制作"，而且其中扮演铁托的，是南斯拉夫以重金聘来的美国好来坞大明星；似乎是，为了表达这一份激情，已特意减少乃至停播了美国影片，可是，《苏》片也是一部美国参与的影片，却被忽略，而令扮演铁托的美国明星重返荧屏，大展风采，与安排播出的初衷，显然是背道而驰了。当然，依我之见，播出此片也无妨，而且不必停播格调健康的美国影片，一般的美国电影从业人士及他们的劳动成果，与北约什么的并无关系，还是区别对待的好。

上面所说的，令我弄不懂为什么非要那么说那么做的，还都并非文学界的事。其实文学界有的提法我就一直弄不懂，其中最令我困惑的就是文学史上对"现代"和"当代"的划分。"五四"以后，白话文里曾出现"摩登"一词，系英语MODERN的译音，其实就是"现代"的意思，比如我记得三十年代有田汉编剧、阮铃玉主演的左翼电影《三个摩登女性》，还有卓别林那部讽刺美国急剧的工业化进程将人压榨成机械零件的影片，被译成了《摩登时代》；后来，"摩登"一词的含义似乎大大地缩小了，且与"时髦"近义，一般拿来形容追逐新潮风尚的人物，或形容他们所热衷的物品及行为；而"现代"一词，不仅得到广泛应用，且词义大大得到展拓，比如我们现在耳熟能详的"现代化"，其中的"现代"一词就饱蓄着"现在时"的紧迫意味。

可是，文学界，特别是文学理论界，尤其是文学史这一界，不知从何时起，把本世纪初到1949年以前的文学，称之为"现代文学"，1949年之后到如今的文学，称之为"当代文学"，这样的称法不仅写进了无数的文学史和论文，也成为教科书里难以撼动的"规矩"。

这里且不探讨以1949年作为文学史的分期界限是否妥当——恐怕未必妥当——就是妥当，也应该就老老实实地称为"1949年以前的文学"和"1949年以后的文学"，而不应当把1949年以前的时间段称为"现代"，以后的称为"当代"。八十年代以后，我们在政治用语上，取的是"现代化"的而非"当代化"的提法，依这个符码概念推衍，我们要实现的"四个现代化"，包括科学技术的现代化，其实也就包括着精神文明的现代化，当然也就函括了文学的现代化，这里的"现代化"指的是与世界、人类同步或可与之竞争、并秀的那么一种境界；可是，我们文学界却把"现代"定义为"1949年以前的状态","文学的现代化"成了"使文学退回到1949年以前"的那么一种很滑稽的意思，这不仅与政治用语不相匹配，与社会上一般人心目中的"现代"理念也很不合拍。

抛开"摩登"一词不去管它，细抠"现代"和"当代"这两个汉语词汇，实在是语义完全重合的同义词，"现在"即"当前"，"当下"即"现时"，以"现"缀"代"和以"当"缀"代"，怎么琢磨也发现不了二者的分驰之处。特别是，二、三十年前讲"现代文学"，那"现代"还不怎么古老，现在讲"现代文学"，起码是讲五十年前的老事情了，弄不好是六、七十年前的具有文物性质的存在，那怎么会是"现在时代"的文学？看来只能为之另取一个称谓才是。至于现在所说的"当代文学"，倒无妨将其正名为"现代文学"，以与"现代化"等社会已经习用的符码相融通。

细想起来，"官方"何曾称自己"诞生"了"祖国"，正式文告里总是准确地使用"中华人民共和国诞生了"等用语，可是我们一些民间人士，总愿意把十月一日国庆节说成"祖国生日"或"祖国华诞"，甚至在有人纠正后，依然故我，不以为误，反以为功；"官方"又何曾与前南斯拉夫那么样地认同，前南解体后，"官方"对所独立出的各国都予承认，但若干民间人士却热中于在支持现南联盟时，去一遍遍地使用"保卫萨拉热窝"的符码；"官方"只是强调不能在台湾问题上承诺放弃武力，若干民间人士却在报纸上鼓吹应在今年台风期迅疾攻台，似乎是强调不能在台湾问题上承诺力求以"一国两制"的方式和平解决；"官方"并未放弃"从来就没有什么救世主，也没有神仙皇帝"的马克思主义立场，强调"全心全意依靠工人阶级"，若干民间人士却热中于把现实比附为某个封建王朝的"盛世"，倾尽全力地讴歌"反腐惩贪"的"圣明皇帝"，强调"全心全意依靠圣君贤相"；据此揆之文学史的分期，颇有相似之处，"现代""当代"的分割法似并非"官方"或哪位领袖人物所倡导，而是若干民间人士自觉地以1949年来"一刀两断"的，而对断成的两段，又使用了如此奇怪的命名方式；呜呼，真是弄不懂！

1999年10月9日绿叶居

溶溶漾漾在心头

　　总记得在那凄风苦雨的时段，大苦闷中，他飘然而至。窗外是充斥着暴力语言的大字报，那些锥心的污蔑与谩骂令我心肺渗出血丝。我尽情倾诉冤屈与困惑。他默默听完。并不给予我简单的安慰与劝解。他引导我回忆我们同窗时，那些琐细的趣事妙遇，在那些雪花般的，易融的往事碎片中，他和我一起搜集人间的欢愉与善意……就那样，生命中许多雪花般的忆念，滋润了干涸皲裂的心灵。那晚他就留宿在我那小小的宿舍。这是违规的。但一个人加上另一个人不是等于两个人——倘若他们真是朋友——那就仿佛置身在了一个温暖而安全的团队里。我们这个团队坦然地面对可能出现的不测——如"造反派"的突袭性盘查。我在唯一的床上，他打着地铺，我们不停地说着随意而出的话语，一如泉水从天然的岩隙汩汩而出；说到曾经作过的梦，他道："在看不见人影的街道上，我一个人踽踽独行……"亏他能把那文诌诌的"踽踽"两个字准确地道出，令我笑得在床上鲤鱼打挺。直到我们的眼皮粘上再也不能撑开，我们才黑甜一觉。结果那一晚平安无事。他离去时窗外仍是浊雨淋漓，但我心头却照耀着艳丽的春阳。从此，友情在我心中，有了比爱情更崇高的地位。

　　也总记得在那年春花烂漫的时光，我等着他来，他总是说要来，那一天他说他都已经置身在离我这里很近的地方了，用手机打来电话，说马上就可以到我这里来"弯一下"，可是左等右等，他总没到，打他的手机，总是占线……他终于不曾"弯"到我这里来，日久天长，我也便不再期盼他"弯"过来了。我为什么不"弯"到他那里？也曾想约个时间，他"弯"不过来，我"弯"过去，他却丝毫不打弯地告诉我："不行，实在没有时间！"也不是全然不再见面，在某个在豪华饭店多功能厅里的某个新闻发布会后的冷餐酒会上，他衣着光鲜地举着长颈玻璃杯，老远就跟我行举杯礼，脸上是真诚的微笑，可是我无法接近他，因为总有这样那样的人——我懂，是利益伙伴——去跟他接触、交谈，我识趣地移步角落，与半生不熟的人士说些无关痛痒的淡话……我身边有很多的人，可是那么多人加起来，还是等于我一个人，我在孤独中悄然离去，出了饭店，在街上踽踽独行，是的，踽踽……我能准确地发出这两个字的读音。

原来我只知道，一波又一波的阶级斗争，使得人与人之间很难保持超政治、忘斗争、无功利、纯情感的友谊，那时，朋友是多么金贵。现在我竟不得不对自己说，你也该懂得，在一个市场经济驱使人们去争分夺秒地投入赢利竞争的环境里，超功利的交往首先是"浪费不起时间"，享有"非利益伙伴"式的"古典朋友"，竟是人生最难企求的精神奢侈！

我的这种生命体验，太个别了么？不。跟一些认识而已的人说起，都有共鸣。于是，我固执地在这新时段里寻求友谊，寻求"非利益伙伴"的"古典朋友"。过去我不想让自己的心灵如同钢铁般排斥柔情，如今我也不想让自己的心灵如同金币般徒有"成功人士"的光芒，有一种企盼，一种柔情，溶溶漾漾在我心头，那就仿佛春冰春水渴望鼓出叶芽的垂柳枝条向它接近，就仿佛秋日蔚蓝的晴空等待着雁群在它上面写出跃动的人字……

大风起兮

　　那天，来我郊区书房温榆斋的女编辑徐某，开门迎她我就一愣，她进屋后自己笑说，知道我是觉得她那顶带面纱的欧式古典坤帽扎眼。坐下来之前，她还把那面纱用双手慢慢地揭起，我说像是在拍电影，她笑得更灿烂，说那帽子正是电影道具，是要在他们出版社出自述的一位当红女星拍完一部新片后送给她的，那部新片的故事背景是上世纪 20 年代，女星扮演一个赴法国留学的富家小姐。

　　她是给我送一部书的大样来的，其中有些地方需要当面跟我确定去留改动。我们处理完了书稿，闲聊一阵。她送来他们出版社新出的一本书，讲中国早期艺术摄影的历史，她说其中刘半农那幅《大风起兮》最有味道。我翻看那一页，确实精彩。拍的是古城墙下，在风中挣扎前行的挑夫的剪影。刘半农是中国最早倡导艺术摄影的人士，此事和他发明"她"字一样，功不可没。他的艺术摄影能把镜头对准｝十会中艰难生存的下层人物，难能可贵。艺术摄影，除了照片本身的质量，取一个什么题目也很重要，《大风起兮》这题目就取得好，摄影技术是从西方传到中国的，但刘半农成功地在这幅作品里，将艺术摄影本土化了，不仅题目有中国味，在洗印剪裁的技巧上，也追求中国水墨画的神韵，有反复欣赏的价值。

　　窗外风声渐成推磨之音，一些沙土扑在窗玻璃上发出筛糠般怪响，徐编辑就说怎么你这付里村外的生态环境也并不怎么样啊。我承认。我在一些文章里，把我这温榆斋周边的好处说得比较多，其实，环境污染非常严重。一个废弃的塑料袋被皮风扑到我书房窗玻璃上，粘住似的好久都不离去，我就指着它跟徐编辑说，你看，多么丑陋！有人把废弃塑料袋的污染叫作"白色污染"，真要都是白的，也许还顺眼一点，这村里村外废弃的塑料袋，什么颜色的都有，秋后收割后的玉米地，留下的那些秫秸头上，大风过后，全是钩住离不开的薄薄的劣质塑料袋，五颜六色，看去恶心，谁有工夫一一去把它们收拣起来？冬天雪后暂时眼净，开春后，拖拉机来耕地，把那些残留的塑料袋连秫秸根带土翻埋在地里，那些塑料袋几乎全是不具备降解性，有毒的，难怪这些大田里的庄稼一年比一年长势差！

大风起兮，她那顶电影道具的帽子和面纱是不顶用的，出门就得灌一脖子沙土，我就再招待徐编辑咖啡，等风小后再让她回城。她跟我说起前些时去参加法兰克福书展，在德国看到的优美环境，以及那里人们良好的生活习惯。为什么我们就非得用那些劣质的塑料袋呢？特别是买菜的时候，自己拎一只竹编藤编的菜篮，或者厚实的帆布袋，去装那些买来的菜蔬，不是很好吗？报刊广播电视里不知道宣传多久了，但事到如今，还是薄薄的杂色塑料袋横行，一些超市还在使用，更别说那些农贸市场。叹息之余，我就坦白，其实我自己，在这村边的农贸市场买菜，有时也并不自带盛菜的工具，而是接受小贩提供的那种超薄的塑料袋，只不过回来后我会把它扔进自家垃圾桶，最后再连同其他废弃物扔到外面的大垃圾箱罢了。

徐编辑说，这就跟随地吐痰一样，不管 GDP 值怎么飙升，中国人这一类的陋习，看样子还需要很久以后，才能够不那么普遍存在。"这究竟是为什么？"我问，她只点头赞同我的问题，也并不能作出回答。

风就是不停。徐编辑说必须回去了。她毕竟有自己的富康车，就停在书房外几十米处，进了车就没事儿了。我说那你就把我捎到村边农贸市场，我连一茎菜叶也没有了，非去一趟不可。搭车到了农贸市场，没下车，我和徐编辑望出去，就全愣住了。

那农贸市场没有一个顾客，但几乎所有的摊位还都在坚持，空档很少。那些守摊的人，多半是一个摊位一对夫妇，简陋点的，就是个地摊；稍好点的，支个破

命 中 相 遇

遮阳伞，伞下是放菜的三轮车；生意做得久发达一点的，是小卡车，上头张着比较阔大的帐幔，除了卖菜，还卖水果。这一切，摊位和看摊的人，全笼罩在"大风起兮"的氛围中。这本没什么稀奇，对不对？可是我跟徐编辑为什么愣住？就是我们都分明看见，所有那些看摊的男女，全都把一个塑料袋箍套在自己脑袋上。用来挡住风沙！

那天晚上，风停了，徐编辑来电话，说她实在难忘看到的那种情景，她鼓励我成为"当代刘半农"，去拍下那现实中的"大风起兮"。我却告诉她我一点不想拍照，我只是在琢磨，也许，只有在一个大体均富的社会里，才能切实解决塑料袋污染这类的问题吧？

你有淡淡的哀愁吗

那天，与一位白领女士聊天，她职位稳定，收入颇丰，夫君更称得上"成功人士"，早已过上"一套房子一辆车，一个孩子一条狗"的优裕生活，而且，她颇得意地告诉我，上面那句概括小康人士的俗语里的四个"一"，于她家而言都已属于"前史"，他们正在着手买第二套更大更好的房子、第二辆小轿车，并且因为他们都是独生子女，又都是高学历，根据相关政策也还可生第二胎，目前她已有喜，而宠物，他们也计划在第二个宝宝会跑动时，增养一只名贵的斑点犬。我听了很为她高兴。

这位跟我沾亲带故的白领女士，算得打小看着她长大，时光流逝，她犹如小小嫩芽，挺拔为一棵秀丽的白杨。她似乎所有该有的都拥有了。她发现我摇椅边总放着一本丰子恺漫画选，随手翻看，嗤嗤地笑，问她是否觉得有趣？她坦言："笑的是您，总抱着这样的东西怀旧，如今世界都是什么样子了，漫画也不是这么个画法啦！"我知道她和她夫君平时常看的是台湾的几位漫画家的连环画，那确实跟丰子恺的画儿完全异趣。时代的变化促成着画风的更新，但艺术这东西既然是人性的渗出或喷涌，那么只要人性还是那样，古典的、老旧的、时过境迁的艺术作品里，总会有一些把人性某方面表达得准确生动的，也就一定能具有长久而充沛的生命力，能跟新增添的艺术作品一起，成为现世欣赏者多元选择中稳定的一元。

命 中 相 遇

　　丰子恺有一幅作品画的是年轻母亲灯下为婴儿喂奶，一边翻着本旧书，里面赫然出现几枚花瓣，画题就叫《三年前的花瓣》。白领女士看着还嗤嗤地笑，我就问她："你的书里，能找到旧时的花瓣吗？"她摇头："怎么会有？我的任何一个可以夹东西的物件里，都没有花瓣。"说完，她若有所思，竟破例地似乎凝视起那幅画儿来了。

　　后来我们一起喝下午茶。那天她来找我，本是很功利的目的，为的是把我强拉到两天后的一个名为研讨实际是推销的场合去。没想到我出了两本关于建筑的书以后，会惹来这类的麻烦。这天尽管我没能让她完成使命，她告辞时连说遗憾，但我们的交谈还是让我觉得很有收获，她也有同样的表示，但愿那是她的真心话。

　　她走后，我在摇椅上闭目摇晃了很久。我不敢说当今的白领一族多是她那样的情况，她自己倒跟我说她和她夫君都很有代表性，可供我作为"模特儿"剖析一番。概言之，他们虽然已经是十足的小资产阶段，或者说是十足的中产阶级、小康人士，但是，他们的思想感情里，却很缺乏传统小资产阶级的那种调式，这是为什么？

　　茶话间，我曾问地："你可有过淡淡的哀愁？"头一遍她甚至没听懂，还得我再问，并且把"淡淡的哀愁"几个字的的写法详细道明。

　　她真的没有过那样的情绪，这跟她的书或任何可夹东西的私人物件里都从未夹存过化瓣是统一的。她自称也曾有过失败的初恋，是她"快刀斩乱麻"地跟那个大男孩道了"拜拜"，因为她忽然"清醒"——那大男孩"毫无实力"，后来她终于攫住现在的夫君，其中一个关键的环节，是她在私室灯下，拿两张大白纸，当心都划一条竖线分为两栏，一栏列"利"，一栏列"弊"，把两位候补夫君的种种信息分别填进两张纸后，加以比较，大体相同的"利"与"弊"用红笔勾掉，然后看留下"利"多"弊"少的是哪位？最后她"两害相权取其轻"，作出了自己的抉择。"他果然很有实力，并且很有潜力"，"实力与潜力"是她向还未决定嫁谁的女友的"永远的忠告"。

夫妻间发生了矛盾怎么办呢？她告诉我："那很简单：谈判。"

后来我也翻了一本那女士所喜欢的台湾漫画。把夫妻关系定位为战争状态，画的麻辣烫，很好玩，确实，人性中有那类的存在，将其揭橥，或引人戒惕，或劝人隐忍，或竟令人在一笑后反觉"王致和豆腐最最香"，自有其功德。这样的漫画可以说是与丰子恺的漫画互为补充，旧的不过时，新的不多余，人性从两面甚至多面流溢出来，都算得是小康一族的灵魂写照吧。

但是，为什么丰子恺式的哀愁，不能在若干新的小资产阶级或者说中产阶级的灵魂中氤氲呢？那真是一种过时的情愫吗？

我这一代人，青年时代所受到的告诫之一，就是必须"克服小资产阶级思想感情"，而"淡淡的哀愁"即其中经常会被点到的"不健康情绪"。到"文革"起来之时，那"小资产阶级"也就跟"大资产阶级"划了等号，"淡淡的哀愁"也被上纲为"反动情绪"了。"文革"中上海率先被揪出的"反动文人"就是丰子恺，这事很让当时才二十四岁的我暗暗（哪敢公开）吃惊，因为我一直喜欢看他那些"满山红叶女郎樵"的漫画，以及他的《缘缘堂随笔》，觉得他真是一个与政治无关的散淡文人，充其量不过是介乎"革命"与"反革命"之间的"不革命"的中间人物罢了，这样的人物你可以督促他加强思想改造，以进入革命行列，何必大张旗鼓地将其当作那么大的一场政治风暴的大靶子呢？作为"文革"大风暴前奏的对电影《早春二月》《舞台姐妹》《林家铺子》《北国江南》的大批判，其中也包含着对人际温情，对"淡淡的哀愁"的残暴鞭笞，《舞台姐妹》被当作"反面教材"放映时，银幕上伴随着凄美的画面，响起"年年难过年年过，处处无家处处家"的唱词，我拼命警告自己"这可是五彩斑斓的大毒蛇"，却还是忍不住从心底旋出丝丝缕缕"淡淡的哀愁"。

"文革"后有幸与陈荒煤前辈相识。他正是上述几部"大毒草"电影的"罪责人"，那些电影虽然各有编导演员等参与创作的人员，但他当时是文化部负责电影生产的副部长，也确实为这些"毒草"的"出笼"煞费苦心（草是植物，何以要用"出笼"喻其凶险，我至今茫然，但"毒草出笼"一度是最流行的正规政治语汇，故仍沿用），为此他不仅饱受批斗之苦，还身陷囹圄数年。陈荒煤原名陈光美，曾是位小说家，第一个集子题名《忧郁的歌》，可见那时他是颇有小资情调的。但他后来投奔延安，努力地改造自己，名字改成了陈荒煤，他最后一篇小说题为《在教堂里歌唱的人》，刻意断绝忧郁，但可能是觉得小说这形式还是容易让自己陷于"软情绪"，就此"红盆洗手"，一心一意当起了"文艺战线的组织工作者"，也就是革命的文化官员，在"文革"前一直当到全国电影生产的总管，他自以为思想感情已经改造得相当地"布尔什维克化"了，并且在工作中也否决了若干认为是"思想感情不健康"的电影，可是，没想到他批准拍摄的上述电影，有的根据烈士作品改编，有的根据现代文学史上有定评的作品改编，有的编剧是老革命，有的素材取自左翼戏剧运动，按说就是有些抒情成分，含有些人情味儿，也该都不姓"资"，却一朝全被打翻在地，还"踏上一万只脚"，被指斥为是反革命的特大毒草。

陈荒煤"文革"后平反复出，以很大的热情投入改革开放洪流，他支持"伤痕文学"，对我的小说《如意》改编为电影，他不仅支持，还为编剧和导演提供了细致而内行的指导，当有人怀疑拍摄《如意》是"为抽象的人道主义张目"时，他站出来为我们年轻一代撑腰，这都令人感动。但就是他，有一天对我说："我最见不得'淡淡的哀愁'。"当时我想，他的确是"一朝被蛇咬，十年怕井绳"啊。淡淡的哀愁即使算不得什么良好的思绪，也确实不必人人、时时都有，更不必在任何一部文艺作品里含有，但又有什么"见不得"的呢？后来我进一步深想，他的一辈子，处在不间断的思想感情的改造中，小资产阶级感情，特别是其中那最易暴露出来的"淡淡的哀愁"这只"马脚"，让他吃尽了苦头，也终于让他意识到那是与革命事业格格不入，必须像战胜病毒一样加以消灭的。

荒煤前辈在上世纪末因病去世。可惜不能与他详细探时关于"淡淡的哀愁"这一人类共有的情愫了。

　　说是人类共有，不用举更多的例子。前些天传来的消息，法国女作家萨冈仙去。萨冈的成名作就是《别了，哀愁》。哀愁，无论是拥抱它还是告别它，那肯定是人类共有的一种情绪。哀愁与人类的总体生存状态有关，更与人性有关。革命家尽管为了社会公正去进行革命，却大可不必将哀愁，特别是淡淡的哀愁，这人类的固有情愫，当作革命的对象，大加挞伐，加以杜绝。

　　我二十年来一直珍藏着一本小书《中国散文44篇》，是中国作家协会江苏分会1983年编的，封底上印着"内部学习资料"，后来不知道是否正式出版了，这本选集所选的44篇散文确实都是精品，从上世纪20年代一直选到80年代，当然，前半世纪的所占比例很大，编选者强调，那只是因为那些文章"不好找"，我读这些篇什，却感觉到，编选者是在有意无意地帮助读者去找回那些被极左，特别是"文革"所荼毒、抛弃、遮蔽的美文，这些美文题材各异、手法多样，作者的理念与情趣多元，但是，我一再细读之中，却发现这些不同的作者的不同文章里，却常常氤氲出一种相通的情愫，比如：1923年宗白华在《我和诗》里说之所以喜欢泰戈尔的散文诗，是因为"他那声调的苍凉幽咽，一往情深，引起我一股宇宙的遥远的相思的哀感。"俞平伯在《清河坊》里写到："我们试想：若没有飘零的游子，则西风下的黄叶，原不妨由它的花花自己去响着。若没有憔悴的女儿，则枯干了的红莲花瓣，何必常夹在诗集中呢？"夏丏尊的《猫》写家中爱猫失踪死亡后，"在昏黄中独自徘徊。日来已失了联想媒介的无数往事，都回光返照似的一时强烈地齐现到心上来。"沈从文的《箱子岩》写到一群与自然融合生存的船民，"听到他们谈了许久，我心中有点忧郁起来了"，意识到"一份新的日月，行将消灭旧的一切。"卞之琳在《尺八夜》里写自己幼时读了苏蔓殊那"春雨楼头尺八萧，何时归看浙江潮？芒鞋破钵无人识，踏过樱花第几桥？"的诗句，"不知道小小年纪，有什么了不得的哀愁，想起来心里真是'软和得很'。"而经历与陈荒煤很相近的何其芳以文句艳丽雕琢的少作《秋海棠》入选，更明白地写出"这初秋之夜如一袭藕花色的蝉翼一样的纱衫，飘起淡淡的哀愁。"

命 中 相 遇

　　从上述"只取一瓢饮"的小选集,已不难看出,上世纪的许多美文,都含有"淡淡哀愁"的成分,鲁迅先生的小说有《狂人日记》那样的呐喊调式,有《阿Q正传》那样的调侃文体,但《伤逝》这题目和开篇第一句,以及文末"初春的夜,还是那么长"等抒情句式,不知别人读来是何感觉,我反正是咀嚼出了淡淡哀愁的滋味,还有他那散文集《野草》里的《风筝》等篇,也都有同样韵味。

　　淡淡的哀愁,也就是忧郁、惆怅、伤感的情绪。致力革命的革命者和致力扑灭革命的反革命者,他们处在激昂的亢奋的生死搏斗的情绪中,那的确是容不得半点哀愁、忧郁、惆怅、伤感的,任何那样的星火情绪,都可能导致心慈手软.从而一着错、满盘输。这是完全可以理解的。革命力量与反革命力量在大决战的情势下,也会考虑到对付中间势力的策略,一种策略是"凡不公开反对我的都可视为朋友",一种策略是"凡不站到我一边的均视为敌人",也往往两种策略交替或交融使用。在尘埃落定后,革命者所解放的领域里,革命领袖的情绪一旦软化,则社会春风融融,而一旦超常坚硬,则会导致席卷全社会的狂风暴雨。反革命势力盘踞的地盘上呢,也会有因掌权者心硬而放大"格杀勿论"圈,以及心软而解除大禁的情况出现。从这个角度看,对社会、历史起关键作用的大人物,还是在其硬心肠里掺合进一些软心肠,忽而忧郁一下、惆怅一点、伤感一点,也就是偶有点淡淡的哀愁,对芸芸众生较为有利。这种想法是否属于历史唯心主义?理论上不去探讨,我只知道,大概是1973年,忽然上面传下急令,要解放上海的"反革命黑线人物"贺绿汀,负责监管贺的几乎不能相信自己耳朵听到的传达是真的,贺是"文革"一开始就揪出来示众的典型坏蛋,铁案铸定,岂能翻案?但也容不得监管人员细问,什么想得通想不通,立即放人按人民内部矛盾处理,后来才知道,就是发动"文革"的领袖忽有一天哼了几句《游击队歌》,这歌子很不错么!作歌子的人在哪里呢?你看,人性中的软东西起了救人一命的作用,也不仅是一个人和一家人获救,比他更心软或者说一直是软心肠的重要人物,也就趁势以此为例,为一大批类似贺绿汀那样的人物落实了政策。人性也在书写历史,这是我想表达的一个意思。人性里的软和成分,比如体现于虽然鲁迅视其为死敌,但因为你曾经给过大洋鼓励我们留学,那就即使在"破四旧"的腥风血雨里,也下指示要给你精印线装本的《柳文指要》,这类的人情味儿比如"天要下雨,娘要嫁人"的喟叹;比如在睡衣外面套上大衣匆匆赶到八宝山出现于追悼会,并慈蔼地慰励遗孀;比如忽然忆及当年同案被整,顿生赦免之心而大赞"人才难得"……以至于还有"我到哪里去离婚啊"的悲叹,凡此种种,即使还算不得淡淡的哀愁,其实离得也不远了,这样的情绪,因其人具有巨大的辐射力,而由此辐射出后,多有良件效应,说一句弥足珍贵.不过分吧。

但真正将淡淡哀愁作为自己基本情愫构成的,还是社会上的中间人群,从政治上说是中间人物,从经济上说是小资产阶级或中产阶级,从文化上说基本属于精神贵族。

1988 年,我在当时《文艺报》上开了个"一叶之见"的专栏,大体上每周发表一篇,其中有篇是《淡淡哀愁今何价》,我那时这样分析:淡淡的哀愁情怀系由下列因素构成:一、个人在时代面前的惶惑,小悲欢中的小失落,使人生出一种惆怅和悲凉;二、个人在命运面前的无力,对变故和冲击无法承受,因而期望着温情和怜悯;三、个人在群体中的迷失,认同中的窘境,希求以一种自慰来取得心理平衡。今天看来,这个分析如果只针对特定的人群,也就是小资产阶级的成员,还是适用的,但缺陷是没有把这种情愫作为人性深处的普遍存在加以揭橥。从上一段我斗胆对大人物的分析即可知道,我对软性情绪的认知目前已经超越了十六年前。现在是不是可以这样说:淡淡哀愁之类的情愫是每一个体生命的人性深处都有的,只不过在所有的人里面,小资产阶级或者说中产阶级人士最容易将其自觉地释放出来。而既然是人皆有之的情愫,有关它的描述也就需要再加修正,至少需要在上面三点之外加以补充,比如指出从中可以生发为一种怜悯之心,或者说是宽恕之心。

在十六年前那篇文章里,我已经指出"淡淡的哀愁"作为一种情愫虽然从政治上已经不再是罪愆，但在社会上却价位不高，并不怎么招人待见，我还试图解释其被社会轻视的原因，但我在文末却有这样的猜测："'淡淡的哀愁'眼下是行情自然下跌，但谁又敢干断言，螺旋形上升到新水平的'淡淡的哀愁'，绝不会又大为风行呢？"

很遗憾的是，十六年过去，我期待的"螺旋形上升到新水平"的"淡淡的哀愁"并没怎么冒头更没有大为风行。文章开头提到的那位已经将"四个一"的生活状态朝"四个二"提升的白领女士，她的自言"典型"，就说明着这种情愫即使在最应该具有的新兴小资产阶级或者说中产阶级又或者说是小康人士或成功人士或先富一步的人群里，仍颇稀缺，行情并未看涨，这确实是个值得注意的社会现象。

过去在我们社会里，包括"淡淡的哀愁"在内的"小资产阶级感情"或者说"小资产阶级情调"之所以贬值甚至被判定为负面的毒物，是来自极左的意识形态和"反右…'文革'那样的政治运动，而现在这方面的压抑已经基本上不复存在，那么，究竟又是什么因素使得人性深处的这一潜流，不能坦然地涌溢到表层，并在社会文化情绪的总构成里，获得足够的份额呢？

我想到的因素，首先是市场经济下的激烈竞争，我们在市场经济方面有补课的情势，而且有点恶补的味道，当然我们是在搞有中国特色的市场经济，谁也不愿意把西方历史上和时下的市场竞争的那些弊端引进，我们都记得马克思和恩格斯对法国文豪巴尔扎克《人间喜剧》的评论，他们一方面指出这位作家政治立场的反动——他是站在没落贵族的立场上反对工业革命所引发的资本主义市场经济的突飞猛进，但同时又激赏这位作家对资本主义积累初期那种乱象的揭露入木三分——他写出在激烈的生存竞争中，人际间那些温情脉脉的面纱如何被一一粗暴地撕破，人性的黑暗面如何汹涌地奔流出来。是否我们虽尽力避免，而且也确实避免了若干市场经济的弊端，但在维系人际的温情，特别是维系人心的软和度上，却还是很遗憾地留下了不小的疏漏？

我的调查研究毕竟不够，抽样做个案例分析也难，即如那位能跟我喝下午茶聊天的白领女士，尽管最近也还跟我通过电话，态度十分友善，甚至表示愿意再跟我探讨淡淡的哀愁问题，但她和夫君以及他们那个社会群体的人士，可以说是每天都忙得四脚朝天，睡的是昨天的觉，花的是明天的钱，视生活为明争，视人际为暗斗，事事讲究的是可量化的"效益"，哪里真能把宝贵时间和论价出让的精力，来配合我作这种"难以上市"的"高雅研究"？

但无论如何，我心中却总还是有一种企盼，那就是向所有愿意听我提问的人士提出这个问题：你有淡淡的哀愁吗？并期待着有所反应。对于实在没有工夫跟我细讨论的人士，那我恳请他们至少能以画钩方式，来简答以下问题，我想我总有办法回收这些答卷，并把我早已开始的关于"淡淡的哀愁"的研究进行到底。

下面就是我的问题：

你听说过或读到过"淡淡的哀愁"这个提法吗？

听到过读到过以前从不知道

你觉得自己曾有过淡淡的哀愁吗？

似乎有过肯定有过从未有过

你对淡淡的哀愁的直感是：

感到肉麻、起鸡皮疙瘩觉得有种诗意在里面陌生、可疑是精神贵族的奢侈品、无病呻吟没反应

你对淡淡的哀愁的理性判断是：

很可笑很无聊很糟糕莫名其妙能理解可包容很美好不可或缺

以下的哪些文艺作品里，你认为有淡淡的哀愁：

鲁迅的小说《祝福》

巴金的长篇小说《家》

电影《红高粱》

电影《霸王别姬》

电影插曲《让我们荡起双桨》

校园歌曲《同桌的你》

罗中立的油画《父亲》

昆曲《牡丹亭》

芭蕾舞剧《天鹅湖》

你觉得那些一定程度上能掌握你命运的人士，他们能有淡淡的哀愁（不一定让你直接感知到），对你而言是：

有好处的有坏处的无所谓的

你觉得你的配偶，以及其他最亲近的人，如果一点也没有淡淡的哀愁这一情愫，我会：

失望庆幸无所谓

你认为人性深处都会有软和的情愫吗？

不是的无法确定

以下这与淡淡哀愁接近或相联的情绪，哪些你曾产生过：

惆怅伤感忧郁怀旧喟叹

如果时下的中国淡淡的哀愁这一情愫在中产阶级里面首先风行起来，然后多到强势与弱势的两头群体里，你认为是：

有利于促进社会亲和

有害于促进社会亲和

根本不可能出现这种情况

你认为在以下哪种情况下，应该自觉地将淡淡的哀愁一类情绪压抑收敛

外敌侵入国土

面对贪官污吏

置身激烈的竞争，对竞争对手

想到背叛自己的人时

你认为对淡淡的哀愁作一番探讨是：

必要的吃饱了撑的有害的

不可能有害的可笑的可耻的

好，我终于完成了这篇文章，谢谢你耐心地读它。

2004 年 10 月 12 日完成于北京温榆斋

青储香

如今城郊，难得见到大片农田了。我在村里的书房温榆斋，最让我惬意的，就是尚可步行去亲近田野。当然，那已经是被膨胀的城市挤压得破碎零落的地块了，所谓"一望无际"，早已只是词典上的一个干瘪的词条，跟我所望见的田园，如断线的风筝，再也联系不上。东边不远处现出一片脚手架，是正开发的新楼盘，据说其风格是北欧与澳洲风情的完美拼贴；北边稍远现出集装箱堆积出的壮阔的轮廓线，那里有一家吞吐量很大的物流公司……不过，还好，我终于找准一个角度，从那里望过去，毕竟还有大片的玉米地，而且最可喜的，是听到了突突突的马达声，有大型收割机，在那片尚堪称是"青纱帐"的大田里，仿佛大象举鼻迈进般地，雄伟地移动过来。

玉米还没有完全成熟，被收割的玉米株连杆叶带嫩棒子被立即粉碎，从高耸的"象鼻"中喷出，一辆接收那些碎屑的卡车与收割机平行驶动。

"青纱帐"被豁开了很大的篇幅，收割过的田地仿佛一堂课讲完又被擦净的黑板，默默地等待着下面更精彩的一课。一群早已被飞机、汽车轰鸣声震聋耳朵的灰喜鹊飞落在收割完的田垅里，欢叫着寻觅可以啄食的美味。

风吹过，一股浓冽的带有酒香的鲜活植物的气息扑鼻而来，连续深呼吸，七窍中的浊气仿佛都被驱尽，身躯中整个儿换了腔好心情！

我站在公路边的树阴下，忽然有辆小轿车停在路边，车里出来位男士，那车是辆不算贵的品牌型号，那男子看去估计是个白领，他舒展两臂，深呼吸，眯眼作陶醉状，然后偏过头问我："好闻呀！这叫什么气息？"我跟他微笑对视，回答说："这叫青储香。"他特别问明了"储"字，道了谢，显然，还得继续赶路去办事，坐进车里，开车离去了。他给我留下的最后的面影，带有明显的恋恋不舍神情。愿这田野中的青储香伴他一大程，起码充实他一天的好心情！

我深深理解那位男士的感受。在我书房附近的这片城乡犬牙交错的地带，一些零田碎野，常惹得一些偶然路过的城里人，利用休假日，特特地开私家车找过来，或一家人，或一群朋友，找片柳阴，傍藕田，憩河湾，铺席毯，挂悬床，弹吉他，放音乐，野餐，吟唱……

城市真是张越烙越大的饼，热烘烘，油晃晃，每天都在滋滋地滚展着它的体j积，农村正被这张饼吞噬、切割、碾碎。有种说法：富裕文明的城市被贫困粗陋的农村包围。似乎城市很委屈。但是，城市的膨胀，难道不应该产生使农村均富的效果吗？文明的含义又究竟是什么？难道只有城市里那种完全靠人造气候维系的，美其名为"智能大厦"，说穿了无非是"死闷子楼"，才算得人类文明，像这大田里的青储香，就算不得文明？

各类文明，都应该得到尊重。要学会与异己的文明共处。城乡差别的消失。不应该是乡村的消失，完全地城市化，而应该是城市与乡村的好处的双发扬、城市与乡村的缺点的双消失。包括青储香在内的乡村诗意，是不应该在我们祖土上消弭的。

青储，也就是青储饲料，把玉米等农作物在未完全成熟时，带青地收割粉碎，然后运送到专门的大坑里。从我观看收割机运行的地方，再往小中河那边散步半小时，就可以看到那样的青储坑，底部和四壁水泥覆盖，顶部是拱形塑料棚，坑底是坡形的，运料车一开始能够直接开到最深处，一车车的青储料运进去以后，要一再地压挤密集，直到彻底储满。这些青储料是供应奶牛食用的，尤其在漫长的冬季，奶牛全靠这些青储料，才能给我们酿出优质的乳汁。在青储坑库边，那股气息就更加浓冽，因为发酵得非常充分，也就更接近美酒的醇厚，但美酒却没有青储的那种令人如置身田野青纱帐里的嗅觉感受。哎，多么美好的青储香啊！

回到温榆斋书房里，鼻息里还氤氲着青储香。我爱这滋润我心灵的青储香。在这城乡结合部，我脚下有充裕的地气，鼻中有牛乳源头的芬芳，我耳福也不浅呢——晚上已约好，开收割机的大黑将来书房跟我喝小酒，侃大山……

天鹅香皂

"'天鹅香皂'走了。"祁楷打电话告诉我。

"天鹅香皂",说的是一位女士。少年时代,我住在一个胡同大院里,她的父亲跟我的父亲在一个机关工作,我们算平辈,但是她比我大许多,我上中学的时候,她已经是中学教师了。我上的不是她教的那个中学,我们在院里院外遇见了,只是相对笑笑,应该说,我们关系很平常,或者说,除了曾经是邻居,谈不到有什么关系。可是,三十九年前,那时候我自己也成了一名中学教师,我任教的那所中学跟她任教的中学不在一个城区,我甚至已经把她忘得干干净净了,却忽然有一天,从她所任教的那所中学,来了两个戴红袖章的人,找我"外调",要我揭发她的"资产阶级生活方式",以及她的"反动言行",我愕然,不敢说不知道,搜肠刮肚,总算揭发出"她特别爱干净,在公用自来水管底下洗手,不断地撩水冲那水龙头,既臭美,又浪费"这样一条罪行,找我的人哪里饶得了我?点出"你自己的问题也不少",跟着就亮出一套彩色明信片,我没等他们质问,赶紧说"是我送给她的,我不对,我不对……"他们就勒令我第二天去他们学校,参加对她的批斗会,一起受教育。

我战战兢兢地,提前到达了批斗她的现场。在那现场,布置了一个展览,采取的是鲜明对比的形式,把从她家搜出的花绸布拉吉,跟锅炉工穿破了的工作服并列对比;把她戴的小坤表,跟送煤工严冬系在棉袄上的粗麻绳并列对比;把她家描金线有花卉图案的细瓷茶具，跟清洁工用得变了形、渍着厚厚茶锈的搪瓷把缸并列对比……最后一组，则是把她平日离不开的天鹅牌香皂，跟一位工友平日使用的粗胰子球对比，我得承认，那种对比性陈列所形成的视觉冲击，再加上群体激愤的气氛，实在不能不令我觳觫，因此当批判者以"农民种粮食给你吃，工人织布给你穿，战士给你保卫国防，你却如此丧心病狂地过着典型的资产阶级腐朽糜烂的堕落生活"这样的逻辑，对她进行毫不留情的高分贝值的批判时，我也就低下头，跟她一起服罪。

那次批斗会的高潮，是把从她家抄出来的半打天鹅牌香皂（她承认因为觉得不大好买到，所以遇到在卖就买下一打，串成一个夸张的项链，挂在她脖子上，逼她跪到垃圾筒边上……唉，我真不愿把那些往事细想，多年以后，我们曾在公园里邂逅，说了许多近事，她忽然冒出一句："我该向你道歉呢！"乍听，我一头雾水，她慢慢道来，我才知道，她指的是我曾送她几套彩色明信片的事，那是因为父亲调往外地工作，我家要迁出那个机关大院，家里清理东西，发现有几套彩色明信片，是我父亲一位老朋友的女儿，在苏联留学后，回国时送给我家的礼物，明信片上是莫斯科、列宁格勒的风光什么的，想起她是中学里的地理老师，一向热心搜集各种地理图片资料，就由我到她家里，送给了她，她当时非常高兴，没想到戴红袖章的闯将们去她家"破四旧"时，抄出了一大堆"四旧"，这些明信片问题比一般"四旧"更严重，因为那时苏联已经被指斥为"苏修"，她竟然藏有"苏修"的原装货，逼问她从哪儿得来的，她邂逅时跟我道歉，说："那时候真不该就把你说了出来……"我当然立即跟她说那个荒谬的时间段里，这实在是比芝麻还小的事情，不足挂齿。

祁楷是当年机关大院的小伙伴，比我小几岁，他后来上了师范大学，毕业后先分到教育局，经历过政治风暴的连续冲击，下放劳动结束后，分配到中学里当了干部，进入改革开放新时期，他先当副校长，后来成为校长，我们恢复了密切来往，是他跟我提起了她来，原来她成了他所在的那所中学的资深教师，他说，由于那一次的批斗，她就有了个"天鹅香皂"的外号，原来是一个批判性的恶谥，到后来，旧人流出新人进来，渐渐没有人清楚那外号的来历了，她自己呢，却还总是嘻嘻哈哈地自称："哎呀呀，你看你看，我这个'天鹅香皂'，记性越来越坏啰！"或者高声喊："嘿呀，你们别跑那么快，等等'天鹅香皂'不行吗？"

祁楷说，"天鹅香皂"临退休前，跟他恳谈过一回。她说她觉得自己还应该算是个幸运儿。三十九年前批斗她的那些闯将，后来很快被否定掉了，被说成是用她这样的人，来"转移斗争大方向"，后来一律"上山下乡"，经历的蹉跎坎坷，比她尤甚，她从那以后，也就主动地在边缘生存，得以基本上平安地渡过了劫波。她说更高兴的是赶上了改革开放的新时期，别的不去罗列了，如今光是香皂就有多少种？光是风光明信片就有多少种？她宣布，退休后她要更好地享受生活，要珍惜每一项琐屑的人生乐趣。祁楷说，她一直是个老处女，老早不在我们住过的那个机关大院里住，一个人住一套大单元，追求舒适、雅致，退休后这几年，听人们议论，说是"天鹅香皂"竟成老妖精了，穿起时装，在 T 台上走猫步，其新的名言是"逛商场必须一个人，吃晚餐至少对面要有个人"，凡是这京城里新出现的雅皮餐馆，她总请人去品尝，也不多请，最多请两位，请得最多的，是他们老年时装秀的伙伴，有男有女……

对于"天鹅香皂"的去世，我没有悲伤，也没有感触，我甚至觉得，祁楷没必要如此迅速地向我报道这条消息。祁楷说，她父母双亡多年，又无兄弟姐妹，更无配偶子女，去的又很突然，是在参加时装秀的休息室里，坐在化妆镜前，说了半句话，一下子心肌梗塞，根本来不及抢救。祁楷说，之所以给我打电话，是请教我，像这样一位人士，在追悼仪式上，该怎么评价她？我说，当然，要肯定她在任教期间的成绩美德，此外，恐怕也难加溢美之词；他说副校长跟他表示，这样一个以"天鹅香皂"为符码的人物，说实在的，对于我们的社会，是一种无聊的、卑微的存在，如果知识分子都像她这样，那还得了？

几天以后，祁楷又来电话，要我去参加他们学校为"天鹅香皂"举行的追思会，我问:"有这个必要吗?"他说:"你来受受教育。"这叫什么玩笑话?我很不情愿,但那天我还是去了。

事后我对自己说:亏得你去了,真的很受教育。让我没有想到的是,在"天鹅香皂"那平庸渺小的人生外貌里面,竟包蕴着那么高尚深厚的行为思想。在公证处的参与下,祁楷他们进入她的住室,发现了她的遗嘱,她将全部遗产捐献给红十字养老院,并且将自己的角膜以及一切尚能为其他生命所利用的器官捐献出来,尸体供医学解剖,不留骨灰,去世后也不要给她举行追悼会——说实在的,这还并不让我感动。令我,当然也令祁楷,令那位曾认为她不过是社会中无聊存在的副校长,以及所有参加追思会的人们感动的,是发现她有两个厚厚的本子,一个是剪报本,那里面有历年她从报纸上剪贴下的灾难性新闻:水灾,车祸,空难,矿井瓦斯爆炸,学校校舍坍塌……在每一条被剪贴下的新闻旁边,都粘贴着她的邮政汇款收据,数额最高万元最少一百;另一个里面粘贴的则是一位大学生——更准确地说,是一位原来的小学生、中学生——的来信,以及她给她回信的草稿,还有每三个月一次的汇款收据,近一年来每次都是八百元;老祁在追思会上宣布,这位受到逝者十多年赞助的大学生,从外地赶来了,大家目光集中到那位女大学生身上,她对大家说,上高中以前,她跟阿姨通信,都是汇报学习表示感激,上高中以后,渐渐懂得了神交,直到大一暑假,才到北京跟阿姨见了面,有多次深入的长谈,她印象最深刻的,是一次阿姨跟她说起了郁达夫,当年曾有激昂的革命者鼓动郁达夫冲上街头,参加"飞行集会",郁达夫坦言,自己的性格气质,不适合做那样的事,于是继续写他的小说、散文;阿姨问她,一个人如果喜欢宁静优雅,比如喜欢使用天鹅香皂之类的东西,难道就是堕落吗?一个人如果面对着一客冰激凌,想品那美味,就是背叛了远方还没有获得温饱还有苦难的劳动人民吗?这世界的进步,应该是多种合力所致吧?冲锋陷阵的勇士,与矜持的郁达夫,都应该是需要的吧?郁达夫后来也牺牲在日本鬼子屠刀下啊!退一万步说,你对当时那黑暗的社会不满,你把你的矛头指向那黑暗的责任者啊,不去冲击黑暗本身,而去斥责类似郁达夫那样的人"你为什么不去当烈士",难道是公平的吗?……她说跟阿姨的深度交谈,是她生命中最可宝贵的财富库,阿姨跟她说,赞助她,以及别的人,是觉得自己不具备那种振臂一呼八方回响的救世能力,自己也就是一块"天鹅香皂",以自己微薄的能力,以浸润性的方式,做些小事情,与那些社会改革大家"通盘解决"的雄才壮举相比,当然渺小琐碎,但这样的生存,是不是也具有积极的意义呢?她就对阿姨说,即使您没有做这些事情,您在地理课堂上几十年的讲授,也足以令您的生命发光了……女大学生说这些话的时候并没有流泪,但是在场的人士有一半眼里泛出了泪光。

这几天我一直在想,努力地想,"天鹅香皂"女士的生命价值,究竟应该如何评价?她算一个好人是不必争论的,但她也算得是一位知识分子吗?

对了,当年那种天鹅香皂,是上海出产的,用的是闪银光的深蓝色包装纸,上面有雪白的天鹅展翅飞翔的图画。如今还有这么个品牌吗?

2005 年 6 月 17 日写于温榆斋

最难风雨老人来

最近读了涂光群的回忆文章，才知道1977年我那篇《班主任》得以发表的过程远比我以前所知道和想象的还要曲折艰难。其实发表以后，那作品究竟该不该发表，以及究竟是鲜花还是毒草，争论还继续了颇久。记得1978年初夏，忽然接到《人民文学》杂志通知，让到中华总工会的招待所去参加《班主任》的讨论会，那地方不好找，我骑自行车汗津津赶到时，讨论会已经开始好一会儿了，我喘吁吁地坐到椅子上，努力凝神，一坏顾，吃了一惊——在座的有那么多文学界老前辈！

老前辈之中，有严文井。他的发言，给我印象最深的，是以反问的语气，指出我那小说里所写到的小流氓宋宝琦和团支书谢惠敏，"难道不是我们在生活里都见到过的吗？"他和陈荒煤、冯牧、朱寨等，都从真实性上为我那篇作品辩护。记得开会的那天，上海《文汇报》正好发表了卢新华的《伤痕》，会场上有人拿着报纸皱眉头看，虽然没发言，却使我隐约感觉到有种忧心忡忡的情绪，严文井等人的支持性发言，也就不仅是在维护一篇《班主任》，实际是在为逐渐引起国人乃至世界注意的"伤痕文学"的浪潮护航。

"伤痕文学"是一种阶段性的文学现象，潮起时风靡一时，潮落后一般人都认同"社会学意义大于文学价值"的批评。别的"伤痕文学"作者是怎样的想法，我不甚清楚，就我个人而言，在那两年里确实很少考虑纯粹的文学价值，总是想"闯禁区""吐真言"，先把"四人帮"设置的文化专制的篱藩撞烂了再说！1978年我在北京人民出版社当文艺编辑，参与了《十月》的创办，筹集第一期稿子时，我拿出了一篇《爱情的位置》，为使那当时在全国尚属创举的大型文学刊物质量得到保证，创刊号开印前在东兴隆街开了征求意见的座谈会，许多文坛宿将与会，大家都很兴奋，因为浩劫中全国的文学刊物全都停刊了，1976 年虽然恢复了《人民文学》《诗刊》两种杂志，但到 1978 年还没有大型文学杂志出来，上海的《收获》也还未及复刊，所以会上人们都为《十月》的出现高声喝彩。那次严文井也来了，他拿起拟定的目录一看，大声说："好呀！爱情又有了位置了！"现在的年轻人恐怕听不懂那话，不理解《爱情的位置》那么一个题目，在那个年月怎么会让专家到一般读者那么激动甚至震动，我们的社会生活是怎么发展到今天的？年轻人应该有所了解，而解决今天的新问题，一定要采用新办法，绝不能走回头路，这是我回忆起严文井那仍响在耳畔的感叹时，由衷的心声。

上世纪 80 年代中期以后，"伤痕文学"、"反思文学"、"改革文学"、"知青文学""乡土文学"等浪潮相继激荡而过，随着国门的开启，外来文化的进入，受西方现代派和后现代派文学的影响，"回归文学本性"，注重文本实验，强调语言元素的呼声与尝试多了起来。在这种情况下，文坛局面变得复杂了，一些老前辈又开始为"现代派"的新潮文学忧心忡忡，当然任何一种文学浪潮都是可以质疑予以批评的，我个人就一直还是坚持在现实主义的写作道路上调整步伐，对一些极端化的文本颠覆实验欣赏不来，但作为同行，我总是尽量对跟自己文学追求不同的人持友善态度。作为编辑，我也总是尽量容纳自己不会那样去写的一些新锐作品，就在这样一种情势下，我跟严文井来往多起来了。

一般人都知道严文井是杰出的儿童文学作家，有些人知道他曾任中国作家协会和人民文学出版社的负责人，但似乎很多人都不大知道，在他的晚年，最后二十年的生命历程里，他对为数不少的文学晚辈，文学探索者，给予了许多宝贵的支持与温馨的鼓励，而这一切都是在私下里，春雨润物无声，和风轻抚无迹，不求感谢，不需回报，默默进行的。有时候，我去拜访文井前辈，会遇到那样的探索者，旁听他们的交谈，对我来说，是难得的享受。从文井前辈那里，我学会了对新观念新探索新作者新现象的宽容，学会了从中汲取营养，体验到了理解人和相互学习、慰藉的人生乐趣。

至今还记得，二十年前，我住在劲松小区，一位跟我同辈的作家在家里进行新婚后的私宴，文井前辈伉俪应邀出席，大家畅饮畅谈，在座的全是他们的晚辈，文井比我们要大差不多三十岁，但那天他真像个青年人一样，谈笑风生，幽默潇洒，全无一点老资格、老权威、老领导、老头子的影子，我们也跟他没大没小起来，我说他长相挺像波斯人，他笑说自己血统确实"可疑"，倘仔细查九代，很可能祖上有跟西域人通婚的情形，"恐怕是丝绸路上一段佳话"，大家听了都欢笑不已。

那天文井伉俪去劲松时，已经下起小雨，后来雨下得越来越大，主人就留他们等雨小了再走，其实也真是愿意跟文井前辈在轻松闲聊里，多得到些人生感悟的浸润，没想到欢聚到接近午夜时分，雨还是很大，实在不能不让他们回去歇息了，就由我打伞出去，好不容易找到一辆出租车，把他们送进了车里，二十年前文井前辈那弯身进车的身影，现在宛在眼前，古人有句"莫放春秋佳日过，最难风雨故人来"，我改几个字，以作永久的怀念："莫忘廿年佳日过，最难风雨老人来！"

拾花感恩

又到落花时节，郊区书房窗外草地上，粉白的樱桃花瓣仿佛许多个句号。生活总是分成很多段落。每个段落里我们总会遭逢新的境况，随之或自觉或身不由己地调整自己的认知与心绪。窗外继续有花瓣谢落，窗内我整理着橱架上的图书。当我触摸到装帧极为朴素的上、中、下三册《我走过的道路》时，忽然心潮难平。

那是茅盾的回忆录。他去世以后才陆续出版，人民文学出版社按照他生前开列的名单，盖上他的印章，分寄各人，我因此有幸得到。我细读过这三册回忆录，有过很多感慨，但一直没有写过文章。尽管有"鲁、郭、茅；巴、老、曹"一说，但近二十年来除了以茅盾命名的文学奖常被人们关注外，茅盾的作品，对他的研究，都已经很不热闹，"茅学"始终没有形成，他的后人也很低调，不见出来撰文回忆、接受采访、促成昭显，以致在上面所提及的排序名单里，他几乎成了最寂寞的一位。

二十九年前按照茅盾意愿，并且以他捐献的稿费为本金创建的茅盾文学奖，目前似乎只具有符码意义，是中国大陆目前一般人公认的最高文学奖项（尽管另一种文学奖使用了鲁迅作为符码，却并不能引出普遍的尊崇）。究竟茅盾的文学理念是什么？获得茅盾文学奖的作家与作品究竟要不要符合这一理念？我提出这一问题，一定会被若干人觉得多余，甚至可笑。实际上无论是操办这一奖项的人士，还是争取这一奖项的人士，以及传媒的诸多记者，都已经完全把以茅盾命名的这个奖项，当作了一个可以容纳不同理念的作家与不同追求的作品的"荣誉筐"，其间的争论、调整及最后的宣布，都与我提出的问题了无关系。

无庸讳言，上世纪 80 年代中期以来，夏志清那本用英文写成，又被别人译为中文的《中国现代文学史》，在中国大陆产生了巨大的影响，那以前中国大陆的现代文学史里，沈从文、钱钟书、张爱玲根本没有地位，被禁锢、压抑了许久的中国大陆学人与读者，忽然读到沈、钱、张的作品，吃了一惊，原来被包括茅盾在内的左翼文学家否定、冷淡甚至根本不转过眼球去的这些作家，竟写出了具有那么独特的美学价值的精品，从那时以来的二十多年里，沈、钱、张热持续升温，而茅盾却简直是被雪藏的状态。其实在夏志清那本书里，也为茅盾列出了专章，尽管批评茅盾"为了符合共产党的宣传需要，糟蹋了自己在写作上的丰富想象力"，但也还是作出了这样的结论："尽管如此，茅盾无疑仍是现代中国最伟大的共产党作家，与同期任何名家相比，毫不逊色。"

茅盾的小说主题先行，他按照主题要求设置人物、情节与细节，并且有据此开列详细提纲的习惯，当小说作为一门艺术发展到今天这么个状况的情势下，这些都被绝大多数人视为致命的缺点。但是我最近重读他的《蚀》《子夜》，特别是《腐蚀》，却还是获得了审美上的愉悦，他的小说是有趣的，时能触及到人性的深层。我承认自己当年写《班主任》时，文思里有许多的"茅盾因子"。这也许也是他读了《班主任》后竭力鼓励，并且对我以后的创作寄予厚望的根本原因。

我虽然没有与茅盾亲密接触、深入交谈的机会，却是受过他恩惠的。这还不是指 1979 年 3 月我获得全国优秀短篇小说头奖时，他微笑着将奖状递到我手中。我最难忘的是颁奖前一个多月，在友谊宾馆小礼堂里，当时由人民文学出版社出面，召开了一个旨在鼓励创作长篇小说的座谈会，那时被"文革"破坏的文学园地一片荒芜，茅盾出席那个座谈会，并且与到会的多半是我这样的还谈不上是正式进入了文坛的新手，进行亲切而具体的讨论，他鼓励我们写出彻底摆脱了"四人帮"影响的，无愧于新时期的长篇小说。那天他在讨论中忽然问主持座谈的严文井："刘心武在吧？"我赶紧从座位上站起来，严文井告诉："就是他。"我永远不会忘记那一刻茅盾眼里朝我喷溢而出的鼓励与期望。人在一生中，得到这般注视的机会是不多的。

我得承认，《钟鼓楼》的整个写作过程里，茅盾的那股目光一直投注在我的心里，是我发奋结撰的原动力。《钟鼓楼》写完已经是 1984. 年夏天，一直关注我这部长篇处女作的某文学双月刊告诉我，他们只能跨年度分两期连载，我心里怎么也迈不过这个坎儿，我找到《当代》杂志，求他们在 1984 年内把全文刊出，因为第二届茅盾文学奖的评定范围限定在那一年年底前。我憋着要拿这个奖，因为开设这个奖的人曾经那样地看重过我。我如愿以偿。我觉得自己是以符合茅盾文学理念的作品得到这个奖的，那理念的核心就是作家要拥抱时代、关注社会，要具有使命感，要使自己的艺术想象具有诠释人生、改进社会的功能性。

茅盾在二十三年前的暮春谢世。我走出书房，从绿草上收集那些美丽的花瓣，掬在手心里的花瓣沁出缕缕清香。我心中翻腾着感恩的情愫。不管时下别人如何评价茅盾，在我心目中，他是一种具有旺健生命力的文学流派的永恒典范。

2004 年 4 月温榆斋中

素书之美

还记得四十多年前的那一天,坐在素净的窗下,读一本素净的书。坐的是朴素的竹椅,窗外是刚谢了秋叶的素枝,连泻进窗内的秋光也那么素净,椅边小桌上放一杯白水,用毫无装饰的玻璃杯盛着,时不时呷一口凉白开,读上几页,便闭目遐思一阵⋯⋯唉,那是多么值得怀念的一幅青春读书图!

还记得,有一回读的是屠格涅夫的《罗亭》,算是长篇小说,但并不怎么厚,平明出版社刊印,繁体字竖排,里面没有插图,封面就是全白的底子上,中间一个比例相宜的竖起的黑色长方形,当中再返白显示出"罗亭"两个字。当时平明出版社出版了一大批那样的文学书籍,原创的、翻译的全有,全是那样的装帧方式,真个是非常的素净。

读那样的书,享受到一种素净之美。《罗亭》一书的思想内涵,特别是主人公罗亭在俄罗斯那一时期的文学画廊里归属于"多余人形象",其特定的美学意义,我那时都不可能真正把握通晓,但那一页页一行行译文所传达出的文学馨香,却丝丝缕缕地旋入我的胸臆,令我莫名感动,心灵似乎被无形的尘拂轻柔地除秽,被托举到一种素净高尚的境界。

俄罗斯作家高尔基童年贫困,青年时期到处流浪,他在艰难困苦中学会阅读,在没有灯光的夜晚,他用擦亮的炊锅反射月光,贪婪地吮吸世界名著,有一回他读法国文豪福楼拜的《一颗淳朴的心》,那是一篇写女佣生涯的小说,感动得不行,他忽然觉得实在神秘——这样简单的存在，怎么能给人心灵如此强烈的震撼？于是举起书，反复在月光下探究——书页，字母，文句，难道是具有魔力的吗？这魔力藏在了哪里？

现在我们都懂得，书之所以能令人感动或有所感悟，关键在于其文本，就像一个人我们之所以认为他好，关键在其内在品质一样。但是，"人靠衣裳马靠鞍"，安东·契诃夫说过："人的一切都应该是美好的：衣裳，面貌，心灵，思想。"因此，书也有个包装的问题，到现在，一般读者也都懂得，一本书不但应该内容好，形式上也应该好，这形式包括方方面面：开本，用纸，封面设计（包括封底、书脊、勒口、书裙等的设计）、扉页（包括套封）的设计，目录版式，序跋版式，最重要的是内文的版式——版心大小，字号，行距，天地留白……

当年我读到的平明出版社的那种文学书，限于当时的物质技术条件，在纸质及印刷墨色等方面很难跟时下的出版物相比，但就整个装帧设计的通体效果而言，却堪称具有素净之美，不但高雅，简直高贵，氤氲出难以言说的纯文学气息。

鲁迅先生不但文章好，而且非常重视书的装帧，他为自己的书设计封面，也为别的作家设计封面，他比较喜欢当时国际上颇为流行的表现主义绘画，常取其长处去营造一种有动感的装饰趣味，但他更多的设计方案，是走非常素净的路子，看上去简单到不能再简单，但那字体字号的选择，以及线与线框的粗细长短和在页面上的摆放位置，如何比例得宜，如何既不粗陋更不鄙俗，如何能洋溢出高雅蕴藉的气息，显然都是踟蹰良久，来回掂掇，才最后拍板的。他为自己后期杂文集和瞿秋白《海上述林》的装帧设计，堪称素净之美的经典。

文学书可以有插图，也可以无插图。无插图的文学书只要文字好，读起来是"此时无图胜有图"的。上世纪50年代人民文学出版社出过一套文学名家在1949年以前创作的小说选本，封面非常之素净，一度是全绿底色，后来更干脆全白底子，上面一行大字标明某某小说选，下面一行小字是出版社名称，里面全无插图，但多数都编选得十分精当，像我精读过的《吴组缃短篇小说选》，里面《菉竹山房》

等篇，其文字所唤起的想象，岂止是图画，简直是电影，随着阅读，全景，中近景，特写，大特写，反打镜头，摇拍……那感觉竟接踵而至，甚至仿佛有音乐时起时停地伴随其中，那样的文本，配上插图反而令想象力梗阻了。

鲁迅先生不排斥必要的插图，自己绘制过《朝花夕拾》的插图，也介绍过不少海外著名插图家的作品，像比亚莱兹、菇谷虹儿等的黑白线画插图；他特别喜爱版画作品，有的版画家的作品不一定是为文章画的，他却特意找来插入在他选定的文章中，或安排在他设计的杂志封面上，如珂罗惠支的铜版画。美国版画家肯特与作家房龙为书籍而绘制的黑白版画与粗线漫画，那时候起就已在中国引起广泛兴趣。上世纪三四十年代中国有的文化人如丰子恺尝试用中国毛笔吸收西洋与东洋技法，画黑白速写式的生活漫画，也往往兼作杂志封面与扉页的装帧和内文的插图，一时很为流行，其影响一直绵延到今天。这些有插图的书，总体而言，还是拒绝铅华的素净面目，尽量展示出"却嫌脂粉污颜色"的天然风韵。

时代在进步，书就总体而言当然也在进步，眼下中国的出版非常繁荣，文学走向了多元，文学书从内容到包装已是乱花迷眼的局面。而且，文学的概念也扩展了，除了作为核心样式的小说、诗歌、散文，一些纪实性的作品，甚至一些学术、科技方面的著作，也常常与文学杂交，形成诡奇的文本景观。这些泛文学书籍的包装，现在是"八仙过海，各显其能"。据说眼下中国的文化经济已经是地道的"眼球经济"，要想刺激消费者掏钱来买，首先必须令其"夺目"。为达到"夺目"效果，已有"无图不成书"的趋势。图文并茂当然不是坏事。而且，将图与文有机地融合为一种新的文本，图不再是所谓"插图"，图旁文字也不再是撷取"正文"片断的刻板说明，图本身也具有文本的张力，图旁说明更具有原创的活力，这样的做法，我本人从1986年就在《收获》杂志上以《私人照相簿》系列尝试过，1999年更推出了十五万字与二百来幅新老照片和图画组成的《树金与林同在》一书（已有法文全译本），我还给自己的小说集、随笔集配过插图，最近出版的小说集《站冰》的封面和二十幅插图就都用的是我的黑白线画，可见我现在也还对营造图文并茂的文本充满兴趣。但我现在想呼吁的是：不要走向"无图不成书"的极端。文学书籍里，应该有一元是素净派，这样的文学书从外到里都可以是无图的，然而又是从形式上看也富有美感的。

素净的文学书现在成了稀缺的商品。进到书店，满眼花花绿绿，不光是文学书籍，几乎绝大部分书都是浓妆艳抹。浓艳当然也是一种装束风格，不可或缺，但一味地追求珠光宝气，以至令人见色不见心，这样可不好。现在有的泛文学类书籍追求页页配图，而且追求配彩图，图很夺目，文字被排成小号，还常常被印在衬色上或作成反白，看起来特别费劲，已经很难说是图文并茂，应该算是彩图压迫文字，整个儿弄成了画蛇添足。为文字配图，特别是想让文与图互相交融成一种特殊韵味的文本，那就必须在图片的选择上下大工夫，像李辉为大象出版社主编的几套具有史料价值的人物类丛书，在这方面就做得非常之好，祝勇出他与人合作的《蓝印花布》，以及出他的《旧宫殿》，图的考虑在创作进程中就已经融合进去了，这都是成功的例子。可惜像这样认真的作者、编者、出版社还不是很多。我在一家著名的书店里浏览了一个下午，就遭遇到一连串的遗憾，比如一本望上去色彩很艳丽的描写法国风情的书，里面却插入了德国甚至美国的风景照片，显然是"萝卜快了不洗泥"，反正是西方风景的图片就往上贴，管它准确不准确。再比如某出版社出李泽厚《美的历程》的一种新版本，望上去比以往的版本都堂皇，里面充满美丽的插图，数量非常之多，一翻，不对了，显然那负责往里面摆图的编辑根本就不熟悉甚至根本就没通读过李泽厚的书稿，往里面填塞的图片美是真美，却完全弄乱了"历程"，大大伤害了此书的学术价值。这类的失误，恐怕是不能用"现在已经进入了读图时代"的辩词加以推诿的吧。也有的书，配的图大体不差，印制可谓达到国际水平，但我翻阅之中，因图过多，很快产生出审美疲劳。有的书里章节题目装饰得花里胡哨，尾花硕大，页边也镶上图案，还动不动搞"出血"式印裁，有的彩印书"出血"后那书边看上去很像陆离的蛇皮，这样的书我觉得一点也不美。至于乍看金玉耀眼，细翻错字连篇、图片杂凑的新书，那就更让人倒胃蹙眉了。

有人告诉我，凡书必有图的编辑出版风气，是从境外流入的。真是这样吗？我无从作普遍考察，抽样调查也难。但就我有限的见闻而言，只觉得尽管当今世界上图文并茂的书的确是非常多，却也仍有不是很少的素净书在陆续地面世，以法国而论，伽里玛这样的大出版社也好，午夜出版社这样的由"新小说派"发起的特色出版社也好，乃至专出中国题材书籍的小出版社中国蓝也好，年年还都在出素净的文学书籍，而且销路也未必就比花花绿绿、大量配图的书差。

"当今读者多爱图"的说法也许有一定道理，成人漫画也已经在我们的书店里露面。文字是青菜，图画是冰激凌，有兼而爱之的，有只爱冰激凌的，但青菜也仍有人偏爱吧。以中国读者基数之大，爱青菜的即使不是多数，那数目也应该非常可观，足以托起一个可以良性循环甚至可以稳赚的市场。在我的藏书里，几十年前的一些素书，是最视若珍宝的。素净的环境里，以一颗去除躁气戾气的素净心，享受素书之美，真乃人生头等乐事。

2004 年秋日于温榆斋

闲水野鹭

给宗璞大姐打去电话，她以为又是一个记者要采访她，听清是我，松一口气，我原来也忘了那件有些人认为是极重大的事，跟她通上几句话，想起来了，在网上是看到了报道的，也就顺便向她道贺，她没什么谦词，也无什么感叹，只笑说她目前又在治牙，我们通话，无需很多的过渡性语句，多是跳跃式交流，如记录下来，旁人或许认为是语无伦次，而在我们之间，却如淙淙细泉，点滴流水，全润心头。

记得今年春节期间给她去电话，不在家，后来她回我电话，问我知不知道北大墙外又增加了好多家餐馆？女儿小钰和其他亲友带她去餐聚，胃口还好，只是牙又不争气。她双眼已经是见光不成形，与电视的关系不再是"看"而是"听"，双耳功能也衰退，这"听"往往还得依靠助手的"传达"。我为她胃口尚佳而高兴。这就意味着她还能品。生之乐趣，需要助兴。我扬言或许会飘然而至三松堂，从风庐中将她引出，到北大墙外去吃西餐。

但我的爽约，也是出名的。四川话称这种人为"水客"。前年一次去电话，她责备我，问我怎么回事，竟许久都没有音信？我才恍然，确实差不多有半年没给她挂过电话，依我想来，对她尊之者敬之者慕之者喜之者甚多，对于我的电话，不至于那么重视吧。但她确实是喜欢我跟她在电话里闲聊的。那以后我就一直把通话频率保持在恰当的程度。

仲德兄还在时，我也会在电话里跟他聊几句。大姐告诉我，仲德兄跟她说过，认为我是一个可以谈谈的人。以仲德兄那样高品位的学问家，判定我"可以谈谈"，私心里是十分欣慰的。我毛病虽多，总还略有可取之处，人需表扬，心盼滋润，大姐与仲德兄偶尔会在电话里不经意地鼓励我一下，有一次就淡淡地说及，他们拿到新一期《随笔》，循例先读熟人的文章，于是仲德兄将我那篇《何处在涌泉？》读给她听，结果，读到末尾，仲德兄先流泪了。大姐由我的文章而感叹：世人多不能滴水之恩涌泉相报，这也不足为奇吧，但恩将仇报之事，何以例子多多？

这次打电话给大姐，是问她生没生我的气？我在中央电视台 10 频道讲《红楼梦》，头两集是从个人的角度谈"红学"，其出发点就是认为高鹗续书糟糕。我跟大姐在电话里就高续之优劣时作争论，她语气总像春云那么柔和，观点却又总像玉石那般坚硬，她说高鹗最后写宝玉披大红猩猩毡斗篷，雪地里拜倒河畔，那猩红雪白的配色多么优美雅致，宝玉跪拜后作歌而去，又是多么空灵飘逸……我的观点实在大煞风景。她说她看了《百家讲坛》里我的高谈阔论，而且这次她努力去辨认我在荧屏上的形象，眼睛大争气，发现我头发居然一丝不乱，平整得令她惊奇，她记忆里的我，总是一副惫懒的样子，头发总乱蓬蓬的，我就告诉她那是化妆师喷了许多睹喱水才镇压住的。她很高兴地说，怎么会生气呢？你那套观点又不是没听见过，难为你讲得那么振振有词，自圆其说嘛，就该那么个讲法，而且引用蔡元培"多歧为贵，不取苟同"的话很得体，她父亲在《新原道》序言里也讲过类似的话，学术见解，各持一端，阐释己见，何妨侃侃。但她又说，可惜要做的事太多，口述《西征记》、《北归记》需抓紧，否则，她是饶不了我的，会写文章驳斥我的"贬高之论"。

大姐知我半年多来一直住在乡下，离温榆河不远，她让我把温榆河的景色讲给她听，我这边细细形容，她那边凝神静听，听完，她就说也许某一天，她会在温榆河乘舟往我这个村子而来，但多半是还没抵达，就兴尽而返。听我说到春后河畔一片白蜡杆树林里，几百只灰鹭又从南方飞回来，到旧巢中产卵育雏，景象十分壮观，她说仿佛已经步入那片树林，觉得鹭鸣是在吟诗……

　　跟大姐通完电话，刚搁下听筒，便铃声大作，一接，是一位熟悉的报人的声音，问我为什么那么长时间占线，是不是有别的传媒采访我？我就告诉他，忽然想到"闲云野鹤"四个字，但想把其改为"闲水野鹭"，所谓"宠辱不惊"，所谓"怡然自得"，全在刚才的通话里有了禅悟，我想马上再到闲水边赏野鹭去，他那些热闹场上的话题，今天不谈，以后也免了吧！

附录一 刘心武文学活动大事记

1942 年

6 月 4 日生于四川省成都市育婴堂街。

后在重庆度过童年。

父母兄姊均热爱文学艺术，深受家庭熏陶。

1950 年

随父母迁居北京，从此定居北京。

在隆福寺小学上小学，在北京 21 中上初中。

1958 年

在北京 65 中上高中。

给若干报刊投稿，屡被退稿。

8 月，在《读书》杂志发表《谈〈第四十一〉》一文，是投稿第一次成功。

1959 年

在《北京晚报》"五色土"副刊陆续发表一些儿童诗、小小说。

为中央人民广播电台少儿部《小喇叭》（对学龄前儿童广播）编写若干节目；其中快板剧《咕咚》经编辑加工、录制后大受欢迎；"文革"中录音带被销毁；1991 年重新录制播出。

1961 年

毕业于北京师范专科学校,分配到北京 13 中任教。

至"文革"前,在《北京晚报》《中国青年报》《人民日报》《光明日报》《大公报》《北京日报》《体育报》《儿童时代》《大众电影》等报刊上发表了约 70 篇小小说、散文、杂文、评论等文章。

1966—1976 年

"文革"中,因 1964 年曾发表过一篇关于京剧的文章,以"反江青"罪名被冲击。

1974 年后再试写作,曾写一关于"教育革命"的长篇小说,由出版社联系获准脱产修改,但终未达到当时出版要求。

1976 年

写出一个大院里孩子们同坏蛋斗争的中篇小说《睁大你的眼睛》并得以出版(北京人民出版社)。

又按照当时政治要求写出一些短篇小说、散文,有的到次年才收入多人合集中出版。

调到北京人民出版社(后恢复"文革"前社名:北京出版社)文艺编辑室当编辑。

1977 年

11 月,在《人民文学》杂志发表短篇小说《班主任》,产生重大影响——被认为是"伤痕文学"的开山作,也是"新时期文学"的发端;从此成名。

从《班主任》后,写作冲破懵懂,沿着认定的方向跋涉,穿越风云,锲而不舍。

1978 年

参加《十月》杂志(开始以丛书名义出版)创刊工作,在创刊号上发表短篇小说《爱情的位置》,经转载和广播,影响巨大。

在《中国青年》杂志上发表短篇小说《醒来吧,弟弟》,反应亦极强烈。

《班主任》《爱情的位置》《醒来吧,弟弟》均被改编为广播剧,由中央人民广播电台多次广播,《醒来吧,弟弟》被搬上话剧舞台;此年发表的短篇小说《穿米黄色大衣的青年》亦由电台播出。

1979 年

在首届全国优秀短篇小说评奖中《班主任》获第一名。颁奖会上，从茅盾先生手中接过奖状。

参加中国作家协会第三次全国代表大会，被选为中国作家协会理事。

成为中华全国青年联合会常务委员，至 1993 年卸任。

9 月，参加中国作家代表团访问罗马尼亚，此系"文革"后第一个作家出访团。

在《人民文学》杂志发表短篇小说《我爱每一片绿叶》，写作技巧有长足进步。

1980 年

调至北京市文联当专业作家。

《我爱每一片绿叶》获 1979 年全国优秀短篇小说奖。

《看不见的朋友》获 1954—1979 年第二届全国少年儿童文学创作奖。

在《十月》杂志发表中篇小说《如意》，其弘扬人道主义的追求引起争议。

出版《刘心武短篇小说选》(北京出版社)。

1981 年

在《十月》杂志发表中篇小说《立体交叉桥》，引出更大争议，一些评论家认为"调子低沉"是步入了写作上的歧途，另有评论家则认为此作标志着刘心武的小说创作在反映现实、探索人性及艺术工力上均达到了新的水平。

5 月，应日本文艺春秋社邀请访问日本。

1982 年

应导演黄健中之请，改编《如意》；北京电影制片厂拍成彩色艺术片《如意》。

1983 年

11 月，参加中国电影代表团赴法国，在南特"三大洲电影节"上，《如意》在开幕式上放映，获好评；后陆续在法国、西德电视台播出。

1984 年

冬，应邀访问西德，参加"中德大学生会见活动"，并在波恩大学、波鸿大学与威尔兹堡大学介绍中国当代文学。

年底，参加中国作家协会第四次全国代表大会，再次当选为理事。

在《当代》文学双月刊第5、6期连载长篇小说《钟鼓楼》。

1985 年

出版长篇小说《钟鼓楼》(人民文学出版社)，并获第二届茅盾文学奖。

因《钟鼓楼》获北京市政府嘉奖。

7月，在《人民文学》杂志发表纪实小说《5·19长镜头》，反响强烈。

11月，又在《人民文学》杂志发表纪实小说《公共汽车咏叹调》，引起轰动。

1986 年

年初，应当代文艺出版社邀请访问香港。

6月，调中国作家协会人民文学杂志社，任常务副主编。

在《收获》杂志设《私人照相簿》专栏，进行图文交融的文本尝试。

散文集《垂柳集》出版，冰心为之作序。

1987 年

1月，被任命为《人民文学》杂志主编。

2月，《人民文学》杂志1、2期合刊发表马建写的小说《亮出你的舌苔或空空荡荡》违反民族政策，承担责任，停职检查。

9月，复职。

冬，应邀赴美国访问。参观美洲华侨日报；在哥伦比亚大学、三一学院、哈佛大学、麻省理工学院、康奈尔大学、芝加哥大学、旧金山大学、斯坦福大学、伯克利加州大学、洛杉矶加州大学、圣迭戈加州大学等处演讲，介绍中国当代文学，并参观耶鲁大学；参加爱荷华大学"作家写作中心"的纪念活动；游览华盛顿等地。

1988 年

3月，应香港《大公报》邀请，赴香港参加五十周年报庆活动；在《大公报》安排的大型报告会上作关于改革开放与文学创作的报告。

5月，应法国文化部邀请，参加中国作家代表团访问法国，除在巴黎活动外，还访问了西部港口城市圣·拉扎尔。

《私人照相簿》在香港出版（南粤出版社）。

《我可不怕十三岁》获 1980—1985 年全国优秀儿童文学奖。

以上数年中，若干小说、散文还分别获得过《当代》《十月》《小说月报》《小说选刊》《中篇小说选刊》《儿童文学》《北方文学》等杂志，《人民日报》《文汇报》等报纸副刊的奖；拍成电视剧播出的有《没工夫叹息》《熄灭》（电视剧名《火苗》）《今夏流行明黄色》《到远处去发信》《非重点》《公共汽车咏叹调》和八集连续剧《钟鼓楼》；若干作品被英国、美国、西德、苏联、日本、瑞士、瑞典、法国、意大利等国翻译为英、德、俄、日、法、意、瑞典等文字出版；自1987年起被世界上有威望的英国欧罗巴山版社《世界名人录》收入词条。

1989 年

春，应香港中文大学翻译中心邀请，与妻子吕晓歌赴香港访问。

1990 年

3月，以任届期满，免去《人民文学》杂志主编职务。

香港中文大学翻译中心编译的英文小说集《黑墙与其他故事》出版。

秋，以"鱼山"笔名在《钟山》杂志发表中篇小说《曹叔》。

1991 年

出版小说集《一窗灯火》。

除小说外，开始发表大量散文、随笔。

1992 年

长篇小说《风过耳》在内地（中国青年出版社）、香港（勤＋缘出版社）分别出版，反响颇为强烈。

长篇小说《四牌楼》完稿，交上海文艺出版社出版。

《献给命运的紫罗兰——刘心武谈生存智慧》由上海人民出版社出版，受到读者欢迎。

在《收获》杂志发表中篇小说《小墩子》，后由中国电视剧制作中心改编拍摄为电视连续剧。

至该年，在海内外出版的个人专著按不同版本计已达 43 种。

在《红楼梦学刊》1992 年第二辑上发表论文《秦可卿出身未必寒微》，在"红学"界和读者中均引起注意；另有若干《红楼梦》人物论和《红楼边角》专栏文章发表。

冬，应瑞典学院邀请（斯堪的纳维亚航空公司赞助）赴北欧访问；在挪威奥斯陆大学、瑞典斯德哥尔摩大学和隆德大学、丹麦哥本哈根大学和奥胡斯大学的东亚系汉学专业以《九十年代初的中国小说》为题作学术报告；12 月 7 日，参加诺贝尔文学奖有关活动，听 1992 年得主德里克·沃尔科特发表受奖演说。

1993 年

华艺出版社出版《刘心武文集》（1—8 卷）。

出版长篇小说《四牌楼》。

1994 年

1 月，应台湾《中国时报》邀请赴台参加"两岸三地文学研讨会"。

《四牌楼》获上海优秀长篇小说大奖，到沪领奖。

1995 年

出版随笔集《人生非梦总难醒》（上海人民出版社）。

出版小说集《仙人承露盘》（华艺出版社）。

1996 年

出版长篇小说《栖凤楼》（人民文学出版社）。至此，由《钟鼓楼》《四牌楼》《栖凤楼》构成的"三楼"长篇小说系列竣工。

应《南洋商报》邀请赴马来西亚访问并顺访新加坡。

1997 年

应日本文化交流基金会邀请，与妻子吕晓歌访问日本。其长篇小说《钟鼓楼》、儿童文学作品《我是你的朋友》、短篇小说《王府井万花筒》等此前已相继译为日文在日本出版。

1998 年

建筑评论集《我眼中的建筑与环境》由中国建筑工业出版社出版，在建筑界产生影响。

应美国科罗拉多大学邀请，赴美参加金庸作品国际研讨会，在会上提交关于《鹿鼎记》的论文《失父：一种生存困境》。

1999 年

出版纪实性长篇小说《树与林同在》（山东画报出版社）。

出版《红楼三钗之谜》（华艺出版社）。

赴新加坡出席国际环境文学研讨会。

2000 年

应邀访问法国，并应英中协会和伦敦大学邀请，从巴黎赴伦敦讲《红楼梦》。

至此年底在海内外出版的个人专著（不含文集）按不同版本计达 101 种。

2001 年

出版包含建筑评论的随笔集《在忧郁中升华》（文汇出版社）。

在北京电视台录制播出《刘心武谈建筑》系列节目。

2002 年

出版小说集《京漂女》（中国文联出版社），自绘插图。

应澳大利亚雪梨华文写作协会邀请赴澳大利亚访问。

2003 年

以马来西亚《星洲日报》世界华人文学"花踪奖"评委身份赴吉隆坡参加相关活动。

台湾联经出版社出版小说集《人面鱼》。此前台湾已出版过刘心武多种作品，如皇冠出版社出版了《钟鼓楼》，幼狮文化事业公司出版了《四牌楼》《为他人默默许愿》（散文集）。

2004 年

赴法参加巴黎书展活动。书展上展出了译为法文的著作有小说《树与林同在》《护城河边的灰姑娘》《尘与汗》《人面鱼》《如意》与歌剧剧本《老舍之死》。

建筑评论集《材质之美》由中国建材工业出版社出版。

小说集《站冰》出版（人民文学出版社），自绘封面插图。

2005 年

出版集历年研红成果的《红楼望月》（书海出版社）。

应 CCTV-10（中央电视台科学教育频道）《百家讲坛》邀请，录制播出《刘心武揭秘〈红楼梦〉》系列节目 23 集，反响强烈，引出争议。

《刘心武揭秘〈红楼梦〉》第一、二部相继出版（东方出版社），畅销。

2006 年

应美国华美协会邀请，赴纽约在哥伦比亚大学讲《红楼梦》。

应邀参加香港书展。

出版《刘心武揭秘古本〈红楼梦〉》（人民出版社）。

2007 年

继续应邀到 CCTV-10《百家讲坛》录制节目，并出版《刘心武揭秘〈红楼梦〉》第三部、第四部（东方出版社）。

访问俄罗斯。

2008 年

出版随笔集《健康携梦人》(中国海关出版社)。

自 1986 年出版《垂柳集》，至此所出版的散文随笔集已逾 30 种。

2009 年

在《上海文学》杂志开《十二幅画》专栏，每期发表一篇写人物命运的大散文，并配发自己的画作。

4 月，妻子吕晓歌病逝，著长文《那边多美呀!》悼念。

2010 年

再应 CCTV-10《百家讲坛》邀请，录制播出《〈红楼梦〉的真故事》系列节目。至此在《百家讲坛》录制播出关于《红楼梦》的个人系列讲座累计达 61 集。

出版《〈红楼梦〉的真故事》(凤凰联动·江苏人民出版社)，在争议声中畅销。

4 月，应台湾新地文学社邀请赴台参加"21 世纪世界华文文学高峰会议"。

出版《命中相遇——刘心武话里有画》(上海文艺出版社)。

加快《刘心武续〈红楼梦〉》的写作，次年完成推出。

至本年底，在海内外出版的个人专著，文集不算在内，重印亦不算，按不同版本计达 182 种(按不同书名计则为 141 种)。

年底，筹备编辑《刘心武文存》。

只包括在中国大陆、台湾、香港和海外出版的书（同一著作每种版本单列）；不包括散发于报刊尚未出书的篇目，亦不包括多人合集中的篇目。第一个数字表示不同版本的排序；[ ]中的数字表示剔除同一书名的版本后的排序；注意：文集8卷不参加排序。

1976 年

1.[1]《睁大你的眼睛》[儿童文学·中篇小说]

北京人民出版社 1976 年 1 月第一版

1978 年

2.[2]《母校留念》[儿童文学·小说集]

中国少年儿童出版社 1978 年 7 月第一版

1979 年

3.[3]《小猴吃瓜果》[低幼读物·画册]

少年儿童出版社 1979 年 4 月第一版

1980 年 6 月第二次印刷

4.[4]《班主任》[短篇小说集]

中国青年出版社 1979 年 6 月第一版

1980 年

5.[5]《我是你的朋友》[儿童文学·中篇小说]

北京出版社 1980 年 7 月第一版

6.[6]《绿叶与黄金》[中短篇小说集]

广东人民出版社 1980 年 8 月第一版

7.[7]《刘心武短篇小说集》

北京出版社 1980 年 9 月第一版

1981 年

8.《这里有黄金》[中短篇小说集]

广东人民出版社 1981 年 4 月第二次印刷

有平装、软精装两种

9.[8]《大眼猫》[中短篇小说集]

浙江人民出版社 1981 年 8 月第一版

1982 年

10.[9]《如意》[中篇小说集]

北京出版社 1982 年 5 月第一版

1983 年

11.[10]《中国现代作家选（Ⅲ）刘心武〈我爱每一片绿叶〉〈深谷小溪默默流〉》

[日本] 东方书店 1983 年第一版

12.[11]《同文学青年对话》

文化艺术出版社 1983 年 10 月第一版

1984 年

13.[12]《到远处去发信》[中短篇小说集]

四川人民出版社 1984 年 4 月第一版

有平装、软精装两种

14.[13]《如意》[电影文学剧本](与戴宗安联合署名)

中国电影出版社 1984 年 6 月第一版

1985 年

15.[14]《嘉陵江流进血管》[中篇小说集]

陕西人民出版社 1985 年 2 月第一版

16.[15]《日程紧迫》[中短篇小说集]

群众出版社 1985 年 5 月第一版

17.[16]《我可不怕十三岁》[儿童文学集]

新世纪出版社 1985 年 8 月第一版

18.[17]《钟鼓楼》[长篇小说]

人民文学出版社 1985 年 11 月第一版

有平装、软精装两种

1986 年 5 月第二次印刷

1986 年

19.[18]《公共汽车咏叹调》[纪实小说]

湖南文艺出版社 1986 年 1 月第一版

20.[19]《都会咏叹调》[小说集]

作家出版社 1986 年 3 月第一版

21.[20]《垂柳集》[散文集]

陕西人民出版社 1986 年 4 月第一版

22.[21]《立体交叉桥》[中短篇小说集]

人民文学出版社 1986 年 6 月第一版

有平装、软精装两种

23.[22]《巴黎郁金香》[访法散文集]

群众出版社 1986 年 11 月第一版

24.[23]《木变石戒指》[中短篇小说集]

> 青海人民出版社 1986 年 12 月第一版

1987 年

25.《*Little Monkey Triesto Eat Fruit*》[科学童话·英文]

> 海豚出版社 1987 年第一版
>
> 有平装、精装两种

26.[24]《斜坡文谈》[文学理论]

> 上海文艺出版社 1987 年 4 月第一版

27.[25]《王府井万花筒》[中篇小说集]

> 湖南文艺出版社 1987 年 9 月第一版
>
> 有平装、精装两种

28.[26]《5·19 长镜头》[小说自选集]

> 四川文艺出版社 1987 年 11 月第一版

29.げくけきの友たちだ [《我是你的朋友》日译本]

> [日本]福武书店 1987 年 12 月第一版
>
> 1989 年 3 月第二版
>
> 1991 年 2 月第三版

1988 年

30.[27]《她有一头披肩发》[中短篇小说集]

> 台湾林白出版社 1988 年 4 月第一版

31.《钟鼓楼》[长篇小说]

> 香港天地图书有限公司 1988 年第一版
>
> 1993 年第二版

32.[28]《私人照相簿》[纪实文学]

> 香港南粤出版社 1988 年 11 月第一版

33.[29]《刘心武代表作》

> 黄河文艺出版社 1988 年 12 月第一版

1989 年

34.《小猴吃瓜果》[科学童话]

> 开明出版社、海豚出版社 1989 年 3 月第一版

35.《钟鼓楼》[长篇小说]

> 台湾皇冠出版社 1989 年 4 月第一版

36.[30]《一片绿叶对你说》[文艺随笔集]

> 河北教育出版社 1989 年 12 月第一版

1990 年

37.[31]《*BLACK WALLS AND OTHER STORIES*》[小说集·英译本]

> 香港中文大学翻译中心出版社 1990 年第一版

38.[32]《王府井万花镜》[小说集·日译本]

> [日本] 德间书店 1990 年 9 月第一版

1991 年

39.《母校留念》[小说]

> [日本] 骏河台出版社 1991 年 4 月第一版

40.[33]《一窗灯火》[中短篇小说集]

> 华艺出版社 1991 年 10 月第一版
> 1993 年第二次印刷

1992 年

41.[34]《列奥纳多·达·芬奇》[传记]

> 江苏教育出版社 1992 年 5 月第一版

42.[35]《有家可归》[散文随笔集]

> 广东旅游出版社 1992 年 5 月第一版

43.[36]《风过耳》[长篇小说]

中国青年出版社 1992 年 6 月第一版

1992 年 12 月第二次印刷

1993 年 3 月第三次印刷

1995 年 8 月第五次印刷

1996 年 3 月第六次印刷

44.《风过耳》[长篇小说]

香港勤 + 缘出版社 1992 年 6 月第一版

45.[37]《献给命运的紫罗兰——刘心武谈生存智慧》

上海人民出版社 1992 年 6 月第一版

1992 年 11 月第二次印刷

1995 年第三次印刷

1996 年 12 月第五次印刷

46.《刘心武代表作》

河南人民出版社 1992 年 6 月第二次印刷·精装本

47.[38]《蓝夜叉》[中篇小说集]

香港勤 + 缘出版社 1992 年 9 月第一版

1993 年

48.《北京下町物语》[长篇小说·《钟鼓楼》日译本]

[日本] 东京恒文社 1993 年 2 月第一版

1994 年第二版

49.[39]《为你自己高兴》[随笔集]

内蒙古人民出版社 1993 年 3 月第一版

50.[40]《杀星》[小说集]

香港勤 + 缘出版社 1993 年 6 月第一版

51.《我是你的朋友》[儿童文学·中篇小说·增订本]

希望出版社 1993 年 6 月第一版

52.[41]《四牌楼》[长篇小说]

上海文艺出版社 1993 年 6 月第一版

1994 年 4 月第二次印刷

1996 年 11 月第三次印刷

53.[42]《我是怎样的一个瓶子》[随笔集]

成都出版社 1993 年 9 月第一版

54.[43]《沉默交流》[随笔集]

中国华侨出版社 1993 年 11 月第一版

55.[44]《富心有术》[随笔集]

群众出版社 1993 年 12 月第一版

1995 年第二次印刷

56.[45]《中国当代名人随笔·刘心武卷》

陕西人民出版社 1993 年 12 月第一版

☆《刘心武文集》[1—8 卷]

华艺出版社 1993 年 12 月第一版

☆《刘心武文集·〈钟鼓楼〉〈风过耳〉》(简装本)

☆《刘心武文集·〈四牌楼〉〈无尽的长廊〉》(简装本)

华艺出版社 1997 年 5 月第一版

1994 年

57.[46]《仰望苍天》[随笔集]

知识出版社 1994 年 1 月第一版

1995 年第二次印刷

东方出版中心 1996 年 7 月第三次印刷

58.[47]《男扮女妆与女扮男妆》[随笔集]

中原农民出版社 1994 年 2 月第一版

59.[48]《相对一笑》[小小说集]

中共中央党校出版社 1994 年 2 月第一版

60.[49]《秦可卿之死》[专著]

华艺出版社 1994 年 5 月第一版

61.《四牌楼》[长篇小说]

台湾幼狮文化事业公司 1994 年 8 月第一版

62.[50]《为他人默默许愿》[散文集]

台湾幼狮文化事业公司 1994 年 10 月第一版

63.[51]《中国小说名家新作丛书·刘心武卷》

海峡文艺出版社 1994 年 11 月第一版

64.[52]《红楼梦 (缩写本)》

接力出版社 1994 年 12 月第一版

1995 年第二次印刷

1997 年 9 月第三次印刷

1995 年

65.[53]《人生非梦总难醒》[名人日记·随笔集]

上海人民出版社 1995 年 1 月第一版

1995 年 3 月第二次印刷

66.[54]《仙人承露盘》[中短篇小说集]

华艺出版社 1995 年 3 月第一版

67.[55]《女性与城市》[杂文集]

中国城市出版社 1995 年 6 月第一版

68.《我是你的朋友》[增订版·"小学生成才书架" 系列之一]

希望出版社 1995 年 10 月第一版

69.《在胡同里转悠》[随笔集]

陕西人民出版社 1995 年 11 月第二次印刷

70.[56]《刘心武海外游记》

华文出版社 1995 年 12 月第一版

1996 年

71.[57]《刘心武小说精选》

太白文艺出版社 1996 年 2 月第一版

72.[58]《开发心大陆》[随笔集]

吉林人民出版社 1996 年 3 月第一版

1997 年 3 月第二次印刷

73.[59]《你哼的什么歌》[散文集]

湖南文艺出版社 1996 年 6 月第一版

74.[60]《刘心武张颐武对话录——"后世纪"的文化了望》

漓江出版社 1996 年 7 月第一版

75.[61]《边缘有光》[随笔集]

汉语大辞典出版社 1996 年 8 月第一版

76.[62]《刘心武怪诞小说自选集》

漓江出版社 1996 年 8 月第一版

有平装、精装两种

77.[63]《我是刘心武》

团结出版社 1996 年 9 月第一版

78.[64]《刘心武》[中国当代作家选集丛书]

人民文学出版社 1996 年 10 月第一版

79.[65]《刘心武杂文自选集》

百花文艺出版社 1996 年 11 月第一版

80.《秦可卿之死》[修订本]

华艺出版社 1996 年 11 月第二版

81.[66]《栖凤楼》[长篇小说]

人民文学出版社 1996 年 12 月第一版

1998 年 3 月第二次印刷

1997 年

82.[67]《封神演义（缩写本）》

接力出版社 1997 年 1 月第一版

1997 年 9 月第二次印刷

83.[68]《胡同串子》[中短篇小说集]

北京燕山出版社 1997 年 8 月第一版

84.《私人照相簿》

上海远东出版社 1997 年 9 月第一版

1998 年 2 月第二次印刷

2000 年换封面版权页称 2000 年 6 月第二次印刷

85.[69]《中国儿童文学名家作品精选丛书·刘心武作品精选》

河北少年儿童出版社 1997 年 8 月第一版

86.[70]《把嘴张圆》[随笔集]

上海远东出版社 1997 年 12 月第一版

1998 年

87.[71]《我眼中的建筑与环境》[建筑评论随笔集]

中国建筑工业出版 1998 年 5 月第一版

1999 年 5 月第二次印刷

2000 年 6 月第三次印刷

2001 年 6 月第四次印刷

88.《钟鼓楼》［茅盾文学奖获奖书系］

人民文学出版社 1998 年 3 月第一次印刷

1998 年 7 月第二次印刷

1998 年 8 月第三次印刷

1999 年 3 月第四次印刷

2000 年 1 月第五次印刷

2001 年 1 月第六次印刷

2001 年 8 月第七次印刷

2002 年 8 月第八次印刷

2003 年 1 月第九次印刷

1999 年

89.[72]《树与林同在》［非虚构长篇小说］

山东画报出版社 1999 年 3 月第一版

2006 年 7 月第二次印刷

90.[73]《八十六颗星星》(*The Eighty-Six Stars*)［儿童文学小说·汉英对照］

希望出版社 1999 年 6 月第一版

91.[74]《红楼三钗之谜》［刘心武红学探佚精品］

华艺出版社 1999 年 9 月第一版

92.[75]《蓝玫瑰》［中短篇小说集］

中国华侨出版社 1999 年 10 月第一版

93.[76]《过隧道的心情》［随笔集］

华东师范大学出版社 1999 年 12 月第一版

2000 年

94.[77]《一切都还来得及》［随笔集］

中国青年出版社 2000 年 1 月第一版

95.[78]《善的教育》[儿童文学]

辽宁少年儿童出版社 2000 年 2 月第一版

96.[79] Le Talisman (version bilingue)[《如意》中、法文对照版]

Librarie You Feng 2000 年 4 月第一版

97.[80]《作家刘心武〈班主任〉手迹》

线装书局 2000 年 5 月第一版

98.[81]《楼前白玉兰》[小小说集]

中国广播电视出版社 2000 年 7 月第一版

99.[82]《刘心武侃北京》

上海文艺出版社 2000 年 10 月第一版

100.[83]《我爱吃苦瓜》[茅盾文学奖获奖作家散文精品]

广州出版社 2000 年 10 月第一版

2002 年 10 月第二次印刷

101.[84]《了解高行健》

香港开益出版社 2000 年 12 月第一版

2001 年

102.[85]《亲近苍莽》

中国旅游出版社 2001 年 1 月第一版

103.[86]《在忧郁中升华》

文汇出版社 2001 年 2 月第一版

《刘心武谈建筑——在忧郁中升华》2007 年 8 月第二次印刷

104.[87]《人在风中》

作家出版社 2001 年 8 月第一版

105.《风过耳》

时代文艺出版社 2001 年 10 月第一版

有平装、精装两种

2002 年

106.[88]《京漂女》(自绘插图)

中国文联出版社 2002 年 1 月第一版

107.[89]《深夜月当花》

中国工人出版社 2002 年 1 月第一版

108.[90]《春梦随云散》

人民文学出版社 2002 年 4 月第一版

109.[91]《藤萝花饼》

台湾二鱼文化事业有限公司 2002 年 4 月第一版

110.[92]《刘心武自述》

大象出版社 2002 年 10 月第一版

2003 年

111.[93] L'arbre et la forêt [《树与林同在》法译本]

Bleu de Chine 2003 年 1 月第一版

112.[94]《人面鱼》

台湾联经出版事业股份有限公司 2003 年 2 月初版

113.[94] La Cendrillon Du Canal [《护城河边的灰姑娘》法译本]

Bleu de Chine 2003 年 4 月第一版

114.[95]《画梁春尽落香尘》["红学" 专著]

中国广播电视出版社 2003 年 6 月第一版

2003 年 9 月第二次印刷

2004 年 1 月第三次印刷

2005 年 6 月第四次印刷

115.[96]《眼角眉梢》

新华出版社 2003 年 8 月第一版

116.[97]《钟鼓楼》[初中生语文新课标必读]

人民日报出版社 2003 年 9 月第一版

117.[98]《天梯之声》

中国青年出版社 2003 年 10 月第一版

2004 年

118.[99] Poussiêre et sueur [《尘与汗》法译本]

Bleu de Chine 2004 年 1 月第一版

119.[100] La mort de Lao SHe [《老舍之死》歌剧剧本法译本]

Bleu de Chine 2004 年 3 月第一版

120.[101] Poisson à face humaine [《人面鱼》法译本]

Bleu de Chine 2004 年 3 月第一版

121.《如意》[电影伴读中国文学文库·附电影光盘]

中国青年出版社 2004 年 1 月第一版

122.[102]《泼妇鸡丁》

台湾二鱼文化事业有限公司 2004 年 4 月第一版

123.[103]《在柳树臂弯里——刘心武随笔》

光明日报出版社 2004 年 5 月第一版

124.[104]《材质之美——刘心武城市文化酷评》

中国建材工业出版社 2004 年 5 月第一版

125.[105]《站冰——刘心武小说新作集》(自绘插图)

人民文学出版社 2004 年 6 月第一版

126.《四牌楼》

上海文艺出版社 2004 年 8 月第二版

127.[106]《大家文丛：刘心武》

古吴轩出版社 2004 年 8 月第一版

2005 年

128.《钟鼓楼》(中国文库·文学类)

> 人民文学出版社 2005 年 1 月第一版第一次印刷(平装)

> 2005 年 1 月第一版第一次印刷(精装)

129.《钟鼓楼》(茅盾文学奖获奖作品全集之一)

> 人民文学出版社 1985 年 11 月第一版、2005 年 1 月第一次印刷

> 2005 年 5 月第二次印刷

> 2005 年 7 月第三次印刷

> 2006 年 3 月第四次印刷

> 2008 年 4 月第七次印刷

> 2009 年 8 月第八次印刷

> 2010 年 1 月第九次印刷

> 2011 年 7 月第 15 次印刷

> 2011 年 9 月第 16 次印刷

> 2011 年 11 月第 17 次印刷

130.[107]《心灵体操》

> 时代文艺出版社 2005 年 1 月第一版

131.[108]《刘心武作文示范》

> 少年儿童出版社 2005 年 1 月第一版

132.[109] La Démone bleue (《蓝夜叉》法译本)

> Bleu de Chine 2005 年第一版

133.[110]《红楼望月》

> 书海出版社 2005 年 4 月第一版

> 2005 年 6 月第二次印刷

> 2005 年 7 月第三次印刷

> 2005 年 8 月第四次印刷

2005 年 9 月第五次印刷

2005 年 9 月第六次印刷

134.[111]《刘心武揭秘〈红楼梦〉》

东方出版社 2005 年 8 月第一版

至 2005 年 19 月共十三次印刷

2005 年 11 月第二版

至 2005 年 12 月已第十八次印刷

至 2007 年 7 月已第二十八次印刷

2007 年 12 月第三十次印刷

2008 年 4 月第三十二次印刷

135.《红楼解梦——画梁春尽落香尘》

中国广播电视出版社 2005 年 9 月第二版第五次印刷

136.《楼前白玉兰——刘心武最新小小说集》

中国广播电视出版社 2005 年 9 月第二版第二次印刷

137.[112]《刘心武揭秘〈红楼梦〉》[第二部]

东方出版社 2005 年 12 月第一版

至 2007 年 7 月已第十五次印刷

2007 年 12 月第十七次印刷

2008 年 4 月第十九次印刷

138.[113]《刘心武解读人世情》

时代文艺出版社 2005 年 12 月第一版

139.[114]《刘心武感悟平常心》

时代文艺出版社 2005 年 12 月第一版

2006 年

140.[115]《刘心武自选集》

云南人民出版社 2006 年 1 月第一版

141.[116]《刘心武点评〈红楼梦〉》

团结出版社 2006 年 1 月第一版

142,《刘心武精品集·第一卷·钟鼓楼》

东方出版社 2006 年 1 月第一版

143.《刘心武精品集·第二卷·四牌楼》

东方出版社 2006 年 1 月第一版

144.《刘心武精品集·第三卷·栖凤楼》

东方出版社 2006 年 1 月第一版

145.《刘心武精品集·第四卷·献给命运的紫罗兰》

东方出版社 2006 年 1 月第一版

146.[117]《戴敦邦绘刘心武评〈金瓶梅〉人物谱》

作家出版社 2006 年 4 月第一版

147.[118]《红楼拾珠》

云南人民出版社 2006 年 5 月第一版

148.[119]《藤萝花饼》

云南人民出版社 2006 年 5 月第一版

149.《刘心武揭秘〈红楼梦〉》[第一部]

台湾好读出版有限公司 2006 年 6 月初版

150.《刘心武揭秘〈红楼梦〉》[第二部]

台湾好读出版有限公司 2006 年 6 月初版

151.《我是刘心武》

天津人民出版社 2006 年 8 月第一版

152.[120]《刘心武揭秘古本〈红楼梦〉》

人民出版社 2006 年 12 月第一版

同月第二次印刷

2007 年

153.[121]《四棵树》

二十一世纪出版社 2007 年第一版

154.[122]《用心去游》

上海三联书店 2006 年 12 月第一版

2007 年 1 月第一次印刷

155.[123] Dés de poulet façon mégère [《泼妇鸡丁》法译本]

Bleu de Chine 2007 年 4 月第一版

156.《一切都还来得及》

中国青年出版社 2005 年 5 月第一版

157.[124]《刘心武揭秘〈红楼梦〉》[第三部·黛玉之谜及古本之秘]

东方出版社 2007 年 7 月第一版

至 2007 年 8 月已第四次印刷

2007 年 12 月第六次印刷

2008 年 3 月第七次印刷

158.[125]《刘心武说世道人心》

中国青年出版社 2007 年 7 月第一版

159.[126]《刘心武说寻美感悟》

中国青年出版社 2007 年 7 月第一版

160.[127]《刘心武说草根情怀》

中国青年出版社 2007 年 7 月第一版

161.[128]《长吻蜂》

上海人民出版社 2007 年 8 月第一版

162.《私人照相簿》

华龄出版社 2007 年 10 月第一版

163.《善的教育》

华龄出版社 2007 年 10 月第一版

164.[129]《刘心武揭秘〈红楼梦〉》[第四部·宝钗湘云之谜暨红楼心语]

东方出版社 2007 年 11 月第一版

2008 年 3 月第三次印刷

2008 年

165.[130]《健康携梦人》

中国海关出版社 2008 年 4 月第一版

166.[131]《刘心武小说》

吉林文史出版社 2008 年 5 月第一版

167.[132]《刘心武散文》

吉林文史出版社 2008 年 5 月第一版

2009 年

168.《钟鼓楼》(共和国作家文库)

作家出版社 2009 年 4 月第一版

169.《四牌楼》(共和国作家文库)

作家出版社 2009 年 4 月第一版

170.[133]《人在胡同第几槐》

中国文联出版社 2009 年 6 月第一版

171.《钟鼓楼》(新中国 60 年长篇小说典藏)

人民文学出版社 2009 年 7 月第一版

172.[134]《刘心武短篇小说》

现代教育出版社 2009 年 8 月第一版

173.[135]《刘心武中篇小说》

现代教育出版社 2009 年 8 月第一版

174.[136]《刘心武散文随笔》

现代教育出版社 2009 年 8 月第一版

175.《刘心武揭秘〈红楼梦〉》上卷（共和国作家文库）

作家出版社 2009 年 8 月第一版

176.《刘心武揭秘〈红楼梦〉》下卷（共和国作家文库）

作家出版社 2009 年 8 月第一版

2010 年

177.[137]《人情似纸》

江苏文艺出版社 2010 年 1 月第一版

178.[138]《红楼梦八十回后真故事》

江苏人民出版社 2010 年 3 月第一版

179.[139]《刘心武小说精选集》

[台湾] 新地文化艺术有限公司 2010 年 4 月第一版

180.《红楼望月》

江苏人民出版社 2010 年 6 月第一版

2010 年 9 月第二次印刷

181.[140]《命中相遇——刘心武话里有画》

上海文艺出版社 2010 年 7 月第一版

182.[141]《红楼眼神》

重庆出版社 2010 年 9 月第一版

2011 年

183.[142]《刘心武续红楼梦》

江苏人民出版社 2011 年 3 月第一版

江苏人民出版社 2011 年 4 月第 4 次印刷

184.[143]《红楼梦》(曹雪芹著刘心武续)

江苏人民出版社 2011 年 3 月第一版

185.《刘心武续红楼梦》[繁体字竖排本]

香港明报出版社有限公司 2011 年 3 月初版

186.《刘心武揭秘〈红楼梦〉》精华本（一）

江苏人民出版社 2011 年 4 月第一版

187.《刘心武揭秘〈红楼梦〉》精华本（二）

江苏人民出版社 2011 年 4 月第一版

188.《刘心武揭秘〈红楼梦〉》精华本（三）

江苏人民出版社 2011 年 4 月第一版

189.《刘心武揭秘〈红楼梦〉》精华本（四）

江苏人民出版社 2011 年 4 月第一版

190.《刘心武续红楼梦》[繁体字竖排本]

台湾城邦文化事业股份有限公司商周出版 2011 年 4 月第一版

191.《〈红楼梦〉的真故事》

台湾人类智库数位科技股份有限公司 2011 年 6 月第一版

192.[144]《听刘心武说房子的事儿》

中国商业出版社 2011 年 8 月第一版

193.[145]《刘心武心灵随感》

时代文艺出版社 2011 年 11 月第一版

2012 年

194.[146]《刘心武种四棵树》

漓江出版社 2012 年 1 月第一版

195.[147]《风雪夜归正逢时——我是刘心武》

漓江出版社 2012 年 1 月第一版

196.《献给命运的紫罗兰》

漓江出版社 2012 年 1 月第一版

197.[148]《人生有信》

江苏人民出版社 2012 年 3 月第一版

198.Poussiêre et sueur [《尘与汗》法译本 folio 袖珍版]

Gallimard 2012 年 8 月出版

199.La Cendrillon du canal [《护城河边的灰姑娘》法译本 folio 袖珍版]

Gallimard 2012 年 8 月出版